Jahrzehntelang haben ihre Briefe aus der Kriegs- und Nachkriegszeit ungelesen im Schrank gelegen. Als Peter Schneider sich endlich entschließt, die in Sütterlin geschriebenen Briefe seiner Mutter transkribieren zu lassen, stößt er auf eine unglaubliche Geschichte – eine offene Dreiecksbeziehung. Eine aufwühlende Recherche beginnt. Aus den Briefen seiner Mutter und seinen eigenen Erinnerungen rekonstruiert Peter Schneider seine Kindheit und zeichnet ein vielschichtiges Porträt einer faszinierenden Frau, die ohne Rücksicht auf die Konventionen der Zeit ihren Leidenschaften folgte.

PETER SCHNEIDER, geboren 1940 in Lübeck, wuchs in Freiburg auf, wo er sein Studium der Germanistik, Geschichte und Philosophie aufnahm. Im Bundestagswahlkampf von 1965 schrieb er Reden für SPD-Politiker. 1967/68 avancierte Schneider zu einem der Wortführer der 68er-Bewegung. Er beendete seine Ausbildung 1972 in Berlin. 1973 wurde ihm als Referendar das Berufsverbot erteilt. Er schrieb Erzählungen, Romane, Drehbücher und Reportagen sowie Essays und Reden. Seit 1985 unterrichtet Peter Schneider als Gastdozent an amerikanischen Universitäten, unter anderem in Stanford, Princeton und Harvard. Seit 1996 lehrt er als Writer in Residence an der Georgetown University in Washington D.C. Er lebt in Berlin.

Peter Schneider

Die Lieben meiner Mutter

btb

Die Arbeit an diesem Buch wurde vom
Deutschen Literaturfonds e.V. gefördert.

Die Namen einiger Personen wurden verändert.

MIX
Papier aus verantwor-
tungsvollen Quellen
FSC® C083411

Verlagsgruppe Random House FSC® N001967
Das für dieses Buch verwendete FSC®-zertifizierte
Papier *Lux Cream* liefert Stora Enso, Finnland.

2. Auflage
Genehmigte Taschenbuchausgabe Oktober 2014
btb Verlag in der Verlagsgruppe Random House GmbH, München
Copyright © 2013 by Kiepenheuer & Witsch GmbH & Co.KG, Köln
Alle Rechte vorbehalten.
Umschlaggestaltung: semper smile, München, nach einem Entwurf
von Rudolf Linn, Köln
Umschlagmotiv: © Rudolf Linn, Köln
Druck und Einband: CPI – Clausen & Bosse, Leck
MK · Herstellung: sc
Printed in Germany
ISBN 978-3-442-74736-8

www.btb-verlag.de
www.facebook.com / btbverlag
Besuchen Sie auch unseren LiteraturBlog www.transatlantik.de

Für meine Geschwister
Und für Lena und Marek

1

Auf den Fotos, den schwarz-weißen mit dem gezackten Rand, ist meine Mutter fast nicht zu erkennen. Jedenfalls nicht die Mutter, die ich in Erinnerung habe – eine sanfte und beschützende, manchmal tieftraurige, dann wieder unbeherrschte Urgewalt. Auf den Fotos ist eine junge schmale Person zu sehen in einfachen, meist selbst geschneiderten Kleidern, die die Taille und die Brust betonen; das nackenlange Haar dunkelblond, aus der Stirn gekämmt; die schmalen Lippen geschlossen, manchmal leicht, wie zum Atmen, halb offen; selten zeigt sie sich lachend, schon gar nicht mit jenem vom Fotografen verlangten Lachen, das die Kriegsgeneration sich auch unter den schlimmsten Umständen abringen zu müssen meinte, sodass in den Fotoalben aus jener Zeit Millionen von grundlos lachenden Familienangehörigen aufbewahrt sind. Auf den Fotos sehe ich eine junge ernste Frau, die nichts vorzugeben und nichts zu verheimlichen scheint. Das Leuchten, das nach dem Zeugnis ihrer Verehrer von ihr ausging, hat keinen Fotografen gefunden. Falls sie im Kreis der Freunde wirklich so etwas wie ein Star war, ein Licht, eine strahlende Erscheinung, so war die Darstellung dieser Rolle auf ein anderes Mittel angewiesen als auf die Fotografie.

Jahrzehntelang gehörte ein Schuhkarton zu meinen Sachen, den ich bei allen Umzügen mitnahm. Er enthielt Briefe meiner Mutter – Briefe, die sie in Sütterlinschrift mit Bleistift oder Tinte auf weißes oder gelbes Papier geschrieben hatte, öfter auf Seiten im DIN-A5-Format, die sie vielleicht aus einem Schul- oder Notizheft herausgerissen hatte.

Hin und wieder vermisste ich den Karton, weil ich ihn jahrelang nicht mehr gesehen hatte. Dann suchte ich ihn in einem Anfall undeutlicher Verlustangst und konnte ihn nicht finden. Wenn er beim nächsten Umzug wieder auftauchte, überkam mich eine Erleichterung, als hätte ich etwas für mich unendlich Wichtiges wieder entdeckt, und ich machte mich daran, den einen oder anderen Brief zu lesen. Aber es gelang mir nie, mehr als ein paar Halbsätze zu entziffern. Wie bei früheren Versuchen gab ich wieder auf – schwer zu sagen, ob es die Scheu vor den Mühen des Lesens war, die den Reflex des Aufschiebens hervorrief, oder die Furcht vor Entdeckungen, von denen ich lieber nichts wissen wollte. Mir gefiel das Motto, dem Bob Dylan gefolgt war: »Don't look back!« Erfinde dich selbst, entferne dich von allen Bindungen, die du nicht selbst gewählt hast, besonders aber von dem Teil der Vergangenheit, den du nicht bestimmen konntest – von deiner Kindheit!

Eine alte Freundin, die von den Briefen wusste, hatte mir einen Rat gegeben, der mich beschäftigte: Am besten verfahre man mit den Briefen der Eltern, soweit sie nicht an einen selbst gerichtet seien, wenn man sie ungelesen in eine volle Badewanne werfe. Der Satz passte zu dem Misstrauen, das die »Generation der Nachgeborenen« gegen ihre Eltern entwickelt hatte, und er passte zu meinem Projekt der Selbsterfindung. Gleichzeitig schien mir eine derartige Aktion zu dramatisch und nicht recht effizient zu sein. Wie verfährt man mit Briefen, deren Schrift sich nicht in Wasser auflöst, weil sie mit Bleistift geschrieben sind? Bleistift ist haltbarer als Tinte.

Was mich schließlich dazu brachte, die Briefe endlich zu entziffern, war der Umstand, dass ich nach einem dreißigjährigen Familienleben und dem Auszug der Kinder die gemeinsame Wohnung verlassen hatte und mit dem Schuhkarton allein war. Ich führte endlose Selbstgespräche mit der Adressatin meiner gescheiterten Liebe, ich suchte nach Erklärungen und fand jeden Tag eine andere, die doch nichts erklärte – plötzlich wollte ich wissen, was in den Briefen meiner Mutter stand.

Ich begann damit, die oft undatierten Briefe nach dem Datum des Poststempels zu ordnen, soweit die Briefumschläge noch vorhanden waren. Ich fotokopierte und vergrößerte sie in der Hoffnung, die mit fliegender Hand aufs Papier geworfene Schrift auf diese Weise zu entschlüsseln. Ich lud aus dem Internet eine Umschrift des Sütterlin-Alphabets herunter, konnte jedoch nur einige Buchstaben der Musterschrift in der Handschrift meiner Mutter wiedererkennen. Unter die Wörter und Halbsätze, die ich entziffert hatte, notierte ich meine Übersetzungen. Aber nun, nachdem ich damit begonnen hatte, ließen mir die unlesbaren Passagen zwischen den Wörtern keine Ruhe, sie schienen etwas zu sagen, das dringend nach Entzifferung verlangte. Die alte Ungeduld und Unlust, mich mit den Briefen weiter zu beschäftigen, kam mir auf einmal kindisch vor, wie ein lebenslang aufrechterhaltenes Trotzverhalten. Die Briefe boten mir die Gelegenheit, mich der Mutter, an die ich nur wenige deutliche Erinnerungen hatte, zu nähern, sie überhaupt erst kennenzulernen. Aber da war noch etwas anderes, das mich trieb: Die Ahnung, ich würde aus diesen Briefen etwas über mich und ein Verhängnis erfahren, das mein Leben stärker bestimmt hatte, als ich hatte wahrhaben wollen. Der Wunsch, Frieden mit der Mutter zu machen. Oder war es nicht eher die Mutter, die Frieden mit mir machen sollte? Ich hatte sie zum letzten Mal gesehen, als ich acht Jahre alt war.

Durch die Hilfe von Gisela Deus, die kaum älter ist als ich und die Sütterlinschrift auch nie gelernt hat, wurden die Briefe einer nach dem anderen lesbar. Sie hatte sich jedoch schon als Kind bemüht, die in der fremden Schrift geschriebenen Briefe ihrer Eltern zu entziffern. Mit zunehmender Neugier las Gisela Deus sich in die Handschrift und den Seelenzustand meiner Mutter ein, aber auch ihr gelang es nicht, alle Wörter zu entschlüsseln. Mit der Zeit entwickelte sie eine Art Jagdinstinkt, der sie trieb, der Suche nach einem fraglichen Wort, einem Halbsatz so lange zu folgen, bis ihr die Lösung zufiel. Wenn sie nicht weiterkam, so erklärte sie, habe sie sich manchmal einen Kaffee gemacht, den Fernseher angeschaltet oder sei einkaufen gegangen. Aber die ganze Zeit über sei sie, ohne es zu wollen, in Gedanken zu der fraglichen Passage zurückgekehrt. Und plötzlich sei die Lösung vor ihrem inneren Auge gestanden. Meistens habe ihr nur die Einfühlung in die Diktion und den Seelenzustand meiner Mutter weitergeholfen. Sie wunderte sich, warum ich mir nie die Mühe gemacht hatte, der sie sich unterzog. Wenn ich nur gewollt hätte, meinte sie, hätte auch ich die Briefe lesen können.

Die Übersetzerin der Briefe meiner Mutter wurde im Lauf der Monate und Jahre zu einer unentbehrlichen Gesprächspartnerin. Anfangs rätselten wir gemeinsam nur über das eine oder andere unleserliche Wort. Später ging es immer mehr um die Bedeutung eines ganzen Satzes, um seine Einordnung in den Kontext, um die Persönlichkeit der Verfasserin. Gisela Deus geriet immer mehr in den Sog der Briefe, sie lebte mit ihnen und begann sich mit der Verfasserin zu identifizieren. Sie war angerührt von der melancholischen Grundmelodie der Briefe und von der Schönheit der Sätze, die meine Mutter für ihre Stimmungen gefunden hatte. Manchmal, so gestand sie mir, wenn sie im Wind auf einem kalten S-Bahnhof stand, fiel ihr eine Passage aus einem der zuletzt übersetzten Briefe ein und jagte ihr eine Gänsehaut über den Rücken. Sie wurde zu einer Anwältin meiner Mutter und verteidigte den einen oder anderen Brief gegen meine Lesart.

Manchmal kam es zum Streit zwischen uns, und ich musste mich des Eindrucks erwehren, dass ich nicht der Entzifferin der Briefe, sondern ihrer Verfasserin gegenübersaß.

Aus den Briefen trat mir eine junge Frau entgegen, die ich nicht kannte. Eine Mutter, die sich für ihre Kinder zerriss und sie dank ihres Wagemuts und ihrer praktischen Intelligenz auf einer langen Flucht aus dem äußersten Nordosten Deutschlands wohlbehalten in den südlichsten Zipfel Bayerns brachte. Eine Ehefrau, die ihrem Mann Heinrich zwischen tausend Nachrichten über das Alltägliche und das Wohlergehen der Kinder zärtliche, manchmal auch zickige Zeichen ihrer Liebe schickte. Und eine Träumende, die von ihrer Leidenschaft für Andreas, einen Freund und Kollegen ihres Mannes, verzehrt wurde.

Vor allem aber lernte ich eine Schreibende kennen, die ihren Schwankungen zwischen Lebenslust und Schwermut fast hilflos ausgeliefert war, aber noch in den Augenblicken völliger Verzweiflung über eine erstaunliche Ausdrucksfähigkeit verfügte. Das Schreiben ist für die Mutter offenbar ein Überlebensmittel gewesen, eine Waffe, mit dem sie die zerstörerischen Kräfte, die von außen wie von innen auf sie einstürmten, in Schach zu halten versuchte. Die Form, die sie in ihrem kurzen Leben für das Schreiben fand, waren ihre Briefe. Sie war einundvierzig, als sie starb.

Über mich, den damals Sieben- und Achtjährigen, hatte sie alle Macht verloren. Hilflos musste sie mit anschauen, wie meine ältere Schwester und ich in den Bann eines jugendlichen Zauberers gerieten, der ihr den Zugang zu uns versperrte. Nachts im Bett verwandelte ich mich in ein anderes Wesen. Ich flog, aber dies war kein Fliegen, wie ich es bei den Vögeln beobachtete, die hoch über mir in dem engen, von mächtigen Felswänden eingeschlossenen Himmel kreisten. Es war ein Fliegen, das aus dem Laufen und Rennen entstand, ein Springen und Hinweggleiten über die steilen Hänge, wobei der Fuß nach dem Abstoßen wie versehentlich den Kamm des nächsten und übernächsten Hügels streifte, bis − man musste sich bloß trauen! − die Berührung mit der Fußspitze überflüssig war und nur noch der Vergewisserung diente, dass ich mich nicht zu hoch über die Erde erhoben hatte. Plötzlich war dieses mächtige Sausen in meinen Ohren, und der ganze flügel- und federlose Körper rauschte hinaus ins Freie, während die Hügel jählings unter mir wegstürzten wie eine Erdlawine, die ich mit den Zehenspitzen losgetreten hatte. Eine kurze Ewigkeit lang glitt ich dahin in der beängstigenden und herrlichen Leere, leicht, aber nicht schwerelos, denn der Körper kannte immer noch seine Bestimmung, erdwärts zu fallen, und dies würde unweigerlich geschehen, sobald ich an den Absturz dachte. Es kam darauf an, den Augenblick vor dem Fall so lang wie möglich auszudehnen und rechtzeitig vor dem Aufprall aufzuwachen.

Das Fliegen war kein Wunsch, den ich mir aus Märchen- oder Sagenbüchern angelesen hatte, eher eine Antwort auf die Hügellandschaft, in die es mich verschlagen hatte. Es war die Übersetzung einer Botschaft, die mir die Landschaft mitteilte. Das Dorf unten im Tal kam mir vor wie der Grund eines Sees, dessen Ufer steil in unerreichbare Höhe stiegen. Nur im Dorf, auf dem Grund des Sees, fiel das Atmen leicht; sobald man das Ufer erreichte und sich vom Dorf entfernte, fing das Keuchen an. Man konnte auf den Wegen hinansteigen bis dorthin, wo sich die Wälder lichteten und einem krüppeligen Buschwerk Platz machten, und höher hinauf bis zum Fuß der Schlucht, in der das Geröll lag – das Geröll, das immer in einer leisen Bewegung zu sein schien, auch wenn man kein Rollen hörte, nicht einmal ein Rieseln. An den Felswänden, die sich links und rechts des Gerölls in den Himmel erhoben, endeten alle Wege. Einmal war ich allein bis zum Fuß der Schlucht gelangt, die den Kleinen vom Großen Waxenstein trennt, war auf den losen Steinbrocken, die sich unter meinen Füßen lösten und sofort kleine Steinlawinen anstießen, weit und immer weiter aufwärtsgestiegen. Aber plötzlich geriet, wie von einem unsichtbaren Vorgänger angestoßen, auch das Geröll vor mir in Bewegung, stürzte mir entgegen und hätte mich mitgerissen, wenn ich mich nicht mit zwei, drei Sprüngen an den felsigen Rand des Geröllbetts gerettet hätte. Beim nächsten Mal war ich vorsichtiger. Ich blieb am Fuße der Schlucht stehen, prägte mir die Lage jedes großen und kleinen Brockens in meinem Gesichtskreis ein und schloss die Augen. Als ich sie wieder öffnete, hatten die kleinen, aber auch die großen Steine, ohne ein Geräusch zu machen, ihren Ort gewechselt.

Ich ging nie wieder dort hinauf. Die Welt jenseits der Felswände, die abends in der Sonne aufglühten wie ein vergänglicher Feuerzauber, blieb unerreichbar.

Mein Terrain waren die hügeligen, steil abfallenden Hänge unter den Felswänden. Aber das Wort Hänge beschreibt den Sog nicht, den sie auf mich ausübten. Denn diese spitzen Hügel waren keine Erhebungen, auf denen man stehen bleibt, um die Hand an die Stirn zu halten und die gegenüberliegenden Berggipfel zu bestaunen. Diese Hügel schienen immer in Bewegung zu sein wie die Steine in der Geröllschlucht – Wellen eines talwärts stürzenden Flusses, die mitten in der Bewegung des Abstürzens erstarrt waren. Sie sagten mir: Hab keine Angst, reiß dich los, breite die Arme aus und spring!

Willi war sieben Jahre älter als ich und wohnte schräg gegenüber im Haus des Architekten. Ich begegnete ihm in einem Krieg zwischen Kinderbanden im Zigeunerwald, wo wir uns mit Speeren, Bögen und Pfeilen, die wir aus Weiden- und Haselnusszweigen geschnitzt hatten, bekämpften. Unter kirchturmhohen Tannen schlichen wir uns auf den knöcheltief mit Nadeln übersäten Pfaden an, versteckten uns hinter dicken Stämmen und Felsen, unter denen Füchse und Marder hausten. Willi traf mich mit seinem Speer in den Rücken, so wuchtig, dass ich niedersank. Lichtumglänzt sah ich ihn über mir stehen, mit einem Fuß auf meiner Brust. Er drehte mich auf den Bauch, streifte mein Hemd hoch, untersuchte das Loch in meinem Rücken, spuckte darauf und sagte einen Zauberspruch, der mir augenblicklich die Schmerzen nahm. Er zog mich hoch und trug mich huckepack nach Hause.

Auf dem Weg erzählte er mir vom Erzengel Michael, der ihm die Kräfte verliehen habe, meine Wunde zu heilen. Kraft seiner Verbindung mit dem Engel werde er mir Dinge beibringen, von denen ich nur zu träumen wagte. Fliegen zum Beispiel. Ja, er wisse von meinem Wunsch zu fliegen und werde mich in dieser Kunst unterrichten. Aber mit Fliegen meine er nicht das Hüpfen von Hügel zu Hügel, auch nicht das spatzenhafte Springen von Dach zu Dach, sondern das Adler-Fliegen hinauf zu den Alpspitzen, das Schweben hoch über den Wolken und in Himmelshöhen, wie es die Engel machten. Allerdings müsse ich zuvor eine Probezeit bestehen und dürfe mit niemandem über unser Bündnis sprechen. Wenn ich auch nur ein Wort über unseren Pakt verriete, könne er mich nicht mehr schützen, die Teufel, die auf den Dachböden und in den Heuschobern lauerten, würden mich holen, sie würden mir mit glühenden Peitschen den nackten Hintern versohlen und hinterher Salz in die Wunden streuen.

Willi setzte mich fünfzig Meter entfernt vom Zaun unseres Hauses ab. Kein Wort, hast du verstanden, sonst platzt deine Wunde auf und wird nie mehr heilen.

Die Mutter wollte wissen, wo ich so lange nach der Schule geblieben war. Ich erzählte ihr von unseren

Kriegsspielen im Zigeunerwald, kein Wort über Willi und meine Wunde. Es war das erste Mal, dass ich ihr etwas verschwieg.

Tage später traf ich Willi nach der Schule wieder, auf dem Nachhauseweg. Mit seinem Schulranzen wirkte er plötzlich kleiner und unscheinbarer, als ich ihn in Erinnerung hatte – ein dunkelhaariger Fünfzehnjähriger mit gescheitelten Haaren. Ich tat so, als würde ich ihn nicht kennen, und ging ohne zu grüßen an ihm vorbei. Da schlug er mir mit der Hand auf den Rücken, genau auf die wunde Stelle, und ich blieb stehen. Er sagte mir, meine Probezeit habe längst angefangen, der heilige Michael wolle meine Treue prüfen. Der Erzengel brauche Lebensmittel und vor allem Geld, denn im Himmel gebe es kein Geld; und manchmal, wenn er in Menschengestalt unter Menschen wandele und in einem Lebensmittelladen stehe, müsse er Geld auf den Tisch legen, um sich nicht zu verraten.

Dass der Erzengel ein paar Mark in der Tasche haben musste, um sich zu tarnen, leuchtete mir ein. Aber Lebensmittel? Ich hatte nie gehört, dass Engel essen und womöglich auch verdauen.

In den folgenden Tagen klaute ich Radieschen, Möhren und Tomaten, die meine Mutter – wie jeder, der in den Nachkriegsjahren ein Stück Erde hatte – in den Beeten hinter dem Haus zog. Willi lobte mich, war aber mit den Erträgen meiner Diebstähle nicht zufrieden; der Erzengel brauche kein Gemüse, sondern Geld und Lebensmittel. Ich begann, Geld und Lebensmittelmarken aus dem Portemonnaie meiner Mutter zu stehlen. Ich bin nicht sicher, ob ich mir dabei eines Vergehens bewusst war, schließlich handelte ich im Auftrag einer höheren Macht. Dennoch konnte ich das Gefühl, dass ich mit meinem Diebstahl gegen die Regeln verstieß, nicht unterdrücken. Und es fiel mir schwer zu verstehen, dass der Engel immer ungeduldiger, ja immer gefräßiger wurde. Er wollte nicht nur Lebensmittel und Geld, sondern Luxusgüter: Fleisch, Schokolade, Zigaretten. Je mehr von diesen Dingen ich ihm beschaffen könne, sagte Willi, desto schneller werde ich das Fliegen lernen. Nach und nach, ohne dass ich es merkte, würden mir Flügel wachsen. Ich solle jeden Sonntag meine Arme und Beine prüfen und ihm sagen, wenn ich eine Veränderung bemerkte.

Fleisch und Butter konnte ich unmöglich beschaffen, aber Zigaretten. Ich kannte ein paar Jungen aus der Nachbarschaft, die aus den Vorratszelten der Amerikaner Zigaretten klauten und damit Handel trieben. Die Geldsummen und Lebensmittelmarken, die ich zu Hause stahl, waren bald so beträchtlich, dass die Mutter sich die Lücken nicht mehr erklären konnte. Verzweifelt begann sie, Verhöre mit meiner Schwester und mir anzustellen, die ich glimpflich überstand, weil ich ihrer Meinung nach zu klein war, um als Dieb in Betracht zu kommen. Wie sollte sie auch ahnen, dass ihr Siebenjähriger den Anführer der himmlischen Heerscharen aus ihrem Portemonnaie versorgte? Der Verdacht blieb an unserer Haushaltshilfe haften.

Nach der Schule traf ich mich mit Willi hinter unserem Haus am Geräteschuppen, an dessen Vordach eine Schaukel befestigt war. Abend für Abend übten wir dort das Fliegen. Meine Aufgabe bestand darin, Schwung zu holen, so viel Schwung, dass ich mit dem Kopf fast an das Gebälk des Vordachs stieß, und beim letzten Ausschwingen abzuspringen. Willi wies mich an, beim Absprung beide Arme nach vorn zu werfen, die Beine erst kurz vor dem Aufsetzen anzuwinkeln, um meinen Flug auf diese Weise ein paar Zentimeter zu verlängern. Wenn ich die Linie träfe, die Willi in den Boden gefurcht hatte und selbst regelmäßig übersprang, würde ich vom Erzengel Michael in den Kreis seiner Lehrlinge aufgenommen.

Aber so heftig ich auch Schwung holte, so mutig ich vom höchsten Punkt der schwingenden Schaukel ins dunkle Freie sprang, die Linie vermochte ich nie zu erreichen. Ich haderte mit Willi, haderte mit dem Erzengel, wollte wissen, warum ich ihm trotz meiner üppigen Geschenke nicht ein einziges Mal begegnet war. Hatte ich nicht eben erst die halbe Speisekammer für ihn ausgeraubt? Willi tröstete mich: Ob ich denn nicht merkte, dass ich eben fast einen Meter weiter geflogen war als zu Beginn meiner Flugübungen? Der Erzengel verzeihe vieles, aber eine Sünde nicht: den Zweifel an seiner Macht und an der Gültigkeit seiner Versprechen.

Hat die Mutter nicht geahnt, dass ich unter einen fremden Bann geraten war? Oder wollte sie nichts davon wissen, weil sie mit der täglichen Sorge um die Ernährung und durch die Näharbeiten für vier Kinder ohnehin überfordert war? Aus ihren Briefen geht hervor, dass sie Willi anfangs durchaus mochte. Er hatte sich ihre Gunst verschafft, weil er ihr manchmal beim Tragen der Einkäufe und beim Schleppen der schweren Holzstücke zum Geräteschuppen half, die der Lieferant auf der Straße ablud. Und er war ihr wohl noch auf andere Weise nützlich. Immer wenn die Mutter Besuch aus der Stadt hatte – und Besuch kam oft –, war er zur Stelle. Vom Balkon des Hauses gegenüber, in dem er wohnte, konnte er gut beobachten, wer bei uns ein oder aus ging. Meistens war es Linda, die beste Freundin der Mutter, die ein paar Tage oder auch ein paar Wochen blieb. Aber manchmal kamen auch Männer, die uns als Freunde der Eltern vorgestellt wurden – Männer in Anzügen mit feingliedrigen Fingern, Theaterleute, die von weit her anreisten. Sie brachten der Mutter und uns Geschenke mit, die man im Dorf nicht kaufen konnte, strichen uns über den Kopf und wiederholten geduldig die Vornamen, die die Mutter ihnen vorgesagt hatte. Anschließend verwechselten sie die Namensträger, und auch wir vergaßen, wie sie hießen. Wir wussten, dass die Mutter keine Zeit für uns hatte, wenn Gäste aus der Stadt eintrafen, und Willi wusste es auch. Dann stand er am Gartentor und rief nach Hanna oder mir. Er hatte rasch begriffen, dass meine Mutter es nicht ungern sah, wenn er ihr die Kinder für eine Weile abnahm.

Einmal kletterten Willi und ich auf das Dach des Holz-
schuppens, um von dort einen besseren Absprung für
unsere Flugübungen zu haben. Als ich mich gerade abstoßen wollte, hielt Willi mich zurück und deutete auf
das Schlafzimmer meiner Mutter. Hinter dem Fenster,
behauptete er, habe er sie eben mit dem fremden Mann
aus Berlin in einer engen Umarmung gesehen. Er sei
sicher, die beiden hätten sich geküsst. Ich bohrte meine Blicke in die dunklen Fensterscheiben, konnte aber
weder meine Mutter noch den Gast entdecken. Ich war
wütend auf Willi und sagte ihm, er solle mich mit seinen dummen Witzen in Ruhe lassen.

Spring schon, sagte Willi, oder hast du etwa Angst? Er
stieß sich vom Dach ab. Ich tat es ihm nach und wunderte mich. Anders als bei Vögeln halfen rudernde Arme nicht im Geringsten beim Fliegen. Ich war froh,
dass ich nach meinem Sturz wieder aufstehen konnte.
Willi zog mich hoch und forderte mich auf, ihm zu
folgen. Er werde mir sofort beweisen, dass er keinen
Unsinn geredet habe, rief er mir zu. Er habe ein Instrument zu Hause, mit dem ich durch geschlossene Fenster, durch Vorhänge und sogar durch Wände schauen
könne. Wir rannten den steilen Weg hinunter zum Gartentor und in sein Haus. Dort angekommen, schlich er
mit dem Zeigefinger auf den Lippen die Treppe hinauf
in den zweiten Stock. Aus einem Versteck in seinem
Zimmer holte er ein Gerät hervor, das ich noch nie
gesehen hatte – ein Instrument mit kleinen runden
Gläsern, die in einer beweglichen Einfassung steckten.
Willi schärfte mir ein, ich dürfe niemandem von die-

21

sem Gerät erzählen, er habe es in den letzten Kriegstagen von einem Gebirgsjäger gegen eine alte Hose seines Vaters eingetauscht. Dann führte er mich auf den Balkon vor seinem Zimmer, gab mir das Ding in die Hand und unterwies mich darin, mit einer Drehung an dem Rädchen die Schärfe einzustellen.

Ich richtete das Gerät auf unser Haus. Es dauerte lange, bis ich, erschreckend nah, den Erker mit den sechsteiligen Fenstern im Fokus hatte. Aber schon bei der geringsten Bewegung am Rädchen verschwand das Bild wieder und ich sah nur noch eine geriffelte weiße Fläche mit riesengroßen schwarzen Flecken.

Jetzt siehst du die Birke vor eurem Haus, erklärte Willi.

Plötzlich drückte er meinen Kopf nach unten. Da sind sie!, flüsterte er. Ich legte das Gerät ab, weil ich nichts mehr sah, und lugte durch eine der herzförmigen Aussparungen in der Balkonbrüstung. Die Mutter verließ mit dem Besucher aus Berlin gerade das Haus. Die beiden liefen dicht unter uns vorbei, Richtung Kirche. Wir verfolgten ihren Weg, bis sie hinter der Kurve verschwanden. Sie würden schon wieder auftauchen, sagte Willi, und er wisse auch, wo.

Wir vertrieben uns die Zeit, indem wir mit Willis Gerät andere, weit entfernte Ziele heranholten: das Zifferblatt der Kirchturmuhr, einen Heuschober hoch oben in den Hügeln, in dem sich, behauptete Willi, immer noch Gebirgsjäger versteckten, die Geröllschlucht zwischen den Waxensteinen, die jetzt von Schnee bedeckt war und in einem weißen S bis hinab zu den grünen

Hügeln lief. Plötzlich stieß Willi einen Pfiff aus. Da, jetzt hab' ich sie erwischt! Er erklärte, er habe meine Mutter und ihren Gast auf dem steilen Höhenweg entdeckt, der hinter der Kirche zur Neuneralm und weiter hinauf zum Bärenwald führte. Er berichtete mir, wann sie stehen blieben, wann sie sich auf eine Bank setzten, um Luft zu schnappen, wann sie wieder aufstanden und weiter in die Höhe stiegen. Und jetzt umarmen sie sich! Ich riss ihm das Gerät aus der Hand. Aber so wild ich auch an dem Rädchen drehte, ich konnte nur Hügel und Tannenwipfel erkennen. Willi zeigte mir noch einmal, wie die Schärfe einzustellen war, und wies mich an, das Rädchen dann auf keinen Fall mehr zu berühren. Zuerst sah ich nur beängstigend tiefe Risse in der grauen Felswand des Kleinen Waxensteins, den ich bisher für unzerstörbar gehalten hatte. Die Wand war plötzlich so nah, dass ich glaubte, ich könne sie mit der Hand berühren. Weiter unten, am Fuß der feuerroten Felswand, entdeckte ich zwei Punkte, die sich bewegten und, angestrahlt von der untergehenden Sonne, miteinander zu verschmelzen schienen. Es war, als würde die Sonne ihren Niedergang hinauszögern, um den Frevel der beiden für immer in die Wand zu brennen. Und ich fürchtete, nein, ich wünschte mir in diesem Augenblick, dass ein Felsschlag ihrem Treiben ein Ende setzen würde.

2

Ich bin nicht sicher, ob ich dem Liebhaber meiner Mutter je begegnet bin. Aus den Briefen geht hervor, dass Andreas einer der Männer war, die uns in Grainau besuchten. Aber ich kann mich an kein Bild erinnern, das ich mir als Kind von ihm gemacht hätte. Hätte ich ihn für den Mann gehalten, den die Mutter dort, unter den Waxensteinen, umarmt hatte, hätte sich mir sein Gesicht eingeprägt. Aber vielleicht war die ganze Szene nur eine Phantasie, die ich mir mit Willis Gerät vor den Augen und dank seiner Einflüsterungen darüber, was ich sah, eingebildet hatte.

Nach dem Tod der Mutter waren wir Geschwister zu einer verschworenen Gemeinschaft zusammengewachsen. Vor allem die fromme, von uns allen heiß geliebte Oma, die Mutter des Vaters, die uns betreute, hatte zu der Vorstellung beigetragen, dass unsere Mutter eine Heilige gewesen war, die sich für ihre Kinder aufgeopfert hatte. Andererseits hörten wir schon früh, dass die Mutter ihrem Mann nicht immer treu gewesen, dass sie »fremdgegangen« war. Als wir älter waren, verdichtete sich das Gerücht dank einiger redefreudiger Bekannter und Verwandter zur Gewissheit, aber es beschäftigte uns nicht besonders. Es fügte sich wie ein nachträglicher Eintrag in das feste Bild, das wir uns von der Mutter machten, und störte uns nicht. Die Mutter hatte uns durch den Krieg gebracht und war unerklärlich früh, wahrscheinlich an Unterernährung und physischer Erschöpfung, gestorben.

So war es denn kein Schock für mich, die Geschichte mit dem fremden Mann, auf die Willi mich zuerst gestoßen hatte, mit den Worten meiner Mutter aus ihren Briefen zu erfahren. Was mir den Atem nahm, war die Wucht ihrer Leidenschaft und die Radikalität, mit der sie sich ihren Gefühlen stellte. Der Sohn, der diese Briefe las, war dreißig Jahre älter geworden als seine Mutter. Worüber hätte er mit der jungen Frau rechten sollen? Es konnte nur darum gehen, sie und ihr kurzes Leben zu verstehen. Und dabei vielleicht etwas über jenen Teil meines eigenen Lebens zu erfahren, den ich nicht hatte bestimmen können.

Die Geschichte zwischen Andreas und der Mutter beginnt mitten im Krieg in Königsberg. Die beiden Familien – die Mutter mit ihrem Mann Heinrich und den drei Kindern, das vierte war noch nicht geboren – und der damals noch kinderlose Andreas mit seiner Gattin wohnen in demselben Haus. Die beiden Männer sind an der städtischen Oper tätig, Andreas als Regisseur, Heinrich als Dirigent. Zu dieser Zeit müssen Millionen von deutschen Männern bereits an den Fronten des Hitlerkrieges ihr Leben einsetzen. Theater- und besonders Opernkünstler gelten noch als unabkömmlich. Der Reichspropagandaminister und selbst ernannte »Reichsdramaturg« Joseph Goebbels lässt den Betrieb an den Opern bis zum Herbst 1943 weiterlaufen. Als viele deutsche Städte bereits brennen, als die Theater- und Opernhäuser teilweise oder ganz in Trümmern liegen, gibt es in Deutschland immer noch Premieren und Premierenfeiern. Noch im November 1943 kann Andreas an der Deutschen Oper in Berlin unter seinem Dienstherrn Goebbels »Così fan tutte« aufführen – zwei Wochen, bevor das Haus zerbombt wurde. Erst im November 1944 werden Heinrich und Andreas eingezogen und ihren Einheiten zugewiesen.

Für die Mutter ist die Begegnung mit Andreas ein Naturereignis, für das es im Deutschen kein geeignetes Wort gibt. »Coup de foudre« nennen es die Franzosen, »colpo di fulmine« sagen die Italiener. Es ist ein Blitzschlag der Liebe, der sie im Innersten erschüttert und jeden Widerstand zerschmilzt. *Ist es meine Schuld,* wird sie Andreas später fragen, *daß ich dich eines Tages sah, liebte, mich an dich band, so daß ich mich nicht mehr lösen kann?*

Schon früh in ihrer Ehe, noch bevor sie Andreas kennenlernte, hat sie gegenüber einem anderen Liebhaber ein Bekenntnis abgelegt, an dem sie über alle Schmerzgrenzen hinweg festhalten wird.

Mir ist es so seltsam ergangen: Ich hab' versucht, Entschuldigungen herbeizuführen – nach der einen oder anderen Richtung – erst hab' ich dich haben wollen, und dann hab' ich dich restlos vertreiben wollen. *Beides glückte nicht, weil ich viel zu wenig ehrfürchtig war vor hohen Gesetzen, weil ich noch nicht wußte, daß man weder verlangen — noch sich versagen — darf, wenn das Schicksal einem aufträgt: zu lieben. Weil ich dies in großen Schmerzen erfahren habe, ist es ganz still in mir geworden, und mein Leben wird nicht mehr gestört von diesen Dingen, die es fast zerbrochen hätten, weil ich sie falsch verstanden habe.*

In den Briefen an die Verwandtschaft — meist an ihre Schwiegermutter, denn an ihren Vater und an ihre Schwester schreibt sie kaum — finde ich die Mutter wieder, die wir kannten. Eine Frau, die ganz für ihre Kinder lebt. Meist sind es Weihnachts- und Geburtstagsbriefe, die sich in endlosen Einzelheiten über die Schwierigkeiten der Versorgung, über ihren Ärger mit den Kindermädchen, mit Danksagungen und guten Wünschen erschöpfen. Briefe, wie sie in jenen Jahren wohl tausendfach geschrieben wurden. Wenn sie von ihren Leidenschaften handeln, entsteht ein anderer, ganz eigener Ton, eine poetische und präzise Sprache, fragend, träumend, hingegeben, aber auch erbarmungslos gegen sich und andere. Es ist, als würde sie in diesen Briefen eine Fähigkeit entfalten, die sie nach und nach entdeckt. Erst in der rückhaltlosen Offenheit für den Tumult, der in ihr tobt, findet sie zu sich selber.

Hans, den Adressaten des oben zitierten Briefes, hat die Mutter später in die Wüste geschickt und danach kaum mehr ein gutes Wort für ihn gefunden. Aber ihrer Überzeugung von den *hohen Gesetzen* und der

Schicksalhaftigkeit der Liebe, der man sich nicht ungestraft entziehen dürfe, bleibt sie treu. Erst in der Begegnung mit Andreas entwickelt sich ihre Bereitschaft, dieses Schicksal anzunehmen, bis zur letzten Konsequenz, bis zur Selbstzerstörung.

Das Paar sieht sich in großen Abständen. Es bleibt unklar, in welchem Hotel, in welcher Wohnung sie ihre seltenen Liebesstunden verbringen. Ihre Treffen sind weniger beschränkt durch große Entfernungen, zerbombte Städte und zerstörte Bahngleise als durch Andreas' engen Terminplan. Nie kommt es vor, dass die Mutter eine Verabredung absagt, weil etwa der Zug nicht fährt oder weil sie niemanden gefunden hat, der die Kinder versorgt. Immer ist er es, der viel beschäftigte Regisseur, dem in letzter Minute etwas dazwischenkommt, der nicht die Zeit findet, sie anzurufen, obwohl er einen ganzen Tag lang in unmittelbarer Nähe ist – wofür er sich dann entschuldigt. Überhaupt ist er ständig dabei, sich zu entschuldigen.

Ab dem Sommer 1944 begibt sich die Mutter mit ihren Kindern auf die Flucht nach Süden. Paul, der Jüngste, ist gerade ein Jahr alt und muss getragen werden. Sie muss auf Züge warten, die sich an keinen Fahrplan halten, sich mit anderen Flüchtlingen um die Plätze streiten, reist von einer Stadt in Sachsen zur nächsten und sucht Unterkunft bei Familienfreunden und Verwandten. Muss sich, wenn sie für ein paar Tage oder Wochen aufgenommen wird, um Holz oder Kohlen für den Ofen kümmern, um Lebensmittel und Kleidung für die Kinder, muss Windeln waschen, Strümpfe stopfen, Mäntel flicken, durchlöcherte Schuhsohlen reparieren und all diese Arbeiten plötzlich unterbrechen und mit den Kindern in den nächsten Keller hasten, wenn Alarm ist. Jeder Tag ein Zwölf- oder Sechzehnstundentag, sie kann nur Atem schöpfen, wenn ihre nie recht erklärten und nie auskurierten Unterleibsbeschwerden sie wieder einmal in eine Klinik treiben. Und dennoch werden all diese Beschwernisse sie nicht an einer Begegnung mit dem Geliebten hindern – falls er sie denn für ein paar Stunden in seinem Terminplan unterbringen kann.

Erst nachts, wenn sie die Kinder zu Bett gebracht hat, findet sie die Kraft, ihm ihre hell auflodernden Sehnsuchtsbriefe zu schreiben, ihm ein Päckchen mit Lebensmittelmarken und Tabak zu packen und die gemeinsame Zukunft zu entwerfen, für die sie in ihren Augen doch bestimmt sind.

Alles, was ihr widerfährt, was sie bewegt, muss sie ihm mitteilen. Einmal, es muss im dritten Kriegsjahr gewesen sein, findet sie sich allein auf einem Spaziergang und folgt einem mächtigen Gesang. Auf einem Abstellgleis im Wald entdeckt sie einen Güterwaggon, voll besetzt mit russischen Kriegsgefangenen. Die Männer haben kaum Platz zum Stehen, sie sind eingesperrt wie die Tiere, aber ihr Gesang ist so mächtig, *so voller Glauben und Gebet, so viel stärker als alle Schwerter dieser Welt,* dass sie in Tränen ausbricht. *Alle, die so singen können, werden vielleicht jetzt nicht mehr singen – und sicher nicht, solange die Gewalt fortgeht – aber sie werden jene Kraft weiter-*

tragen, um derentwillen der Mensch geworden ist: um seiner Freiheit willen.

Sie schreibt dem Geliebten von ihrer Scham darüber, wie weit sie alle noch von dieser Freiheit entfernt sind, und schon ist sie mit diesem Gedanken wieder bei ihm.

Die Qual um dich und mich hat Erlösung gefunden in der Qual aller, die da sangen.

Es ist still am Haus, als sie aus dem Wald zurückkommt, und in der Tür sieht sie ihn stehen, ihn, mit dem sie eben noch in Gedanken gesprochen hat. Sie blickt in seine Augen, schreit auf vor Schreck und Glück. Wie kann es sein, dass er plötzlich auf ihrer Schwelle steht? Hat er ihre Ansprache, ihren Ruf gehört, oder bildet sie sich alles nur ein?

Manchmal, wenn ich versuche, nüchtern zu sein, begreife ich nichts mehr. Aber ich kann nicht nüchtern sein. Hinter allen dunklen Fragen, hinter aller Ungewißheit steht eben immer unerschüttert mein Glaube daran, daß dies alles nicht umsonst ist. Ich weiß nicht, was es mir sagt: Meine Klugheit, meine Lebenserfahrung, mein Spürsinn — daß du mich und meine Existenz erst verlangst, wenn die Tore des Glücks hinter dir zugeschlagen sind. Siehst du, und dagegen sträubt sich alles in mir, ich müßte ja zu meiner Selbsterhaltung dein Unglück wünschen. Aber das weißt du ja, wie tief und leidenschaftlich ich immer nur wünsche, daß es dir gutgehe, daß du all das um dich hast, was du brauchst zum Atmen. Lieber will ich abseits stehen und von ferne zusehen. Deine Fragen, deine Zweifel halten mich wach, an deinem Unglauben wächst mein Glaube — nur ganz allein lassen darfst du mich nicht. *Vielleicht ist's gut, diese verzehrende Sehnsucht — nach dir — die mich immer wieder herausreißt aus meinem grauen Tag, die mich wach hält, die mir Mut gibt für eine dunkle Zukunft.*

In einem anderen Brief fällt der Satz, der wie ein Menetekel über der Leidenschaft der Mutter steht: *Das Gefühl der Liebe ist nicht abhängig von deiner Antwort an mich — sehr abhängig ist aber das Glücksgefühl davon.*

Dem Sohn, dem verspäteten Leser, sträuben sich die Haare, er möchte seiner Mutter ins Wort fallen. Stopp, streiche diesen Satz! Wie soll diese Liebe gut gehen? Du lieferst dich deinem Liebhaber, diesem *Götterliebling*, wie du ihn nennst, mit Haut und Haaren aus, du bettelst ihn an, du kniest vor ihm!

Gleichzeitig rührt sie mich mit dem Schluss ihres Briefes, mit dem der viel beschäftigte Andreas womöglich gar nichts anfangen konnte:

Hab heute meinen Jungen wie einen Märchenprinzen angezogen. Mit einem azurblauen Mantel, den ich mit glitzernden Sternen beklebt hab'. Warum ich dir das erzähle? Weil ich das, was ich da für mein Kind tat, in übertragenem Sinn dir tun möchte. Weil es meine Sehnsucht ist, etwas, was ich meinem Kind zur Freude tat, für dich tun zu können. Könnt' ich doch dein Herz zart einhüllen in solchen blauen weichen Zaubermantel, daß es beschützt sei von aller Qual. So sind's nur Worte, die ich dir senden kann. Was ich darüber hinaus noch habe, wagt sich aus unbegreiflichen Gründen nicht ans Licht.

Die Mutter schreibt dies im Herbst des Jahres 1944. Die Westfront ist zusammengebrochen, auch die Ostfront. Die West-Alliierten sind mit ihren Panzern und Bodentruppen über den Rhein vorgestoßen, ihre Flugzeuge werfen ungeheure Bombenlasten über deutschen Städten ab. Nachts die Bomberflotten von General Harris, die mit einem ausgeklügelten Mix von Spreng- und Phosphorbomben unlöschbare Flächenbrände in den Zentren deutscher Städten erzeugen, tagsüber die Bomber der Amerikaner, die kriegswichtige Betriebe und Bahnstrecken unter Beschuss nehmen.

Die Mutter scheint nur die Einschläge zu registrieren, die der Geliebte in ihrem Inneren mit seinem Schweigen hinterlässt. Es ist, als sei sie in einer leichten, feuer- und bombensicheren Rüstung durch die Kriegsjahre gegangen, in der Rüstung einer Leidenschaft, in der sie jenseits von Hunger und Todesangst vor allem zwei Gefühle kannte: ungeheures Glück, wenn der Geliebte ihr in seiner schwungvollen Schrift ein Zeichen der Ermutigung schickt; maßlose Verzweiflung, wenn er gar nicht oder abweisend antwortet. Gegen die Verzweiflung kennt sie nur ein Mittel: ihm schreiben und immer wieder schreiben.

Tagelang, monatelang zehrt sie von den Erinnerungen an die letzte Begegnung mit ihm. Ich sehe sie nachts sitzen in einem der tagsüber überfüllten Zimmer, in dem sie mit ihren Kindern auf der Flucht Unterschlupf gefunden hat, in dem sich die Schwiegermutter, die kein Bedürfnis nach Intimität, nach *Privatheit* kennt, ungeniert vor ihren Augen wäscht. Die wenigen persönlichen Dinge, die sie mitgenommen hat, der kleine Spiegel, in den sie schaut, wenn sie ihre Lippen nachzieht, das Parfumfläschchen, das blaue Abendkleid, das sie wieder zusammengeflickt hat, die Silberschuhe aus Königsberg, die sie bei Premieren getragen hat, all diese Zeugen ihrer letzten Begegnung mit Andreas werden durch die Erinnerung an ihn lebendig, sie möchte sie streicheln, erwärmen, mit ihren Tränen beglänzen. Ihre Erinnerungen erscheinen ihr viel wirklicher als die Begegnung selbst.

Jetzt wirst du mich fragen: Bitte, wo ist das Tröstliche? Und ich kann dir nicht antworten, zumindest heute nicht. Mag keine schönen Worte machen. Was ich aber allem schweren, hoffnungslosen Erleben immer und immer wieder entgegensetze, das ist unser Herz – dieses seltsame Werkzeug Gottes, dieses Zeugnis göttlicher Kraft, dieses wunderbare Bindeglied zwischen menschlichem Unvermögen und göttlicher Allmacht. Durch dieses Herz sind wir mehr als Menschen und auf geheimnisvolle Weise verbunden mit dem All, mit der Welt, mit der ewigen göttlichen Zeugungskraft.

Und doch wird sie immer wieder von einer dunklen Verzweiflung ergriffen. Wozu *dieses schwere Leben,* ihr *schweres Gewissen,* fragt sie sich und ihn, wenn nicht am Ende die Erfüllung ihres einzigen Wunsches steht – *für ihn, mit ihm zu leben?* Wozu alles Warten, alle Qual, wenn sie wie bisher immer nur am Rande steht?

Jede Begegnung mit ihm erneuert und bestätigt ihr die Kraft ihrer Leidenschaft und die Forderung an sich selbst: immer mehr die zu werden, die er sich wünscht. Trüge sie die Voraussetzungen dazu nicht in sich, würde sie ihn nie begreifen, die Sehnsucht seines ruhelosen Herzens nie erahnen, wie auch er ihre Sehnsucht niemals hätte wecken können. Wie könnte sie denn da sein für ihn – *so getrennt, so still und allein und doch erfüllt – wie ein Baum, der vom Winde gestreift wird – leise, zärtlich, leidenschaftlich, kühl und eisig – immer bereit, den Vorübergehenden zu empfangen und ihn wieder zu entlassen ins Fremde, ins Weite.* Wie könnte sie dies alles wollen und empfinden ohne das Wissen um die innersten Forderungen seiner Natur, *die geliebt werden will, aber nicht festgehalten?*

Sie redet ihm die Zweifel aus, die ihn über sich und seine Liebe zu ihr befallen, tröstet ihn über die Schwankungen seiner Natur, über dieses *Nicht-stabil-sein-Können,* mit dem er alle, auch seine Mitarbeiter und seine Frau, verrückt macht. Gerade diese Isolierschicht, die Kälte, hinter der er sich verbirgt, ruft ihre tiefste Liebesfähigkeit wach, seine Schwächen rühren ihr Herz weit mehr als der Glanz, der um ihn ist. Mit ihr wird er imstande sein, den Schleier von Einsamkeit, der beständig um ihn ist, zu zerreißen. Alles, was er dazu braucht, ist ein klares festes Gefühl von *Beheimatetsein in einer anderen Seele.*

Wenn er ihr doch sagen würde, dass er dies wirklich will, wenn er diese Erkenntnis endlich bei sich zulassen würde – es wäre die einzige Antwort, die sie von ihm ersehnt. Mehr verlangt sie nicht, mehr braucht sie nicht, um ihre Liebeskräfte für ihn zu entfalten.

Du bist nicht allein. Und wenn du deinen Atem auf kalten, unbarmherzigen Stein hauchtest, ich nähme ihn auf, lebendig und blutwarm – mein Herz wünscht sich nur, daß du in ihm eine Heimat fändest, so wie in einem guten stillen Haus, das immer da ist, ruhend und wartend – ohne Vorwurf und ohne Last für den, der es verläßt, schützend und wärmend für den, der wiederkommt.

Aber da wirkt noch ein anderer Stachel in ihrer Liebe zu Andreas. Ein Aufbegehren gegen ihren Vater, gegen die Ablehnung, die sie durch ihn, den Juristen und Reichstagsabgeordneten der Deutschnationalen Volkspartei, erfahren hat. Vergeblich hatte sie *den lieben Papa* um Verständnis für ihre Heirat mit Heinrich, dem vier Jahre jüngeren und mittellosen Musikus, angefleht. Da sie vor der Hochzeit schwanger wurde, hatte sie den Witwer gefragt – seine Frau war zwei Jahre zuvor an einer Lungenkrankheit gestorben –, ob sie bei ihm wohnen dürfte, bis Heinrich so weit wäre, einen eigenen Hausstand zu gründen. Aber *der Alte*, wie sie ihn später nennt, hatte sie wohl vor dieser Heirat und dem damit verbundenen sozialen Abstieg gewarnt, er hatte ihren Wunsch abgelehnt. Vergeblich hatte sie versucht, die Anerkennung ihres Vaters für ihre schnell wachsende Familie zu gewinnen. Und hatte sich dann doch, in den Momenten der Überforderung und der Schwäche, gegen den Gedanken wehren müssen, dass der Vater sie zu Recht gewarnt hatte.

Manchmal verflucht sie ihr Mutterschicksal und überlegt, ob es nicht ein Fehler war, vier Kinder in die Welt zu setzen. Das hätte er doch wissen müssen, schreibt sie an Heinrich, dass vier Kinder einfach zu viel für sie sind. Inständig hofft sie, dass wenigstens eines ihrer Kinder *ihre Sehnsucht nach dem Schreiben* geerbt habe. Das wäre immerhin eine Entschädigung für das Opfer, das sie mit ihrer Bescheidung auf die Mutterrolle gebracht hat.

Denn sie möchte schreiben – und sie schreibt seit ihrer Jugend heimlich Gedichte und Erzählungen. Sie möchte den Geliebten mit ihren Briefen und ihren Formulierungen inspirieren, mit ihm zusammenarbeiten. Sie erzählt ihm von ihrem frühen Wunsch, Schauspielerin zu werden. Sie wollte immer zur Bühne gehen, um Shakespeares »Julia« und Kleists »Käthchen von Heilbronn« spielen zu können. Und fragt sich und ihn im gleichen Atemzug, ob dies Geständnis ihrer Vorliebe für solche naiven, geradlinigen Frauenfiguren klug ist:

Ich bin nun einmal nicht raffiniert, und du liebst die Raffinierten, also fehlt mir etwas.

Der Geliebte nimmt ihr Angebot zur Mitarbeit gnädig auf. Sie soll ihm Material für das Stück besorgen, das er gerade inszeniert.

Schön wäre eine Parallele aus den Freiheitskriegen, vielleicht das eine oder andere Gedicht. Du wirst schon selbst auf ein paar

brauchbare Gedanken kommen. *Das kann ganz persönlich sein.*
Wie du eben über diese Fragen denkst.

Allerdings möchte er keinesfalls, dass sie dafür ihre
Nächte opfert.

Von Anfang an haftet der Liebe der Mutter zu Andreas
eine Schwermut an, eine Vorahnung der Vergeblichkeit
und des Endes. Um der Macht dieses Gefühls Herr zu
werden, sucht sie es in Bildern von dunkler Schönheit
zu bannen. Wenn sie über einer Näharbeit sitzt, wenn
sie in der Schlange vor dem Lebensmittelladen steht,
wenn sie auf einen Zug wartet, spricht sie mit ihm,
entwirft Briefe an ihn, sie korrigiert und feilt an ihren
Sätzen.

Es werden noch manche Kreuzwege kommen, und eines Ta-
ges werden wir fallen wie das Laub von den Bäumen, und ein
Duft von Schwere und Süße wird zurückbleiben von denen, die
liebten.

Es sind Briefe, deren Feuer dem Sohn auch noch Jahrzehnte, nachdem sie aufs Papier geworfen wurden, die
Hand versengt. Hier spricht eine Frau, die dem Geliebten alles, was sie zu geben hat, zu Füßen legt, sich ihm
ausliefert, ihn mit der Bedingungslosigkeit ihrer Liebe
überrennt, ja womöglich überfordert. Kein Mann auf
der Welt, ruft er seiner Mutter zu, sollte solche Briefe
bekommen, weil kein Mann auf der Welt einer solchen
Hingabe gewachsen ist – er wird mit der ihm anver-
trauten Macht nicht umzugehen wissen.

In den Wochen und Monaten des Wartens auf ein Zeichen des Geliebten quält sie sich mit Gedanken über die Antriebe ihrer Liebe und mit Zweifeln an deren Selbstlosigkeit.

Ich lerne unterscheiden zwischen Trieb und Liebe, ich lerne klar erkennen, wie verlogen, unecht und belastend all die Begriffe von Liebe und Altruismus sind, wie sie verwässert wurden durch ein falsch verstandenes Christentum. Wenn man genau hinsieht, muß wie der Punkt auf das i nach jeder »Liebestat« der »Dank« folgen, weil man sich erstens wohl fühlt und sich damit den Anderen so gut unterwerfen und ihm seine Weltanschauung besser aufdrängen kann. Kann ich selbst denn den Anspruch, den dieses große Wort »Liebe« stellt, erfüllen? Und ich versuche, mit mir selbst ehrlich zu sein und klar, glaub es mir. Soll ich dir zeigen, was dabei herauskommt? Laß es mich unverfänglich sagen, es ist leider ein Geständnis. Ich liebe einen Mann, einen außergewöhnlichen, bunt schillernden, klugen, tyrannischen, unzuverlässigen, triebhaften Mann. Einen mit tausend Eigenschaften und keiner, die man festhalten kann. Komm – ich weiß es nicht im einzelnen, was ich an ihm liebe! Es ist wohl die Summe dieser menschlichen Existenz, die in mir ein großes, noch nie erlebtes Gefühl wachruft. Und wenn ich versuche, dieses Gefühl, das nun drei Jahre in mir lebt, tobt, seufzt und leidet, einmal kühl zu betrachten, es zu zerlegen, was sehe ich dann? Einmal, daß ein wesentlicher Bestandteil Trieb ist, elementarer, aufgebrochener, undifferenzierter Trieb, der sich einmalig an diese Existenz gebunden fühlt – und parallel laufend mit ihm ein Gefühl des Besitzen-Wollens, ein ganz kindliches, naturhaftes »Haben-Wollen«, ein »Glücklich-sein-Wollen«, also alles Dinge,

die ich zu meiner eigenen Erfüllung ersehne. Wo ist denn das,
was man Liebe nennt, d. h. das Gefühl, das leidenschaftlich, un-
erbittlich das Glück des Anderen will? O, es ist auch da. Steht
hart neben der Eigenliebe, und die Entscheidung, ob das eine oder
das andere mehr geliebt wird, steht noch bevor.

Hat sie ihre Briefe überhaupt abgeschickt? Wahrscheinlich nur einen Teil von ihnen. Immer wieder wirft sie
Briefanfänge auf ein Stück Papier, Notizen, Gedanken
und Empfindungen. Hin und wieder sind ihre Entwürfe auf der Rückseite mit Notizen von Heinrichs Mutter
beschriftet, bei der sie in den ersten Jahren nach der
Hochzeit wohnt. Papier war rar in den Kriegsjahren,
fast ein Luxusgut. Wahrscheinlich hat die Schwiegermutter das doppelseitig genutzte Papier zuerst beschrieben – und ihre schreibbesessene Schwiegertochter,
die ständig Papier brauchte, hat dann danach gegriffen.
Möglich ist aber auch, dass die Schwiegermutter die
nicht abgeschickten Briefentwürfe ihrer Schwiegertochter auf dem Tisch gefunden, wahrscheinlich auch
gelesen und ihre Rückseiten ungerührt als Einkaufszettel benutzt hat. Da die Mutter ohnehin nichts von
Heimlichkeiten hielt, wird sie sich nicht viel Mühe gegeben haben, ihre Zettel zu verstecken.

Diese Vermutungen erklären jedoch nicht, warum
nicht nur die Briefentwürfe, sondern auch die eindeutig abgeschickten Briefe der Mutter nach ihrem Tod in
Heinrichs Besitz gelangten. Für den Briefwechsel zwischen Heinrich und seiner Frau bietet sich eine ein-

fache Antwort an. Ab dem Herbst 1944 verabreden sie, ihre Briefe mehrmals zu kopieren. Auf die deutsche Post, die bis dahin fast wie in Friedenszeiten funktioniert hat, ist nun kein Verlass mehr. Viele Bahnstrecken sind zerbombt und nicht mehr passierbar. Die Züge, die noch fahren, haben – wie Heinrich einmal schreibt – *Wichtigeres* zu tun, als Briefe und Pakete zu transportieren: nämlich Flüchtlinge und Soldaten. Hinzu kommt, dass sich Heinrich, der als Funker eingezogen ist, und die Mutter mit ihren Kindern in dieser Zeit ständig hin und her bewegen. Sie schicken ihre Briefe jeweils an zwei oder drei Adressen in der Hoffnung, dass wenigstens einer den Adressaten erreicht. Diese Umstände mögen die Mutter dazu veranlasst haben, auch ihre Briefe an Andreas mehrfach, bzw. in verschiedenen Versionen, abzufassen.

Aber wichtiger als die Ungewissheit über die Zustellung ihrer Briefe ist der Mutter etwas anderes. Ihre Bewunderung für den schon halbwegs berühmten Mann, dem sie unendliche Talente zutraut, nötigt sie, ihre Gefühle vorzuformulieren, bevor sie sie ins Reine schreibt. Obwohl sie an ein Du gerichtet sind, handelt es sich öfter um Entwürfe ohne Adressaten, um Selbstgespräche, in denen sie durch das Schreiben Halt im Sturm ihrer Leidenschaften sucht. Viele, wenn nicht die meisten dieser Briefe hat sie offenbar nie zur Post gebracht. Warum aber auch diejenigen Briefe, auf die sie eine Antwort erhalten hat, nach ihrem Tod bei ihrem Mann und schließlich in meinem Schuhkarton gelandet sind, bleibt offen.

Andreas steht in den Kriegsjahren erst am Beginn seiner Karriere. Als junger Regisseur muss er in Frankfurt und Wuppertal mit Operetten wie »Schwarzer Peter«, »Vetter von Dingsda« und »Polenblut« für die Unterhaltung des breiten Abonnement-Publikums sorgen. Aber schon früh geht ihm der Ruf eines Regisseurs voraus, der von seiner Aufgabe besessen ist und von seinen Mitarbeitern das Gleiche verlangt wie von sich selber: bedingungslose Hingabe an die Arbeit.

Die Fotos zeigen einen mittelgroßen, gedrungenen Mann auf der Probebühne, der nie lacht – meist mit Anzug und Krawatte, seltener mit einer Weste oder Strickjacke über dem weißen Hemd. Das dunkle Haar ist straff nach hinten gekämmt und entblößt die großen Ohren, die Augen liegen tief unter buschigen Augenbrauen. Die Unterlippe über dem breiten vorstehenden Kinn ist leicht nach vorne gestülpt und verleiht dem Gesicht etwas Unnachgiebiges, Energiegeladenes. Einzig die vorspringende, etwas zu lange Nase widerspricht dem Eindruck von Strenge, ja sogar Verbissenheit – sie endet in einem lustigen, nach oben zeigenden Zipfel und wird später ein bevorzugtes Objekt von Karikaturisten. Und noch ein anderes Merkmal stört die Attitüde von unangreifbarer Autorität. Es gibt kaum ein Foto des Regisseurs auf der Probebühne, auf dem er nicht mit Armen und Händen durch die Luft rudern würde. Beim Atmen wie beim Sprechen scheint er ständig seine Hände zu Hilfe genommen zu haben – was der ganzen, sonst eher steifen Figur etwas Italienisches, ja Verspieltes und Tänzerisches mitteilt. Immer wieder spricht die Mutter in ihren Briefen von seinen »guten«, seinen »vertrauten« Händen.

Dem Sohn fällt beim Betrachten der Fotos noch etwas anderes auf: die unbestreitbare Ähnlichkeit zwischen Andreas und Heinrich. Im Profil jedenfalls, wenn man Andreas' wuchtiges Kinn abdeckt und sich auf das zurückgekämmte Haar, die Stirn, die starken Augenbrauen und die tief liegenden Augen konzentriert, wirken die beiden wie Brüder. Die starre aufrechte Haltung scheint einem damals gültigen Männerideal von Respektverbreitung zu folgen und weckt die Erinnerung an den väterlichen Stoß in meinen Rücken und die Ermahnung: Halte dich gerade, Junge! Andere Ähnlichkeiten, die man nicht sehen kann, erschließen sich aus den Lebensläufen. Beide Männer sind im selben Jahr geboren, sind also vier Jahre jünger als die Mutter. Beide sind an der Oper tätig, Andreas nach dem Krieg mit rasant zunehmendem, Heinrich mit abnehmendem Erfolg, wobei Andreas zuweilen als Dienstherr von Heinrich in Erscheinung tritt. Beide leiden den größeren Teil ihres Lebens unter Asthma und sterben kurz nacheinander. Beide gelten einander bis zum Tod der Mutter als beste Freunde.

Später scheint Andreas die Nähe zu seinem alten Freund eher lästig gewesen zu sein. Paul, mein jüngster Bruder, den es nach dem Studium ans Theater zog, erinnert sich, dass der Vater ihn Andreas einmal vorstellte. Der inzwischen weltberühmte Mann habe für den Besuch und das Gespräch mit den beiden ein bestenfalls höfliches Interesse gezeigt.

Die Liebesbriefe der Mutter lassen keinen Zweifel daran, dass Andreas für sie der Mann ihrer Träume ist. Erstaunlich bleibt, wie verhalten sie – angesichts ihrer sonstigen Rückhaltlosigkeit – von ihren sexuellen Offenbarungen spricht. Auf diesem Gebiet bleibt sie ganz den sprachlichen Konventionen ihrer Generation verhaftet. Einmal redet sie von den *gefährlichen Dingen* der Liebe, die sie erst durch Andreas kennengelernt habe. Und wenn sie von seinen *guten Händen* schwärmt, sind damit sicher nicht nur keusche Berührungen gemeint. Soweit sie überhaupt auf Körperliches Bezug nimmt, nennt sie allenfalls den Atem des Geliebten und seine Hände. Warum redet sie immer nur von ihrem *Beglücktsein* und ihrem Wunsch, ihn zu beglücken, wenn sie ihr Begehren meint? Von ihrem Wunsch, *seiner unruhigen Seele eine Heimstatt zu geben*, wenn sie nicht mehr weiß, wohin mit ihrer Lust?

Davon zu schreiben war damals Männersache. Aber haben nicht schon in jener Zeit auch Frauen wie Anaïs Nin ganz offen über den Tumult ihrer körperlichen Begierden geschrieben? Wenn man die Briefe der Mutter liest, könnte man meinen, man habe es – in vertauschten Rollen – mit einer späten Form des Minnesangs zu tun.

An dieser Stelle meldet sich Gisela Deus mit einem Einwand zu Wort. Sie meint, ich würde die Geschichte der Mutter mit Andreas überschätzen. Die beiden hätten wahrscheinlich in all den Jahren nur ein paar Mal miteinander geschlafen. Eine Frau, die so stark von ihrer

Sehnsucht und ihren Träumen lebe wie die Mutter, könne jahrelang von einer großen Glückserfahrung zehren. Andreas, die große Liebe, sei vor allem eine Projektion der Mutter gewesen, in die sie sich gerettet habe, um sich vor dem Absturz in ihre wiederkehrenden Depressionen zu retten.

Ich widerspreche. Sollten die ungeheuren Anstrengungen der Mutter, ihren Geliebten mitten in den Wirren der Flucht zu treffen, ihn zu *beglücken* und durch ihn *beglückt* zu werden, vor allem auf einer Phantasie beruhen? Oder wollte Gisela Deus mir ein tröstliches Bild von der Mutter nahelegen, von einer Frau, die ihren Mann nie wirklich betrogen und sich in eine Liebesgeschichte hineingesteigert habe, die weitgehend nur in ihren Träumen existierte? Das Bild einer einsamen, ständig überforderten Mutter, die sich dem Freund ihres Mannes nur in seltenen Glücksmomenten hingegeben habe?

Eine Weile debattieren wir über den Begriff »Depression« und was er vor siebzig, achtzig Jahren wohl bedeutet habe. Vor allem stört mich an dem Wort die Aura des Krankhaften, der Ausweglosigkeit, die es einem Leben aufstempelt. War denn die Depression, wenn wir bei diesem Begriff bleiben wollen, in den Kriegs- und Nachkriegsjahren nicht ein Massenschicksal? Betraf es nicht Zehntausende von Müttern, die mit ihren Kindern durch das zerbombte Deutschland irrten? Am Ende will ich mich von meiner Sicht nicht abbringen lassen: Aus dem inständigen, poetisch überhöhten Liebeswerben der Mutter sprechen eine Sehnsucht, ein Schmerz und eine Verfallenheit, wie sie nur durch eine überwältigende seelische und körperliche Glückserfahrung entstehen konnte.

Andreas, der über alles Geliebte und Verehrte, wird sich nicht ganz klar darüber gewesen sein, auf wen und was er sich da einlässt. Er nimmt, was für die Mutter ein Naturereignis ist, als eine von vielen Gelegenheiten, die sich ihm bieten. Wo immer er inszeniert, ist er von verliebten Frauen umgeben. Als Theatermann hat er Sinn für das Ungewöhnliche und Dramatische des Seitensprungs mit einer Mutter, die alle drei Jahre ein weiteres Kind auf die Welt bringt. Er fühlt sich von der Bedingungslosigkeit der ihm angetragenen Liebe geschmeichelt und wundert sich gleichzeitig über die Entschlossenheit dieser Geliebten, die so genau weiß, dass sie für ihn bestimmt ist. Von Qual jedoch will er nichts hören. Als Kenner und Regisseur von Verdi- und Puccini-Opern hat er eine Schwäche für große Gefühle, aber er inszeniert sie lieber, als ihr Objekt zu sein.

Immer wieder wird Andreas von Gewissensbissen geplagt. Er will ehrlich mit der Geliebten sein, versucht ihre Ansprüche zu mäßigen, indem er ihr die Grenzen seiner Bereitschaft zeigt. Er fühle sich ihr gegenüber in einer Schuld, die er nicht abtragen könne, gesteht er ihr. Sie sei ihm *so nah und so notwendig* geworden, erweise sich als so wach für alles, was ihn bedränge, dass ihn nur eine spontan erwachende Leidenschaft, wie sie ihn neulich zu seiner Frau überkam, von der Einsicht der

45

notwendigen, vielleicht einzig richtigen Verbindung mit dir für eine Weile habe abbringen können. Er könne und müsse ihr dies alles sagen. Es sei der notwendige Verrat, den er derzeit an seiner Frau begehen müsse, in dem sicheren Gefühl, von der Geliebten in dieser Tiefe erkannt zu werden.

Er macht ihr Hoffnung auf eine engere, eine reguläre Zusammenarbeit, sobald er einmal ein Theater leite. Aber das sind Versprechen auf eine ferne, kaum vorstellbare Zukunft. In den letzten Kriegsmonaten ist er von der Wehrmacht zur Ausbildung nach Küstrin geschickt worden, wird aber wegen eines heftigen Asthmaanfalls – kurz bevor die russischen Panzer seine Stellung überrennen – mit dem letzten Zug, der über die Oder fährt, über Berlin nach Bad Wörishofen gebracht. Dort organisiert er bunte Abende für verletzte Offiziere.

Nach dem Krieg nimmt er seine Arbeit an der stark zerstörten Hamburger Staatsoper auf und setzt dort einen neuen Regiestil durch, der für eine ganze Generation von Opernmachern prägend sein wird: Fort mit allem Schwulst, Beschränkung auf das optisch Wesentliche aus dem Geist des Kunstwerks! Für das traditionelle Opernpathos hat der junge Regisseur nicht viel übrig und ironisiert es lieber, als ihm freien Lauf zu lassen. Auch die Rolle des Regiedespoten ist ihm fremd, er setzt auf die Mitarbeit des von ihm geschaffenen Ensembles. Ihm gefällt Caspar Nehers Experimentier-Bühne am Gänsemarkt, die aus der Not der Zerstörung eine neue Theatererfahrung macht: Die Zuschauer und die Sänger auf der Bühne haben kaum Abstand voneinander und sind in eine familiäre Nähe zusammengedrängt. Hier kann Andreas sein Talent für Improvisation entfalten; nicht umsonst hat er als Student in einer Berliner Bar mit seinen Jazz-Improvisationen auf dem Klavier ein Zubrot verdient.

Kein Zweifel, auch Andreas geht mit einem Panzer durch die Welt, der ihn gegen die Wahrnehmung der allgegenwärtigen Zerstörung und gegen die Drohung schützt, dass das Schlimmste jederzeit passieren kann – die Vernichtung von allem, was ihm lieb ist, die Auslöschung der eigenen Existenz. Aber die Legierung seines Panzers gehorcht einer anderen Formel. Es ist nicht seine Liebe für die Mutter, die ihn schützt. Anders als sie kann er andere Menschen mit seiner Kraft anstecken, kann ihrem erschütterten Lebenswillen eine Aufgabe, eine Mission vor die Augen stellen. Und er zieht sie an wie ein Magnet, Männer wie Frauen verfallen ihm und seinen sprechenden Händen. Er inszeniert drei, vier Opern im Jahr, er erschöpft sich in seiner Arbeit, sodass sich seine Geliebte immer wieder um seine Gesundheit sorgt.

Denk doch, daß es zum Schluss ganz unwichtig ist, ob du 100 oder 150 Inszenierungen zustande gebracht hast – deine Arbeit wird als Gesamtheit dastehen, und wenn du nur 4 gemacht hättest! Laß dir doch etwas Ruhe. Du brauchst sie!

Nach dem Krieg erinnert sie ihn einmal an sein Versprechen zur Zusammenarbeit, da er ja nun endlich ein großes Theater leite. Er trifft sie, er liebt sie, aber stellt sie nicht an, er reagiert nicht einmal auf ihre Frage.

Haben die Ehegatten des Liebespaars, haben Heinrich und Gertrud, die Frau von Andreas, von der Affäre nichts gewusst? Haben sie irgendeinen Versuch unternommen, das Verhältnis der beiden zu unterbinden?

Für die Mutter scheint zur totalen Offenheit nie eine Alternative bestanden zu haben. Für sie ist ihre Leidenschaft etwas Gegebenes, mit dem alle, die ihr nahe sind, zurechtkommen müssen. Sie will ihr Gefühl für Andreas nicht durch Ausreden und Heimlichkeiten beschmutzen. Der Krieg, die Bomben, die Gefahr jederzeitiger Vernichtung und die – seit seiner Mobilisierung – ständige Angst um ihren Mann können ihrer Forderung nach strikter Offenheit nichts anhaben.

Tatsächlich hat sie Heinrich von Anfang an das Wissen über ihre Liebe zu seinem besten Freund zugemutet, ja sie unterrichtet ihn über den Verlauf dieses oder jenes Treffens – allerdings vorzugsweise dann, wenn es einen unglücklichen Ausgang genommen hat. So auch über eine Begegnung im Herbst 1944.

Bei Andreas, berichtet sie ihrem Mann, sei die Spannung weg gewesen, wohl nach einer Aussprache mit seiner Frau. Bei ihr durch ihren letzten Besuch bei Heinrich. *Du siehst, es fehlt auf beiden Seiten an Spontanem, kannst also ganz beruhigt sein.* Und fährt ganz unbefangen fort, dass sie nach dieser missglückten Begegnung immer noch traurig sei, weil sie schon Andreas' Reaktion voraussehe: wieder einmal ein langes Schweigen.

Sie bittet Heinrich um Verständnis für ihren Zwiespalt.

So beglückt ich war und bin über die Nähe zu dir, so traurig war ich über das Fehlen der Nähe zu Andreas. Beides geht wohl nicht. Zumindest nicht aus so geringem Abstand. Doch wünsche ich mir beides.

Als wäre es damit nicht genug, berichtet sie Heinrich noch, wie Andreas ihre Lage einschätzt:

Er sagte etwas, das falsch klingt, aber zweifellos richtig ist: daß vier Kinder eben zu viel für mich seien. Weniger, weil ich das nicht schaffe, sondern weil in mir Dinge entfaltet werden könnten, die bei anderen nicht möglich wären – Dinge geistiger Natur. Er meint, Kinder haben und aufziehen könnten viele. Das, wozu meine Befähigung vielleicht reichen würde, könnten ganz wenige.

Es sei gegen ihre Natur, versichert sie ihrem Mann, sich und ihm Vorwürfe zu machen – Vorwürfe, dass sie beide dieses Problem nicht rechtzeitig erkannt und ihr nicht die Möglichkeit zur Entfaltung gegeben hatten. Aber recht habe Andreas zweifellos. Sie habe Heinrich verteidigt: Gerade er, Heinrich, versuche ja mit allen Kräften, ihr in allen Belastungen ihres Lebens beizustehen. Und sie werde nie – nie! – bereuen, dass sie diese vier Kinder habe; höchstens darüber trauern, dass sie alles, was sie sich wünsche und vorhabe, einfach nicht schaffe. *Bin todmüde, muss schlafen,* schließt der Brief.

Was ihren Geliebten angeht, sind hinsichtlich seiner Offenheit Zweifel angebracht. Schon deswegen, weil er – der Adressat so großer und ausschließlicher Gefühle – diese Gefühle allenfalls nur halb erwidert hat. Aber ob er wollte oder nicht, er war in die Entscheidung zur Offenheit einbezogen, die die Mutter ihren beiden Männern aufzwang. Wenn die Frau in einer Ménage-à-trois ihrem Gatten alles weitersagt, bleibt dem Dritten im Bund nicht viel zu verheimlichen. Ob er die Affäre dann auch seiner Frau offenbart, muss er selbst entscheiden. Falls Andreas, was die Mutter zweifellos gewünscht, ja fast gefordert hat, seiner Frau Gertrud je die Wahrheit sagen wollte, so wäre er auf Ablehnung gestoßen. Gertrud hat nicht die geringste Neigung, sich auf das Spiel radikaler Offenheit einzulassen. Einmal beklagt die Mutter sich bei Andreas, als wären ihr solche Gefühle vollkommen fremd, über Gertruds Anspruch auf *Ausschließlichkeit*. Andreas nimmt dazu keine Stellung, legt aber Wert darauf, dass seine Geliebte ihre Briefe gefälligst an sein Büro in der Oper und nicht an seine Privatadresse schickt. Sie solle sich ein paar Briefumschläge mit seiner vorgedruckten Dienstadresse besorgen.

Seinem Freund Heinrich gegenüber vollführt er seltsame, manchmal komische Verrenkungen. Viele seiner Briefe sind an beide adressiert – an die Mutter und an Heinrich, öfter aber auch nur an Heinrich, was seine Geliebte regelmäßig auf die Palme bringt. Wütend beschwert sie sich darüber, dass Andreas nach jedem ihrer Treffen nicht zuerst an sie, sondern an ihren Mann Heinrich schreibt. Natürlich behelligt der diskrete Andreas seinen Freund nicht mit Einzelheiten über seine amourösen Erlebnisse mit dessen Frau, er schreibt Unverfängliches über seine neuen Regie-Vorhaben und deren Schwierigkeiten – und lässt Grüße an Heinrichs Frau ausrichten. Die verbittet sich solche Grüße. *Von allen Forderungen des Herzens einmal abgesehen,* hält sie Andreas vor, gebiete es nicht der simple Anstand, dass der Kavalier nach einer genossenen Liebesstunde ein noch so kurzes, ein intimes Wort an die Geliebte richte?

Andreas gibt sich in dieser Sache schwerhörig und bleibt unbelehrbar. Ohnehin ist er eher gewohnt zu nehmen, als zu danken. Offenbar verlangt sein Gefühl von Anstand, sich nach einer Liebesnacht zuerst beim toleranten Ehemann der Geliebten zu melden. Anschließend entschuldigt er sich dann bei ihr, und sie verzeiht ihm ausnahmsweise – bis zum nächsten Anlass, bei dem er demselben Muster folgt. Du lieber Himmel, mag er sich gesagt haben, muss ich ein Leben lang dafür büßen, dass ich mich mit dieser schwierigen Geliebten eingelassen habe?

Der Sohn, das Kind in mir, fühlt mit der Mutter und ergreift Partei für sie. Der Mann erkennt etwas von Andreas' Leichtsinn in seinem eigenen Verhalten wieder und versteht ihn – widerwillig.

Bei aller Empörung über Andreas' Mangel an Manieren hat die Mutter jedoch immer auch das Fortkommen ihres Mannes im Auge. Mehrmals bittet sie Andreas, sich für die Uraufführung eines von Heinrichs neuen Musikwerken einzusetzen. Als Andreas dann statt einer

Uraufführung ein Engagement Heinrichs als Dirigent an dem Opernhaus durchsetzt, an dem er gerade arbeitet, ist sie alarmiert. Sie fürchtet, dass die berufliche Nähe zwischen den beiden Freunden auf ihre Kosten gehe. Würden sich die beiden Männer bei der täglichen Zusammenarbeit nicht am Ende gegen sie verbünden? Die Balance ihrer Gefühle in diesem Dreieck ist auf räumliche Entfernung zwischen ihrem Mann und ihrem Liebhaber angewiesen. Wie soll sie sich verhalten, wenn sie allen beiden bei der Premierenfeier begegnet? Sie beide mit gleicher Leidenschaft begrüßen? Beiden von den schulischen Fortschritten der Kinder erzählen? Wessen Arm nehmen, wenn die Feier vorbei ist und alle beschwipst nach Hause gehen? Keinesfalls würde sie den Vater ihrer Kinder in aller Öffentlichkeit kompromittieren. Aber könnte sie den Geliebten, der sie in Gegenwart seiner eifersüchtigen Gattin wahrscheinlich als eine Unbekannte behandeln würde, vielleicht doch in einer der nächsten Nächte sehen?

Und Heinrich? Wie hat er das Verhältnis seiner Frau zu seinem besten Freund ertragen? Hat er die beiden zur Rede gestellt? Hat er seiner Frau die Berichte über ihre Begegnungen mit Andreas und ihre Klagen über dessen ewiges Zaudern um die Ohren geschlagen? Oder das Dreiecksverhältnis als etwas Unabänderliches hingenommen?

Heinrichs Briefe an die Mutter geben auf diese Fragen keine Antwort. Sie sind optimistisch, hilfsbereit, in

aller Regel unbeschwert und getragen von einer un-
erschütterlichen Liebe zu seiner Frau und seinen Kindern. Über seine inneren Konflikte, über sein Leiden
an den Affären seiner Frau, teilen sie nichts mit. Einmal
lässt die Mutter ihren ersten Liebhaber Hans wissen,
dass sie ihren Mann – *blutend, mich gewähren lassend steht*
er neben mir – nie verlassen werde. Heinrich selber
spricht in seinen Briefen nicht von solchen Schmerzen.
Es gibt keinen Hinweis darauf, dass er seine Frau zu
einer Entscheidung gedrängt oder ihr damit gedroht
hätte, sie zu verlassen. Hat er darauf verzichtet, weil er
sich in einer Zwangslage sah und sich sagte, dass er
seine Frau an ihren Eskapaden sowieso nicht hindern
konnte – wer, wenn nicht sie sollte sich denn mitten
im Krieg um die vier Kinder kümmern? Hat er die Untreue seiner Frau vielleicht gar nicht als Verrat empfun-
den? Sie als Überlebensmittel einer Frau toleriert, die
immer am Rand ihrer Möglichkeiten lebte und sich
durch ihre Amouren vor dem Absturz in die Depression zu retten suchte? Oder hat er – wieder anders –
die Liebe seiner Frau zu seinem Freund, den er selber
liebte, sogar als eine Bereicherung erlebt, als eine auch
von ihm gewollte Liebe zu dritt?

Zum Jahresende 1944, kurz nach ihrer Einberufung,
verabreden sich die beiden Künstlerfreunde mit der
Mutter und ihrer Freundin Linda zu einem gemeinsamen Wochenende auf dem Land. Mit einer Euphorie,
wie er sie selten äußert, bedankt sich Andreas bei seiner Geliebten:

Ich bewundere dich. Das klingt arg romantisch, doch ist es so. Daß diese schönen Tage möglich waren, danke ich nur dir. Denn nur bei und neben dir und Heinrich war dieser Frieden, dieses Einssein möglich. Ich habe das Gefühl, selten ist es uns gegeben, so frei und vorurteilslos zu unserem Selbst zu kommen. Das ist wirklich eine Erholung von allem Zwang. Und dein Brief. Ich kann nur sagen – er hat mich unendlich froh gemacht – welch anderes Gesicht an dir. Du bist weiter, viel weiter als wir alle. Ich sehe einen *Weg* und habe etwas Ruhe gefunden. Es wird schon werden.

Der Brief endet mit einer rätselhaften Bitte: Bleibt Freunde – du und Linda – und Heinrich. Es ist wirklich schön so – und sinnvoll dazu – scheint mir.

Was wollte Andreas damit sagen? Wollte der große Spielmacher, der wahrscheinlich auch an diesem Wochenende im Zentrum des weiblichen Begehrens stand, seiner Geliebten und ihrem Gatten tatsächlich den Rat geben, jedenfalls Freunde zu bleiben, auch für den Fall, dass sie sich trennten?

Was war die Formel für die heikle Balance in dieser Gruppe, die trotz dramatischer Abschiede und Zerwürfnisse der Mutter mit Andreas und mit ihrer Freundin Linda bis zu ihrem Tod zusammenhielt? Gab es ein Vorbild dafür? Hatte das Chaos des Krieges die Protagonisten der Geschichte zu einem radikalen Experiment geführt, mit dem verglichen die Versuche der 68er, neue Formen des Zusammenlebens zu entwickeln, wie halbherzige Trockenübungen wirken?

Bis zum Ende der Siebzigerjahre wäre mir Zeit geblieben, dem Vater solche Fragen zu stellen. Aber da ich die Briefe der Mutter erst nach seinem Tod erhielt und sie erst Jahrzehnte später las, gab es dazu keine Gelegenheit. Ich zweifle daran, dass er bereit gewesen wäre, mir zu antworten. Über Angelegenheiten, die ihn im Innersten berührt oder verletzt haben mochten, sprach er nicht. Sein vorsätzlicher Optimismus und seine geradezu japanische Abneigung, andere mit seinen intimen Gefühlen, mit einem Schmerz oder mit einer Ratlosigkeit zu behelligen, erlaubten ihm nicht, eine solche »Schwäche« zu zeigen.

Einmal habe ich ihn, kurz vor seinem Tod, schwer atmend am Fensterkreuz des Wohnzimmers gesehen. Er schien plötzlich keine Luft mehr zu bekommen und hielt sich am Fenstergriff fest, als könne er nur auf diese Weise seinen Sturz aufhalten. Als ich ihn fragte, was mit ihm sei, ob ihm etwas fehle, richtete er sich auf, drückte den Rücken durch, schüttelte den Kopf und setzte das Gespräch mit mir nach einer Pause fort, deren Länge ihm wohl nicht bewusst war. Nichts, gar nichts fehle ihm, es sei ihm lediglich entfallen, worüber wir zuletzt gesprochen hatten. Seinen Kindern gegenüber hat er von der Mutter nur mit Zuneigung und größtem Respekt gesprochen. Er habe das Glück gehabt, sagte er öfter, in seiner Frau genau die richtige Partnerin gefunden zu haben. Von seinen Freunden erfuhr ich Jahre später, dass er, der vier Jahre Jüngere, den Namen seiner verstorbenen ersten Frau vorzugsweise mit der angehängten Verkleinerungsform nannte:

Ach, Luischen! So wie man zärtlich und abständig von einem schwierigen Kinde spricht.

Sicher ist, dass er alles getan hat, um seine Rolle als Ernährer und Beschützer der Familie zu erfüllen. Offenbar hatte er kein Bedürfnis, sich für die Untreue seiner Frau zu revanchieren, wozu er, ein ewig jung und gut aussehender Komponist und Dirigent, zweifellos Gelegenheit gehabt hätte. Ihm, dem Sohn einer Pastorenfamilie, ist die Libertinage seines Freundes Andreas wahrscheinlich fremd geblieben. Einmal schreibt ihm die Mutter gut gelaunt nach Hannover, wo er nach seiner Rückkehr aus der Kriegsgefangenschaft eine Anstellung an der Oper gefunden hatte und bei der Tochter eines Fleischers zur Untermiete wohnte: *Du wirst doch nicht mit Hilde Ernst machen!* Und empfiehlt ihm vor einem ihrer Besuche in Hannover, er solle Hilde bitte beruhigen: Sie, die Mutter, sei schließlich kein Hausdrachen und werde es Hilde nicht weiter schwer machen.

Vermutlich hat Hilde ihren Untermieter nicht ohne eigene Absichten an ihren Fleischtöpfen teilhaben lassen. Aber nichts deutet darauf hin, dass Heinrich das halb kokette, halb ernst gemeinte Angebot seiner Frau, sich mit Hilde zu amüsieren, wahrgenommen hätte. Was die Mutter ihrem Geliebten schrieb – ihre Liebe zu ihm sei *wie ein ruhiger stiller See auf dem Grunde ihrer Seele* –, trifft jedenfalls auf die Liebe des Vaters zu ihr und seinen Kindern zu. Er war nicht nur der See, sondern auch der Fels in dem See – der einzige, an dem sie sich zeitlebens festhielt und auch festhalten konnte. Zu den Kosten seiner Unerschütterlichkeit gehörte wohl seine Weigerung oder Unfähigkeit, sich Anwandlungen der Verzweiflung zu gestatten.

3

Die Geschichte der Eltern beginnt mit einer in Tränen aufgelösten jungen Frau, die später meine Mutter sein wird, und einer ritterlichen Geste Heinrichs. Auf einem Studentenball in Leipzig, wo er Musik studiert, beobachtet er, wie sie von ihrem Tanzpartner nach einem Streit auf einen Stuhl gestoßen wird. Fassungslos sieht sie dabei zu, wie ihr »Herr« sich einer anderen Dame zuwendet. Die Unglückliche, die in ihrem wunderschönen Abendkleid sitzen bleibt, rührt das Herz des Zwanzigjährigen. Er habe es nicht ertragen, wird er mir später erzählen, sie von diesem rohen Kavalier derart missachtet zu sehen. Er sieht in ihr eine Prinzessin und fordert sie zum Tanz auf, wird aber abgewiesen. Erst später kommen sie ins Gespräch – sie erlaubt ihm, sie nach Hause bringen.

Mit dieser Szene – mit einer in ihrem Stolz gekränkten höheren Tochter, die einem anderen nachweint, und einem viel jüngeren mittellosen Musikstudenten aus dem Erzgebirge, der ihr Beistand gewährt – fängt alles an. Wenig später macht ihr der Student einen Heiratsantrag, doch die Begehrte zögert. Nicht nur, dass sie immer noch die Abfuhr durch ihren Tanzherren zu verwinden hat. Sie muss auch die strikte Ablehnung des Kandidaten durch ihren Vater verkraften. Der Reichstagsabgeordnete und erfolgreiche Braunkohlen-Industrielle will sich nicht damit abfinden, dass sich seine Tochter einem mittellosen Korrepetitor aus dem sächsischen Urwald in die Arme wirft. Offenbar hat er später die Bitte seiner schwangeren Tochter, mit ihrem ersten Kind bei ihm wohnen zu bleiben, bis ihr Mann eine Anstellung gefunden habe, abgeschlagen.

Es kommt zum Bruch, fortan vermeidet der Reichstagsabgeordnete den Kontakt mit seiner Tochter und ihrer rasch wachsenden Familie. Der Tod seiner Frau — niemand von uns Geschwistern weiß etwas über diese Großmutter, die auch in den Briefen der Mutter nie erwähnt wird — hat die starre Haltung des Großvaters wohl eher bestärkt als aufgeweicht. Mit der Entscheidung der Mutter für den jungen Musikus war das Verhältnis zu ihrem Vater für immer ruiniert. Er kann sich mit dem Ungehorsam seiner Tochter nicht abfinden, sie kann ihm seine starre Haltung und sein Desinteresse an ihr und ihrer Familie nicht verzeihen.

Auch Heinrich hatte die meiste Zeit seines Lebens keinerlei Kontakt zu seinem Vater — einem musikalisch begabten Dorfpfarrer und Lebemann, von dem es hieß, dass er sich noch Minuten vor der Sonntagspredigt mit einer drallen Metzgerstochter vergnügte und dann in letzter Minute mit hochrotem Kopf und wehendem Talar auf die Kanzel eilte. Heinrichs Mutter, ihrerseits eine Pastorentochter, war von ihren Eltern zur Heirat mit dem ungeliebten Mann gezwungen worden – eine Zwangsheirat, würde man heute sagen. Nach ihrem fluchtartigen Auszug aus dem Pfarrhaus war von Heinrichs Vater kaum noch die Rede gewesen, er wurde totgeschwiegen. Auch wir, die Enkel, kannten ihn nur unter dem höhnisch ausgesprochenen Titel »Hochwürden«. Manchmal jedoch ließ Heinrich sich zu einem halben Kompliment über die Klavierkünste seines verruchten Vaters hinreißen. Seine rechte Hand sei beim Spielen virtuoser Stücke – Liszt, Chopin – geradezu genial gewesen, die linke jedoch unzuverlässig und korrupt.

Eine Parallele in dem Verhältnis der jungen Eheleute zu ihren Vätern fällt auf: Auch Heinrichs Frau sprach nach dem Bruch von ihrem Vater mit Abstand, wenn nicht mit Verachtung. In ihrer Korrespondenz mit ihrem Mann nennt sie ihn den *Alten*, manchmal auch rundheraus das *Schwein*. Offenbar hatte er vor allem Augen für seinen Sohn gehabt, der dann später als Bergwerksingenieur in die Fußstapfen seines Vaters trat.

Erst viele Jahre später kommt es zu einer kurzen Versöhnung, als Heinrich ein von ihm komponiertes Ballett in der Deutschen Staatsoper in Berlin zur Aufführung bringt. Der inzwischen pensionierte Reichstagsabgeordnete nimmt daran an der Seite seiner stolzen Tochter in der Loge teil und vermerkt mit Erstaunen, dass das Publikum beim Schlussapplaus zwanzig Vorhänge erzwingt.

Gisela Deus weist mich auf eine Tatsache hin, die mich völlig überrascht. Nach den Briefen der Mutter zu schließen, hatten die Eltern die längste Zeit ihrer knapp fünfzehnjährigen Ehe getrennt gelebt. Sie führten, wie man heute sagen würde, eine commuter-Ehe. Nur an Wochenenden, an Feiertagen oder in der Urlaubszeit im Sommer kamen sie zusammen. Ihre Kinder sind mit einem Abstand von jeweils drei Jahren alle im April geboren und wahrscheinlich in den Sommerferien an der Ostsee gezeugt worden. Bei welchen Geburten der Erzeuger anwesend war, lässt sich nicht erschließen. Sicher ist, dass die Mutter mit ihrer wachsenden Kinderschar die meiste Zeit allein gewesen ist. Ihre ersten Ehejahre verbringt sie statt in der Villa ihres Vaters in der bescheidenen Wohnung ihrer Schwiegermutter, im sächsischen Oschatz. Zeitlebens spricht sie die ebenso geliebte wie gehasste Betreuerin ihrer Kinder in ihren Briefen als »liebe Mutter« an, ganz so, als habe sie keine eigene. Vorläufig konzentriert sie ihre ganze Unzufriedenheit auf die Kleinstadt, in der zu leben sie gezwungen ist, auf Oschatz.

War sie durch ihre immer gefährdete Gesundheit zu dieser frühen Gefangenschaft gezwungen? War Heinrich vielleicht, wie Gisela Deus überlegt, mit seiner Mutter zu dem Schluss gekommen, dass seine fragile Gattin ständigen Beistand benötigte, den Beistand seiner Mutter, die ihren ältesten Sohn Heinrich vergötterte und in seinen Augen das Inbild einer Mutter verkörperte? Oder hatte das junge Paar schlicht und einfach nicht die Mittel, einen eigenen Hausstand zu finanzieren?

Vieles spricht dafür, dass der zwanzigjährige, noch stellungslose Heinrich in den ersten Jahren seiner Ehe selber für Abstand zur Familie sorgte. Komponisten werden bei den Orchesterwerken, die sie zuerst im Kopf entwerfen, mehr als andere Väter durch Kindergeschrei gestört. Heinrich, der sich in seiner Jugend den Künstlernamen Strom gab – ein Strom führt schließlich mehr Wasser als ein (J. S.) Bach –, hat seinen Anspruch auf unbedingte Ruhe seiner Frau vermutlich mehr als einmal deutlich gemacht. Manchmal, daran erinnert sich jedes seiner Kinder, konnte er jähzornig werden. Immer wieder versichert die Mutter ihrem abwesenden Mann ihre Bereitschaft, ihm die Kinder und auch sich selbst vom Leib zu halten.

Ich denke viel an dich. Hast du schon mit dem Intendanten gesprochen? Ich habe immer zutiefst die Angst, daß du dich im Tempo deines Vorwärtskommens doch irgendwie dadurch beeinflussen läßt, daß wir da sind. Daran darfst du jetzt gar nicht denken. Du darfst nur denken, was für dich notwendig und heilsam ist, das wird letzten Endes auch für uns gut sein. Und wenn du im kommenden Jahr keine Stelle bekommst, die dir genügt, so daß du auch uns noch mit bei dir haben willst, dann wird irgendein Weg gefunden – ich werde schon eine Arbeit finden.

Der Brief beschreibt die erste, die angepasste Phase ihrer Ehe. Sie beneidet die Gattin eines Kollegen von

Heinrich, die ihr schreibt, wie herrlich sie mit ihrem Mann zusammenarbeiten kann.

Ich denke immer, daß ich viel zu wenig von diesem Metier verstehe und mich viel ernsthafter damit beschäftigen müßte. Du müßtest wirklich mehr Opernpartituren durchspielen mit mir, so daß ich eine viel genauere und tiefere Kenntnis der Werke bekomme. Ich komme mir immer wie ein sehr laienhafter und dummer Zuhörer im Theater vor und anderen gegenüber sehr überflüssig mit meinen Bemerkungen über solche Dinge.

In den ersten Ehejahren vermittelt sie ihrem Mann das Bild einer glücklichen, ihm ergebenen Ehefrau und Mutter. Von ihren radikalen Ansprüchen an die Liebe und ihrem späteren Aufruhr ist nicht viel zu spüren. Pünktlich hält sie den Vater über jeden Fortschritt des kleinen Rainer auf dem Laufenden, des Erstgeborenen. Sie schwärmt von der ausgeprägten Musikalität des Kindes, von seiner guten Laune, seinem unbändigen Temperament und seinen Einfällen – in tausend kleinen Szenen malt sie dem Vater aus, was er verpasst, weil er nicht bei ihr und seinem Söhnchen ist. Zwei Tage nach der Geburt ihres zweiten Kindes Hanna schreibt sie ihrem Mann, wie sehr sie ihn entbehrt; dass sie ihm nah sein, seinen Atem spüren, seine Haare und seinen Kopf fassen möchte.

Jeden Abend, wenn es beginnt, dunkel zu werden, wenn die Vögel leise und zart singen, und irgendwo genesende Frauen singen, dann überfällt es mich – Sehnsucht nach dir.

In dieser Zeit trägt sie mit Näharbeiten – nach ihren Worten das einzige Metier, auf das sie sich versteht –

zum Auskommen der jungen Familie bei; sucht, angestoßen von der Schwiegermutter, die sich mit voller Kraft in die von den Nazis ins Leben gerufenen Mütterinitiativen stürzt, Anschluss und Arbeit in der Mütterberatung, beim *Frauenschaftsabend*, bei der *Volkswohlfahrt*. Sie will dazugehören, aber irgendwie kommt sie nicht weiter, passt nicht hinein. Sie beklagt sich darüber, dass sie nicht lange genug in der Stadt ist, die damals ungefähr zehntausend Einwohner zählt und in der jeder jeden kennt; dass sie nicht die notwendigen Beziehungen hat. Nur in einem Satz aus diesen frühen Briefen blitzt etwas von der Unbedingtheit auf, mit der sie später ihre Liebe zu Andreas leben wird. In einer Bemerkung über eine Freundin namens R., die von ihrem Mann, der sie verlassen hat, nicht lassen will und kann: *Das ist eine von den wenigen Frauen, die so lieben können, dass sie daran zugrunde gehen.*

Aus dem Satz spricht kein Vorwurf, nicht einmal Irritation, eher so etwas wie Bewunderung.

Wenig später macht sie ihrem Mann einen seltsamen Vorschlag. Es ist ein Trennungsangebot in der Form einer Liebeserklärung, fast einer Unterwerfung.

Ich beschäftige mich immer mehr damit, ob es nicht besser sei, wenn ich im Sommer irgendwo hinginge – fort von dir. Ich habe sehr bestimmt das Gefühl, daß es dir fast wie eine Erlösung wäre, wenn ich dir jetzt sagte: wir trennen uns noch ein Jahr oder länger. Ich begreife das gut und glaube, ich habe auch Kräfte genug, um allein zu sein. Ich denke schon sehr lange an so etwas, und der Gedanke formt sich immer mehr, weil ich sehe, wie du der Kunst gehörst, und wie sie dich braucht. Und ich will selbst, daß du ihr gehören sollst! Ebenso wie ich will, daß du uns nur gehören sollst, wenn du Sehnsucht nach mir hast. Und ich fühle sehr gut, daß das jetzt nicht so ist — nicht sein kann. Ich will aber diesen Wartezustand aufheben, der an meinen Kräften zehrt.

In dieser Zeit lässt sie sich auf ihre Affäre mit Hans ein. Sie erlebt sie als Befreiung, als Entdeckung ihrer Liebes- und Ausdrucksfähigkeit. Von nun an wird sie nicht mehr warten.

Erst in den Jahren des Krieges, als der Vater zunächst in Lübeck und später in Königsberg an der Oper dirigiert, erlebt die Mutter den Luxus einer gemeinsamen großbürgerlichen Wohnung und genießt in vollen Zügen die Premierenfeiern, während hundert Kilometer weiter russische Panzer bereits die Ostfront durchstoßen.

Es war wohl die beste, die aufregendste Zeit im Leben der Mutter. Sie fällt auf durch ihre schicken, selbst geschneiderten Kleider, sie tanzt, sie betrinkt sich, sie bezaubert die Gäste durch ihre Flirts, ihre eigenwilligen Bemerkungen, über die man zweimal nachdenken muss. Auch durch ihre Fähigkeit, aus einem Minimum von verfügbaren Lebensmitteln viel zu machen und ihre Gäste zu bewirten. Der Vater ist stolz auf diese Frau, die allen Männern, und auch seinem Freund Andreas, den Kopf verdreht.

In diese Zeit fallen in den Briefen aber auch Bemerkungen, die mir eine Zeit lang jede Lust nahmen, mich mit ihnen weiter zu beschäftigen – arglos und ganz selbstverständlich eingestreut am Anfang oder Ende eines Briefes stehen Sätze, deren Buchstaben sich in meinem Kopf in Fettdruck verwandelten.

Siehst gut aus in Uniform, ich habe nur noch Bedenken wegen der Farbe! Aber schön ist's, daß du dich bei der HJ so wohl fühlst!

Der Vater im Februar 1935 in Uniform bei der HJ? In welcher Uniform? Das Bild, von dem die Mutter spricht, fehlt in den Familienalben. Offenbar hatte er in der Bedrängnis seiner Arbeitssuche die Leitung einer Musikgruppe bei der HJ übernommen. Fand er ganz einfach nichts dabei? Welche Lieder, welche Musikstücke hat er mit der Gruppe eingeübt? Ich hatte immer gehofft, dass ein Gerücht, das uns durch seinen jüngeren Bruder zugetragen worden war, nur ein Gerücht war – zurückzuführen auf den lebenslangen Streit zwischen den beiden Brüdern. Danach hatte Heinrich beim Reichsparteitag in Nürnberg 1936 ein HJ-Orchester dirigiert. Sicher nicht die offizielle Festaufführung von Richard Wagners Meistersingern, aber wohl doch eine Laienschar von Pimpfen, die zwischen Aufmärschen und wehenden Nazifahnen auf einer der Holztribünen spielten.

Und dann dieser Einschlag in das bis dahin unbeschmutzte Bild vom Vater: Ein Brief der Mutter an *die Lieben* in Oschatz vom 30.4.41 endet mit der fröhlichen Nachricht:

Heinrich war zwei Tage in Angerburg im Führerhauptquartier und kam gestern ganz aufgemuntert wieder mit zwei Flaschen herrlichem Rotwein, der auf meinen aufgeregten Darm wie ein Wunder wirkte. Adolf war nicht da, aber viele Generäle, finnische und italienische, sie sind ganz fürstlich aufgenommen worden, das hat ihnen so gutgetan! Da gibt's noch alles, vom Burgundersekt bis zu Likören!

Angerburg war die nächste Bahnstation auf dem Wege zur Wolfsschanze, die der beim Besuch nicht anwesende Adolf ab 1940 in der Nähe von Rastenburg errichten ließ. Der Plural in dem Satz: *Sie sind ganz fürstlich bewirtet worden* … wird sich auf seinen Freund und Kollegen Andreas bezogen haben, der seit 1937 NSDAP-Mitglied war.

Aber der Vater? Er war doch nie in die Partei eingetreten!, ruft der Sohn dazwischen, der diese Briefe liest. Befragt nach der Vergangenheit meiner Eltern, hatte ich immer geantwortet, wir – meine Geschwister und ich – hätten das Glück gehabt, dass unser Vater parteilos geblieben, im Krieg ein kleiner Gefreiter gewesen war und nie einen Schuss abgegeben hatte.

Und nun der Besuch in der Wolfsschanze!

Was hatten die beiden, damals gerade dreißigjährigen Opernmusiker dort zu suchen?

Aus den Recherchen zu meinem Buch über den jüdischen Musiker Konrad Latte weiß ich, dass Darbietungen von populären Operettensongs und Sketchen von Hitler und seinem Propagandaminister als kriegswichtig angesehen wurden. Die beiden dürften die anwesenden Generale durch ein paar schmissige Klaviernummern und einige, vielleicht von Andreas vorgetragene Couplets vor dem anschließenden Besäufnis unterhalten haben. Und der gute Heinrich hatte die ihm geschenkten Rotweinflaschen der Mutter seiner damals drei Kinder überbracht.

Aber der jüdische Musiker Konrad Latte hatte seine Rolle als Unterhaltungskünstler übernommen, weil er in Lebensgefahr war; seine Camouflage als arisches Mitglied einer musikalischen Wandertruppe bewahrte ihn vor dem Abtransport. Andreas und mein Vater? Welche Rechtfertigung für ihre Dienste hätten sie nennen können?

Ich bin froh, dass ich auf diese Briefpassagen nicht schon in den Siebzigerjahren gestoßen bin. Es war die Zeit der Vatermorde, und auch ich lag mit meinem Vater in einem erbitterten Streit: über seine »autoritäre« Rolle als Vater und als Gatte, seine »falsche Gläubigkeit« an die Demokratie in der Bundesrepublik – allerdings fast nie über seine »Vergangenheit«, die ich für unproblematisch hielt. Bei einem unserer letzten Spaziergänge bot er mir mit leiser Stimme an, unsere Beziehung abzubrechen, wenn ich ihn nur so und nicht anders sehen könne. Damals habe ich mich für ihn entschieden – und gegen meine unumstößlichen Ansichten. Hätte ich gewusst, dass er im Führerhauptquartier in die Tasten gegriffen hatte, ich hätte sein Angebot zum Abbruch der Beziehungen womöglich angenommen.

Und jetzt?

Es ist nicht wahr, dass das Altern das Urteil über ein Versagen mildert. Wohl aber schafft es Raum für ein Misstrauen gegen den Triumph der Selbstgerechtigkeit.

Ich sehe ein junges mittelloses Elternpaar, das einen Hausstand gründen will. Einen ehrgeizigen Musiker, der von seinen Fähigkeiten überzeugt ist und Karriere machen will. Eine Mutter, die an diesem Besuch offenbar nichts verwerflich findet und den mitgebrachten Rotwein gerne trinkt. Hätte nicht allein das Wort »Führerhauptquartier« bei den beiden alle Alarmglocken schrillen lassen müssen?

Wir, die Nachgeborenen der sogenannten Nazi-Generation, sind geneigt und durch zahllose Dokumentationen dazu erzogen, die Verstrickungen der Eltern in das ungeheuerste Verbrechen der bekannten Geschichte von den Ergebnissen her zu beurteilen, die inzwischen vor aller Augen liegen. Und wir haben nicht nur das Recht, sondern auch die Pflicht zum Urteil über diese Verbrechen.

Aber dieses Recht und diese Pflicht entheben mich nicht der Aufgabe, mich in die Ausgangslage meiner Eltern zu versetzen. Oder sagen wir lieber: Sie verbieten mir nicht die Neugier für diese Ausgangslage. Welchen Klang hatte das Wort »Führerhauptquartier« damals für meinen Vater? War es ein Verbrechen, dass er und sein Freund dort aufspielten? Der Satz: Wehret den Anfängen! setzt auf das Wissen derer, die das Ende kennen. Er setzt darauf, dass sich die Geschichte wiederholt. Wie aber verhält es sich mit Anfängen, deren Ende unbekannt ist, weil es noch nicht geschehen ist? Wir, die wir über unsere Eltern urteilen und urteilen müssen, stecken selber in Anfängen, deren Ende wir nicht kennen.

Und doch hinterlässt der Auftritt des Vaters in der Wolfsschanze einen Schmerz. Ja, er ist nie in die Partei eingetreten, er hat den Krieg gehasst und ist ein unwilliger Soldat gewesen. Aber ein Mann des Widerstands war er nicht. Drei Jahre nach seinem Auftritt hat Graf Stauffenberg an demselben Ort sein Attentat auf Hitler verübt.

Vor allem in den ersten Jahren des Krieges feiert Heinrich seine größten Erfolge als Dirigent und Komponist. Rastlos komponiert er Ballette, reist von einem Opernhaus zum anderen, um Uraufführungen zu dirigieren, bereitet mit einem Librettisten mehrere große Opern vor, muss allerdings – ebenso wie Andreas – den Löwenanteil seiner Zeit den ungeliebten Operetten widmen, die der vom »Reichsdramaturgen« Joseph Goebbels beaufsichtigte Spielplan vorschreibt.

Spätestens seit dem Familientreffen bei der Premiere in der Berliner Staatsoper hätte der Großvater genügend Gründe gehabt, seine Geringschätzung gegenüber dem Schwiegersohn zu revidieren. Aber sei es, dass *der Alte* zu unbeweglich war, sei es, dass seine Tochter ihm ihre Verstoßung nicht verzeihen konnte – es kommt nie mehr zu einer Annäherung oder gar Versöhnung. Ihrer flehentlichen Bitte kurz vor dem Ende des Krieges, ihr und seinen Enkelkindern sein Wochenendhaus in Grainau als Fluchtort zu überlassen, hat er offenbar erst entsprochen, als eine Miete ausgehandelt war.

Mein Bild vom Großvater ist durch eine Hose aus Hirschleder bestimmt, die wir auf dem Dachboden in Grainau fanden. Die Hose war so gewaltig, dass Anderl Ostler, bis heute der berühmteste Grainauer und schon damals ein dorfbekanntes Schwergewicht, zweimal hineingepasst hätte. Später hat Anderl Ostler mit einer Viererbob-Mannschaft aus Übergewichtigen die erste Goldmedaille für Deutschland gewonnen. Je größer das Gewicht auf dem Bob, hatte der dicke Anderl erkannt, desto schneller die Fahrt abwärts, desto schneller ist der Bob im Ziel.

Die Mutter hatte die Lederhose ihres Vaters zerschnitten und aus den Stücken Lederhosen für ihre drei Jungen genäht. Wegen der Ausmaße des Originals hatte ich mir den Besitzer immer als einen Riesen mit Dickwanst vorgestellt.

Ein einziges Mal, kurz nach dem Krieg, kam der Großvater zu Besuch. Ich traute meinen Augen nicht, als ich ihn sah: einen alten tattrigen Mann, der so dürr war, dass er fast in meine Kinderhose gepasst hätte. Wo hatte er bloß all die Pfunde gelassen, die er einmal in der gewaltigen Lederhose vom Dachboden untergebracht hatte? Trotzdem fürchtete ich, dass er in der Hose, in der ich ihn begrüßte, die Reste des Originals wiedererkennen würde. Aber nichts, kein zweiter

Blick, kein Nachfragen. Er schenkte mir ein rotes Spielzeugcabrio, das vier Gänge hatte – und gewann damit mein Herz. Wenn er es verlangt hätte, hätte ich dieses Auto jederzeit für meine Lederhose eingetauscht.

In den Jahren danach meldete er sich nicht mehr. Das Haus, in dem seine Tochter mit seinen Enkeln die Nachkriegsjahre verbrachte, hinterließ er seinem Sohn in Ostberlin. Der hatte in den Dreißigerjahren ein Verfahren zur Gewinnung von Benzin aus Braunkohle erfunden und war den Nazis so unentbehrlich gewesen, wie später den Kommunisten in der DDR. Ohne je politisch engagiert zu sein, hatte er rechtzeitig das Parteibuch gewechselt und genoss die Privilegien eines tüchtigen Ingenieurs, der in jedem System, gleich welcher Prägung, gebraucht wird. Als der Erbfall eintrat, bewohnte er mit seiner Familie eine Villa in Dresden. Als Bürger der DDR konnte er mit seinem Erbe in Südbayern nicht viel anfangen und vermietete das Haus.

4

Lange bevor ich für dieses Buch zu recherchieren begann, habe ich auf einer Rückfahrt von Italien in Grainau Rast gemacht. Das Haus, in dem ich als Kind gelebt hatte, stand immer noch da, wie ich es kannte: die Holzwände auf einem Sockel aus gemauertem Stein, der Erker aus sechsteiligen Fenstern mit weiß gestrichenen Rahmen, darüber der vorspringende, über die ganze Stirnseite des Hauses reichende Balkon, der in einem weiten Bogen gegen das spitzgiebelige Dach abschloss. Von der gewaltigen doppelstämmigen Birke vor dem Haus, vor der fast alle Familienfotos geschossen worden sind, war nur ein Stumpf übrig.

Das Haus schien unbewohnt zu sein. Die Nachbarhäuser, die damals auch aus Holz gewesen waren, hoben sich mit frisch geweißten Zementwänden und mit neuen Ziegeldächern ab. In dieser Umgebung wirkte das Haus des Großvaters störend, wie ein Findling, ein dunkler, rätselhafter Felsbrocken, der in Urzeiten angeschwemmt worden war und auf dem Hügel Halt gefunden hatte. Die vom Regen und der Witterung fast schwarz gewordenen Holzwände verstärkten den Eindruck von Düsternis und Lichtmangel. Was hatte die

Mutter eigentlich gemeint, als sie Andreas für einen seiner Besuche ein Sonnenbad auf ihrem Balkon versprach? Der Balkon auf der Vorderseite des Hauses lag in ewigem Schatten. Doch, jetzt erinnerte ich mich. An der Rückseite des Hauses hatte es einen zweiten Balkon vor ihrem Schlafzimmer gegeben, dessen Fenster nach Süden zeigten. Aber die hochgeschossenen Buchen und Tannen, die ich hinter dem Dach sah, ließen auch dort kaum einen Sonnenstrahl durch. Nur die Veranda über der Steintreppe lag an diesem Vormittag im Licht. Ich wusste, dass die Sonne in spätestens einer Stunde weiterziehen und das Haus bis zum Abend im Schatten lassen würde.

Weil die Gartentüre offen stand, ging ich die Treppe hinauf und klopfte an die Verandatür. Drinnen hörte ich Geräusche, eine Dame im Bademantel öffnete die Tür. Sie war stark geschminkt und sah mich eher neugierig als abweisend an. Als ich ihr sagte, dass ich in diesem Haus meine Kindheit verbracht hatte, bat sie mich hinein. Das Wohnzimmer war in eine Bar umgewandelt worden, zwei schläfrige Gäste, die mich mit »High« und »Nice to meet you« begrüßten, dösten im Pyjama auf Hockern vor ihren Sektgläsern. Eine andere Dame im Bademantel saß hinter der Bar und bot mir einen Drink an. Ich bestellte einen Malt-Whisky, trank ihn in einem Zug aus und verlangte einen neuen. »This guy is really thirsty«, sagte einer der beiden Gäste und schlug mir lachend auf die Schulter. Ich blickte in die Ecke, in der das Klavier des Vaters gestanden hatte – es war das einzige Klavier in Grainau gewesen. Dort stand jetzt ein flauschiger Party-Sessel.

Zögernd sah ich mich in unserem ehemaligen Wohnzimmer um. Die schöne Holztäfelung an den Wänden war tiefrot mit Ölfarbe zugemalt. Der vormals helle Dielenboden glänzte in schwarzem Lack, das hölzerne Treppengeländer, das zu unseren Kinderzimmern und zum Schlafzimmer der Mutter führte, war ebenfalls mit Farbe zugekleistert. Der eiserne Küchenherd, das Herz des Hauses und unseres Lebens nach dem Kriege, hatte der Bar weichen müssen.

Die beiden Damen waren liebenswürdig, sie wirkten irgendwie gerührt, ja fast verlegen. Sie boten mir an, mich im Haus herumzuführen. Allerdings müsse ich die Unordnung entschuldigen, sie seien gerade erst aufgestanden. Die Furcht, womöglich auch den geschwungenen, von der Mutter bemalten Holzbaldachin über unseren Kinderbetten mit schwarzer oder roter Ölfarbe bemalt zu sehen, hielt mich ab, in den zweiten Stock zu gehen. Ich trank mein Glas aus und bat um die Rechnung. Ich würde ihnen gar nichts schulden, sagte die Dame, die mir die Tür geöffnet hatte, ich sei eingeladen – und ich solle wiederkommen.

Am Nachmittag erfuhr ich von einem wohl achtzigjährigen Nachbarn, das Haus sei vor zehn Jahren von zwei Prostituierten aus Garmisch gemietet worden; ihre Gäste seien Offiziere aus der amerikanischen Armee, die im ehemaligen Headquarter in Garmisch-Partenkirchen inzwischen ein Zentrum für Terrorismusbekämpfung unterhielt. Die Damen seien ein dorfbekanntes Ärgernis, hätten sich aber nicht vertreiben lassen. Manchmal hätten sie mit »nackertem Hintern« den Garten umgegraben, in dem sie vermutlich Unkraut und verbotene Gewächse zogen.

Ich lief durch die schmalen Straßen der Nachbarschaft. Alle Wege, auch die nur einspurig befahrbaren Gassen, waren asphaltiert. Ich ging vorbei an gepflegten grünen Vorgärten mit akkurat beschnittenen Hecken und frisch gestrichenen Holzzäunen, in denen keine Latte fehlte; vorbei an frisch geweißten Häusern mit tadellosen ziegelroten Dächern, vor deren Garagen neue Mittelklassewagen standen. Selbst die farbenprächtigen Heiligenbilder unter dem Dachfirst – meist die Jungfrau mit dem Kind – waren restauriert. In den Nachkriegsjahren hatte man vom Haus des Großvaters über die große Wiese bis zum anderen Ende des Tals schauen können. Inzwischen war der Blick durch mehrere Staffeln neu gebauter Häuser verstellt. Auch das Haus des Architekten, in dem Willi gewohnt hatte, war in einer Reihe von Nachbarhäusern unkenntlich geworden. Ich suchte nach dem breiten Balkon, auf dem ich mit Willi der Mutter nachspioniert hatte. Aber die drei Häuser, die infrage kamen, hatten alle ähnliche Balkone. Und falls Willis Haus dasjenige war, das ich wiederzuerkennen meinte, so war es ausgebaut und erweitert worden. Ich suchte auf den Klingelschildern nach einem Namen, der mir vielleicht bekannt war. Aber die Namen, die ich am Gartentor des Hauses las, hatten drei und mehr Silben, einer war polnischen, der andere tschechischen Ursprungs. Willi, da war ich sicher, hatte einen zweisilbigen deutschen Nachnamen.

Ich lief weiter. Die Straßen meiner Kindheit waren inzwischen von Pensionen und Gästehäusern zugestellt. »Gästehaus Marianne«, »Haus Alpenblick«, »Haus Bergheim« las ich über den Eingangstüren. An jedem zweiten oder dritten Privathaus waren Schilder mit der Aufschrift »Zimmer zu vermieten« angebracht. Jedes dieser Häuser, das wusste ich aus der Lektüre der Annoncen in der Lokalzeitung, war inzwischen ein paar Hunderttausend Euro wert. Zwar behielten die Bauern immer noch ihre Ställe, ihre Kühe, Schafe und Schweine, aber diese durch Jahrhunderte ausgeübten und vererbten Tätigkeiten waren offenbar zu Nebenbeschäftigungen geworden. Das ehemals arme und fremdenfeindliche Kuhdorf Grainau hatte sich dem Tourismus verschrieben und war dank dieser Anpassung zu bescheidenem Wohlstand gelangt. Allerdings zog der Ort, nach den Passanten zu urteilen, eher mittelständische Pensionäre an.

Eine einzige Szene, die ich im Vorbeigehen sah, erinnerte mich an die Jahre meiner Kindheit. Eine junge Mutter saß in der Sonne in ihrem Garten auf der Bank. Im untersten Ast eines mächtigen Ahorns war eine Schaukel aufgehängt. Eines ihrer Kinder, ein Junge, brachte die Schaukel zum Schwingen, indem er die Beine mit aller Kraft nach vorne warf, seine kleine Schwester stand mit einer Blechbüchse in der Hand vor dem schaukelnden Bruder. Auf dem höchsten Punkt des Ausschwungs, wenn er mit den Füßen fast an den über ihm hängenden Ast stieß, warf der Junge eine Münze in Richtung der Blechbüchse. Wenn es in der Büchse schepperte, so reimte ich mir die Regel dieses Spiels zusammen, hatte er gewonnen. Verfehlte er das Ziel, durfte die Schwester auf die Schaukel, und der Bruder musste die Büchse halten. Wer am Ende mehr Münzen hatte, war der Sieger.

5

Das Dorf meiner Kindheit war erfüllt von Dämonen, bösen Märchen und unverständlichen, gewalttätigen Ritualen. Überall an den Hängen, aber auch unten auf den Wiesen, standen Heuschober – aus Rundhölzern gebaute Hütten, in denen die Bauern im Herbst das Heu für ihr Vieh einbrachten. Denen weiter oben, die an den steilen Hügeln klebten, durfte man sich nicht nähern. Es hieß, dort hausten immer noch versprengte Gebirgsjäger, die sich vor den amerikanischen Truppen versteckten. Sie lebten dort wie das Vieh, sie waren hungrig und gierig, und es war vorgekommen, dass sie einen vorwitzigen Jungen, der sich dort hinaufwagte, einfingen und nicht mehr nach Hause ließen. In einem Heustaderl hatte man ein nacktes Mädchen gefunden, dessen Brust von einem Holzpflock durchbohrt war. Aber auch unten im Zigeunerwald, in dem wir spielten, war es unheimlich. Fünfhundert Tote sollen dort nach dem Krieg gelegen haben. In den Höhlen unter den Felsen hockten nie gesehene, furchterregende Lebewesen.

An Fasnacht drängten die bösen Geister, die sich das Jahr über in den Höhlen und in den Dachstühlen verborgen gehalten hatten, auf die Straßen. Mit Waschbrettern, Rasseln, Stampern, mit Löffelschlägen auf den Trummtopf zogen sie an den Gaffern vorbei, stießen hinter holzgeschnitzten Larven unheimliche Kehllaute und hohe Falsetttöne aus. Ein Junge aus der Nachbarschaft machte sich über mich lustig; er behauptete, er habe überhaupt keine Angst, denn er kenne jede Maske und ihren Besitzer. Aber wenn ich auf eine Maske zeigte, konnte er mir nicht sagen, wer dahinter steckte. Denn vor der Fasnacht tauschten die Besitzer ihre Larven aus, damit niemand sie daran erkennen konnte. Bevor sie die Masken aufsetzten, spuckten sie hinein, um sich nicht mit einer Krankheit anzustecken. Die Pfauenfeder auf dem Kopf schützte gegen Blitze.

Am meisten fürchteten wir die Flecklegwander, die man an ihren aus tausend Flicken zusammengestückten Kostümen erkannte. Sie vollführten wilde, ungeheure Sprünge. Manchmal brach ein Flecklegwander aus dem Umzug aus, stürzte sich auf die Reihen der Gaffer und setzte einem Kind hinterher, das in wildem Zickzack davonstob. Aber es war unmöglich, den Flecklegwandern zu entkommen. Gleichgültig, wohin du gerannt bist, du hattest ihren Atem im Nacken, hörtest ihr Raunzen und ihr Spucken, das Gesabber und die Flüche, die sie aus ihren Holzmündern hervorstießen, du fühltest ihre Krallenfinger in deinen Haaren, bevor sie dich daran packten und dir den Kopf nach hinten rissen. Und wenn sie dich hatten, half kein Beten und kein Betteln. Sie warfen dich unter dem Gekreisch der anderen Kinder hoch in die Luft, sie ohrfeigten dich, legten dich übers Knie, schlugen dich windelweich, du wusstest nicht warum, aber du wusstest, dass du die Strafe verdient hattest.

Wenn der Schnee auf den Wiesen wegtaute und die Kühe ihre Mäuler in die noch harte Erde stießen, gab es ein anderes Spektakel. Jedes Jahr machte sich ein junger Mann aus einem der Nachbarhäuser auf, um die Südwand des Kleinen Waxensteins, die noch nie erstiegen worden war, zu bezwingen. Die Anwohner kannten seinen Spleen vom letzten oder vorletzten Frühjahr, sie wussten, wie das Abenteuer enden würde. Aber sie stellten sich ihm nicht in den Weg. Stumm sahen sie zu, wie er sich von der Frau, die sich an ihm festklammerte, losriss, von der Mutter, die ihm aus ihrem anschwellenden Halskropf Liebesworte und Flüche hinterherschrie, und traten respektvoll zur Seite, wenn er, ohne sich noch einmal umzudrehen, der Wand entgegenging. Danach zerstreuten sie sich und gingen mit gesenkten Köpfen ihrer Wege.

Stunden später, wenn er die Geröllschlucht erreicht hatte, fanden sie sich alle wieder an derselben Stelle ein. Manche hatten Ferngläser an den Augen und berichteten den Umstehenden in kurzen Ausrufen, die wie Geröllschlag klangen, was sie sahen. Atemlos folgte ich den Zeigefingern und Meldungen der Erwachsenen über den Verlauf des Aufstiegs und bildete mir ein, dass ich den Verrückten jetzt an einer winzigen Bewegung in der tausend Meter hohen grauen Wand entdeckt hatte. Ich sah ihn wie ein Insekt auf einem

Felsvorsprung kleben, hörte die Ausrufe der Beobachter – jetza derpackt er's! –, bis einer die Stille durch einen Aufschrei zerriss: Nix is, abi geht's! Himmelherrgottsackra!

Ich sah, glaubte zu sehen, wie sich der dunkle Punkt von der Wand löste und abwärtsglitt, zwischendurch vom Schatten eines überhängenden Felsvorsprungs verschluckt, dann, viel weiter unten, noch einmal von einem einfallenden Sonnenstrahl erfasst wurde und endgültig im Dunkel verschwand. Sein Sturz erschien mir unbegreiflich langsam, wie die Bewegung einer Fliege, die an einer Wand hinabläuft.

Als nichts mehr zu sehen war, brachen einige auf, um die Reste des Unbelehrbaren einzusammeln und ins Dorf zurückzubringen. Aber er war nie tot. Er brauchte den Rest des Jahres, um sich zusammenflicken zu lassen, und war im nächsten oder übernächsten Sommer wieder bereit.

Niemand tadelte ihn. Seine Tat bewies, dass man im Dorf bleiben musste, auf dem Grund des Tals, und der Versuch, die Welt jenseits der Felswände zu erreichen, zum Scheitern verurteilt war. Mehrmals bin ich Zeuge seiner Aufbrüche gewesen. Bis zu dem Tag, an dem ich seine Mutter mit irrem Blick an unserem Haus vorbei zum Zigeunerwald laufen sah. Eine ganze Woche lang ging sie auf dem Weg hin und zurück, immer dasselbe Stück, das Gesicht und die Augen zum Kleinen Waxenstein gewandt. Ihr Blick suchte den Sohn immer noch, dort oben in der Wand. Niemand hatte ihn gefunden.

Von da an war ich für alle Zeit gegen die Anziehung von himmelhohen, senkrecht aufsteigenden Felswänden gefeit. Diese Felswände teilten mir nichts mit, sie hatten keine Macht über mich, sie wollten nichts von mir und ich nichts von ihnen.

Wie hatte die Mutter es in diesem von Wahn und Aberglauben beherrschten Dorf ausgehalten? Wann schrieb sie ihre mondsüchtigen Gedichte? Wann las sie die Bücher von Rudolf Steiner, Sören Kierkegaard und Henri Bergson, die ihre Träume von einer allumfassenden kosmischen Liebe nährten?

Sie liebte die Landschaft, das Licht im Frühling, die himmelhohen Berge, die auch im Sommer von ewigem Schnee gekrönt waren. Die meiste Zeit fühlte sie sich elend und allein in Grainau, dessen Einwohner jeden Fremden misstrauisch betrachteten. Wo kommst du her, was hast du hier verloren, wann fährst du wieder, sagten diese Blicke. Und als Fremder galt jeder, der nicht aus Grainau oder aus der unmittelbaren Umgebung stammte. Aber auch wer in Grainau geboren und getauft war, wurde als ein Fremder angesehen, wenn nicht auch seine Eltern aus dem nächsten Umkreis stammten.

Wann immer ich nachts aufwachte und nach ihr suchte, sah ich die Mutter über ihre Nähmaschine gebeugt. In einem vergilbten Notizbuch finde ich die Zeichnung eines Kostüms, in das mit Bleistift die Maße und der Preis für die Arbeit eingetragen sind. Wenn wir

längst schliefen, hat sie viele Stunden mit Schneider-
arbeiten für Nachbarn und Bekannte im Dorf verbracht, die ihr den einen oder anderen Auftrag er-
teilten. Bezahlt wurde mit Lebensmitteln, Decken,
Spielzeug für die Kinder, Geld bedeutete nicht viel.
Manchmal nähte sie auch für sich, denn auch in Grainau wollte sie bemerkt werden, ein bisschen Aufsehen
erregen. Aus Königsberg hatte sie ihre Silberschuhe
gerettet. Der Schuster im Dorf nahm ihren Auftrag, die
Schuhe zu reparieren, nicht an, in seiner Werkstatt
hatte es gebrannt. So schickte sie die Schuhe zu ihrer
Schwiegermutter mit der Bitte, sie schwarz färben zu
lassen. Mit einem aufgesteckten Samtband markierte
sie die Stellen, wo der Schuster die Lederriemen annä-
hen sollte. Er solle auch die Fersen ausklopfen und mit
weichem Leder ausfüttern. Schon nach einer halben
Stunde würden ihr die Schuhe sonst riesige Blasen machen. Ich kann mir vorstellen, wie die »liebe Mutter«
in Oschatz in der Hungerzeit auf diesen Wunsch der
höheren Tochter reagiert hat. Mit einem frommen
Fluch!

Nie hat sich die Mutter dem Diktat des Krieges, das
die Kleidung der Frauen aufs bloße Wärmen und Ver-
hüllen reduzierte, ganz ergeben. Sie wollte auch in
Grainau, etwa bei einer Abendgesellschaft in der Villa
eines Städters, auffallen, sie wollte glänzen, einen Auftritt haben. Vor allem aber wollte sie dem einen gefallen, auf dessen Besuch sie hoffte, dessen Briefe sie er-
sehnte und der viel zu selten kam.

Während ihrer Reisen, ihrer Krankenhausaufenthalte, aber auch während ihrer Spaziergänge mit Gästen, die häufig kamen, überließ sie ihre Kinder der Obhut ihrer Haushälterin Tilla. Sobald die Mutter aus dem Haus war, kam Willi.

Er nahm mich mit auf Wanderungen, die meiner Prüfung dienten. Den Namen der Schlucht, zu der wir aufbrachen, hatte ich ein paar Mal gehört: Höllental-klamm. Die Klamm sei ein Kampfort, auf dem der Erz-engel seine Kräfte mit dem Teufel messe, sagte Willi.

Der Weg war steil und führte zu Felswänden, die in beängstigende Höhen stiegen. Ich musste den Kopf in den Nacken werfen, um über den Spitzen der Alpen, deren schneebedeckte Gipfel auch im August weiß auf-glänzten, ein Stück Himmel zu sehen. In der Schlucht, erzählte Willi, hatten Bauernbuben, kaum älter als ich, vor vielen Jahren dicht über dem reißenden Sturz-bach ein seltenes Erz abgebaut und tiefe Gänge in den Fels gesprengt. Dutzende von ihnen seien dabei umge-kommen.

Wir liefen durch ein Dickicht von klein gewachsenen Buchen und Krüppeleichen, das so dicht war, dass die Sonne darin keine Lücke fand. Von ferne hörte ich das mächtige Rauschen eines Flusses, den ich manchmal, tief unter uns, zu Tal stürzen sah; das zwischen den Felsbrocken aufspritzende Wasser war weiß wie Milch. Immer wieder musste ich stehen bleiben, um zu Atem zu kommen, aber Willi duldete keine Pause, er trieb mich aufwärts. Das hier sei gar nichts, sagte er, das Schlimmste komme noch. Je näher wir den Steilwänden kamen, desto dunkler und kälter wurde es, jäh schien die Temperatur um zehn Grad abzufallen. Das Tosen der Wassermassen war so laut, dass wir uns nur noch brüllend verständigen konnten. Die Felswände links und rechts der Gischt standen nah; ich hätte zur gegenüberliegenden Wand springen können, wenn es dort einen Halt gegeben hätte. Aus den Ritzen der überhängenden Felsen wuchsen ein paar Sträucher und kahle Bäumchen – viel zu dürr, um sich an ihnen festzuhalten.

Ich solle lieber nicht zurückschauen, wenn ich nicht schwindelfrei sei, sagte Willi. Mir wurde schon beim Hinaufschauen an den Felswänden schwindlig. Ja, der Name stimmte, dies war ein Tor zur Hölle. Wir stiegen auf einem nassen Felsboden hinan, der so weiß war wie das schäumende Wasser unter uns, tasteten uns durch Felstunnel voran, indem wir uns an den Drahtseilen entlang der Wände festhielten, wobei es uns ständig eiskalt auf den Kopf und in den Nacken tropfte. Willi musste den Kopf einziehen, um nicht an die Decke zu stoßen. Vielleicht entschied er sich deswegen für die in den Fels gesprengten Durchlässe und lief auf den Holzstegen an der Außenwand entlang. Ich zog es vor, in den Tunneln zu bleiben, immer in Angst, dass ich Willi verlieren und mich verirren würde. Willi hatte mich gewarnt: Diejenigen, die vom Glauben abfielen, würden aus dem Tunnellabyrinth nie mehr herausfinden und darin in alle Ewigkeit auf- und abwärts irren.

Ich hatte mir die Hölle bisher als einen glühend hei-
ßen Abgrund in großer Tiefe vorgestellt, nahe dem Erd-
innern – keinesfalls als einen Ort in dieser Höhe, der
die Finger klamm machte und die Zähne klappern ließ.
Willi erklärte mir, der Teufel sei überall, auch in fünf-
zehnhundert Metern Höhe würden sich Eingänge zur
Hölle finden. So entschied ich mich, ihm lieber auf
dem Holzsteg zu folgen, unter dem der Höllenfluss
tobte. Unter dem Geländer des Stegs waren zur Ab-
sicherung Drähte angebracht. Aber ein Kind, das auf
dem nassen Boden ausglitt, würde unweigerlich unter
dem unteren Draht hindurchrutschen, hinein in die
Wassermassen, und mit dem Kopf an die Felswände
schlagen.

Willi packte mich am Arm und blieb stehen. Er zeigte
mir einen gewaltigen Brocken hoch über unseren Köpfen, der sich zwischen den Wänden verkeilt hatte. Dutzende von Neugierigen, sagte Willi, würden jeden Tag
unter dem tonnenschweren Felsblock stehen bleiben
und auf ihn zeigen – im Vertrauen darauf, dass er sich
nie aus seiner Verkeilung lösen könne. Bisher seien diese Ahnungslosen immer, ohne es zu wissen, vom Erzengel Michael beschützt worden. Es würde nur eines
Kommandos des Teufels und einer sekundenlangen
Unaufmerksamkeit des Engels bedürfen, und der Fels
würde auf uns niederstürzen.

Je höher wir kamen, desto öfter veränderte der Fels
seine Farbe, mitten im harten Grau zeigten sich rötli-

che Flecken, die in der Sonne wie blutende Wunden aussahen. Die Wände wichen zurück, und das Getöse der Wasserstürze, die eben noch aus jeder Felsspalte herausgebrochen waren, wurde leiser. Als sich die Klamm öffnete und flacher wurde, sah ich die schimmernden Gipfel der Alpspitze und des Kleinen Waxensteins. Felstrümmer in allen Größen, die vor Urzeiten herabgerollt waren, lagen träge in dem nun flacheren Flussbett und zwangen das Wasser zu Umwegen. Auf einem der sonnenbeschienenen Bruchstücke machten wir Rast. Von hier aus, sagte Willi, könne man zur Alpspitze und auch zur Zugspitze wandern. Und wirklich entdeckte ich am Fuß der senkrechten Wand, die vor uns wohl tausend Meter in die Höhe stieg, ein paar dunkle Punkte, die sich bewegten, eine Kolonne von Bergsteigern, die sich wie Ziegen auf einem nicht erkennbaren Pfad an den Aufstieg machten. Es schauderte mich. Warum nahmen diese Leute solche Anstrengungen auf sich, welcher Ehrgeiz trieb sie, diese Wände zu ersteigen und sich nicht anmerken zu lassen, dass ihnen längst der Atem fehlte? Warum setzten sie ihr Leben aufs Spiel, obwohl niemand sie dazu zwang? Offenbar taten sie alle heimlich Buße für Verbrechen, von denen nur der Erzengel Michael und sie selber wussten.

Hoch über ihnen, am oberen Rand der Steilwand, sah ich ein paar schwarze Vögel, die ohne einen Flügelschlag zu tun an der gezackten Kante entlangsegelten. Zu denen würde ich gehören, wusste ich, wenn ich das Fliegen erlernt hätte. Ich würde die Arme ausbreiten und mich vom obersten Absatz der Felswand in den Abgrund werfen in der Gewissheit, dass ich nie aufschlagen würde.

6

Erst spät entdeckte ich, dass auch meine Schwester Hanna mit Willi ein Geheimnis teilte. Vielleicht war sie Willi sogar vor mir begegnet. Mit keinem Wort verriet er mir, dass Hanna und ich, ohne es zu wissen, längst Komplizen waren. Da wir uns beide strikt an sein Schweigegebot hielten, hatten wir wohl eine ganze Weile, jeder für sich, zu Hause für den Erzengel Michael Vorräte auf die Seite gebracht. Auf keinen Fall hätte ich mich Hanna anvertraut, denn ich war sicher, dass sie mir den Umgang mit Willi sofort verbieten würde. Nächst der Mutter war sie für mich die wichtigste Autorität in der Familie. Auf der langen Flucht, wenn wir nach einem Alarm aus einem auf offener Strecke haltenden Zug aussteigen und im nächsten Wald Schutz suchen mussten, hatte Hanna mich an der Hand genommen, während die Mutter mit Paul auf dem Arm und dem großen Bruder vorauslief.

Dass meine Schwester Willi kannte, dass sie ihm gehorchte, merkte ich erst, als ich mit ihr den Garten vor unserem Haus sprengte. Willi stand am Gartentor und sah uns zu. Hanna bat ihn herein. Willi nahm ihr den Schlauch aus den Händen, ließ das Ende in der Luft kreisen und schickte Kaskaden von Wassertropfen über unsere Köpfe, die im Sonnenlicht aufblitzten.

Lauft, rief er, während er uns in einen Wirbel von glitzernden Wasserschleifen einschloss, rennt, so schnell ihr könnt! Seht ihr nicht, dass in jedem dieser Spritzer ein Teufelchen sitzt, das nach euch grapscht? Jeder Tropfen, der euch berührt, wird eine Brandwunde, die nie mehr heilt!

Im Zickzack stoben Hanna und ich, gejagt von Willis Wassergarben, durch den Garten und retteten uns in die Veranda. Willi drehte den Hahn zu, schwang den Schlauch, der jetzt nur noch ein paar Spritzer hergab, wie ein Lasso über dem Kopf, warf ihn dann auf den Boden und lachte. Hanna lachte zurück, aber ich konnte sehen, dass sie ebenso viel Angst hatte wie ich. In Panik fuhr sie sich mit den Händen an den Kopf und strich sich ein paar Tropfen vom Hals und aus dem feuerroten Haar. Hastig wischten wir uns gegenseitig die Arme und die Beine trocken.

Von da an wusste ich, dass auch Hanna den Pakt mit Willi und dem Erzengel Michael geschlossen hatte.

Wie hatte er Macht über meine Schwester gewonnen? Wollte sie auch das Fliegen erlernen oder hatte er ihr ganz andere Versprechungen gemacht? Fürchtete sie genau wie ich die Höllenstrafen, die im Falle des Verrats auf sie warteten, oder gab es eine besondere Vereinbarung zwischen Willi und ihr? Meine Schwester war frech, aufmüpfig, widerspenstig, das einzige von uns Kindern, das sich der Mutter offen widersetzte. Ein

Schulfreund behauptete, meine Schwester sei verliebt in Willi. Einmal habe er gesehen, wie die beiden sich geküsst hätten. Aber als ich ihn fragte, wann und wo, wurde seine Antwort schwammig. Eine Zeit lang spionierte ich hinter den beiden her und beobachtete sie. Aus meinen Ritterbüchern wusste ich, wie sich Verliebte benehmen, und kam zu dem Schluss, dass Liebe bei ihnen nicht im Spiel war. Nie trug Willi den Schulranzen meiner Schwester, nie sank er vor ihr am Gartentor aufs Knie, wenn er sich von ihr verabschiedete, nie sagte er ein Liebesgedicht auf. Offenbar war Hanna durch dieselbe Kraft an Willi gebunden wie ich selber: durch den Glauben an die Macht des Erzengels Michael und durch die Angst vor Höllenstrafen.

7

Die Geräusche von Alarmsirenen und Tieffliegern gehören zu meinen frühesten Erinnerungen. Es waren
die weitaus stärksten Signale aus der Außenwelt. Wie
Lesezeichen stecken sie in meinem Gedächtnis und
ordnen die Bilder und Ereignisse aus den Jahren unserer Flucht. Aussteigen! hieß es, wenn die Züge plötzlich auf offener Strecke hielten, aussteigen und rennen
bis zum nächsten Wald! Auf keinen Fall weiterrennen,
wenn die Bomber über dir sind. Dann wirfst du dich
auf den Boden und verschränkst die Arme über dem
Kopf! – Hilflose Verhaltensregeln von Erwachsenen, die
sich bei einem Tieffliegerangriff selber nicht zu helfen
wussten. Immerhin kamen sie der kindlichen Illusion
entgegen, dass man unsichtbar wird, wenn man sich
die Augen zuhält.

Tatsächlich schloss ich die Augen, wenn ich mich im
offenen Feld auf den Boden warf, und hielt mir die
Ohren zu. Und wenn du dann das Krachen eines Ein-
schlags hörst, hatte jemand im Abteil gesagt, weißt du,
dass du überlebt hast. Ich verstand nicht, was es über
diesen Satz zu lachen gab.

Nach dem Einschlag den Kopf heben, zum Himmel
schauen und herausfinden, ob die Flieger wenden.

Wenn sie weiterfliegen, aufstehen und Richtung Wald oder Gebüsch rennen!

In einer der Städte, in denen wir auf unserer Flucht nach Süden haltmachten, ich glaube, es war Bayreuth, wurden wir auf der Straße vom Geheul der Alarmsirenen überrascht. Ich weiß nicht mehr, wie und warum wir mit hundert oder tausend anderen Flüchtlingen in einem riesigen offenen Raum unter freiem Himmel Schutz suchten – war es ein Sportplatz, ein Stadion? Nein, es muss anders gewesen sein: Mein Kindergedächtnis muss das dramatische Ende des Ereignisses an den Anfang gesetzt haben. Wahrscheinlich saßen wir auf diesen Stufen, weil wir irgendeiner Vorstellung oder Darbietung auf dem Sportplatz beiwohnten, und sind dann von einem Angriff überrascht worden. Jedenfalls boten wir, wie wir uns auf den Stufen zusammenduckten, ein ideales Ziel. Als sich die erste Bomberstaffel näherte, nahm die Mutter mich auf ihren Schoß und legte ihre Arme über mich – ich weiß nicht, wo meine Geschwister in diesem Augenblick waren. Als die Flieger direkt über uns waren, flüsterte sie mir ins Ohr, nein, sie muss mir ins Ohr geschrien haben, schlaf' ein, schlafe, jetzt, auf der Stelle. Und weil ich in ihrem Schoß lag und so nah bei ihr war, schlief ich ein. Jedenfalls erzählte sie das später, in der Wohnung der Tante, mit einem Aufblitzen von Stolz in den Augen. Aber vielleicht erinnere ich mich an diesen Vorfall nur, weil sie mir davon erzählte, und weil es eine schöne Erinnerung war.

Einmal, nach dem Aussteigen aus einem auf offener Strecke haltenden Zug, verlor ich den Anschluss an meine Geschwister und die Mutter, die mit Paul auf dem Arm vorausgelaufen war. Dicht über mir das Dröhnen eines Tiefliegers, dann der grelle Blitz und das Krachen einer Bombe. Baumsplitter, Steine, Erdreich spritzten himmelwärts – mitten in dieser Wolke mussten Paul und die Mutter sein. Jedenfalls sah ich sie nicht mehr auf dem Weg vor mir, auch nicht, als alles, was eben in die Luft geflogen war, sich in kleinen Teilen zu Boden senkte. Nachdem Staub und Rauch verflogen waren, konnte ich dort, wo die Mutter eben noch gelaufen war, einen Krater erkennen; am Rand die Umrisse von Menschen, die die falschen Koffer, die falschen Frisuren, die falschen Mäntel trugen – Menschen, die ich nicht kannte. Jetzt war es passiert – und natürlich wussten meine Geschwister und ich, dass es immer und jederzeit passieren konnte. Dennoch war, was geschehen war, vollkommen unvorstellbar: Die Mutter war mit Paul und mit allem, worauf sie eben noch gestanden hatte, in einer schmutzigen Wolke himmelwärts geflogen. Ich bin allein, wir sind allein, wo sind die anderen Geschwister.

Aber wie konnte es sein, dass ich ihre Stimme hörte, von weit her, nein, aus der Nähe – ich blickte nach vorn, nach links und rechts, ich blickte in den Himmel. Dann entdeckte ich sie unter einem Baum. Sie winkte mir zu, und ich lief zu ihr hin, so schnell, wie ich noch nie gelaufen war.

Du hast, erklärte sie mir, als sie mich hochnahm, die

Entfernung falsch geschätzt. Die Bombe sei ja dreißig Meter vor ihr explodiert. Ich verstand nur, dass sie am Leben war. Aber mein Glaube daran, dass die Mutter trotz allem, was so vielen anderen passierte, unverletzbar war, war dahin.

In den Büchern über die letzten Kriegsjahre lese ich von den Bunkern, in denen Millionen von Zivilisten in den Städten vor den Spreng- und Brandbomben Zuflucht suchten. Von Müttern und Kindern, die als lichterloh brennende Fackeln durch die Straßen taumelten oder in den Kellern und Bunkern erstickten – wegen des Sogs der Flächenbrände, die der Luft den Sauerstoff entzogen. Auch wir sind, so erfahre ich aus den Briefen der Mutter, einige Male in Keller und Bunker geflüchtet, obwohl sie von solchen Unterkünften nicht viel hielt. Wenn es passiert, dann passiert es eben, dies war ihre Haltung.

Noch am 17. Januar 1945, kaum einen Monat vor dem alliierten Großangriff, schreibt sie aus Dresden ihrem Mann: *Die mittlere Ostfront ist seit gestern offenbar zusammengebrochen, und – du wirst lachen – Bomben auf Dresden!* Hielt sie sich mit diesem munteren Spruch das Wissen vom Leibe, dass es jeden Tag mit ihr und ihren Kindern aus sein konnte, wie es am 13. und 14. Februar 25.000 Zivilisten in Dresden geschah? Vielleicht war es eine Gnade, dass es damals nur Gerüchte gab, keine Nachrichten – wer im Zentrum der Katastrophe lebt, hat keinen Überblick.

Wir waren gar nicht im Keller. Nur als die Türen bald raus-
flogen, gingen wir mal runter. Gestern Nachmittag fuhr keine
Straßenbahn. Heute früh kam weder Zeitung noch Post — was
unangenehmer ist.

Das Glück wird oft beschrieben als der Augenblick, in dem jeder Gedanke an die Vergangenheit oder Zukunft abgeschaltet ist. Diese Beschreibung trifft ebenso auf die Momente des Schreckens zu, von denen man nicht weiß, ob man sie überlebt.

Meine Erinnerung an die Aufenthalte in den Kellern und Bunkern ist vollständig ausgelöscht. Haben sie deswegen keine Spuren hinterlassen? Sind Erlebnisse, an die man sich nicht erinnern kann, keine Erlebnisse? Sind sie Teil der Biografie und des Charakters oder kann man sie, weil sie vergessen sind, vergessen — und als nicht geschehen betrachten?

Angst ließ die Mutter nicht zu, und weil sie keine Angst zeigte, hatten wir auch keine. Wir gewöhnten uns an die Sirenen und das an- und abschwellende Donnern der Tiefflieger — es waren Alltagsgeräusche, die ein eingespieltes Verhalten in Gang setzten. Nicht ohne Stolz berichtet die Mutter in ihren Briefen an beide, an den Vater und an Andreas, von der Plackerei des Reisens mit ihrer Kinderschar von einem Ort zum anderen; vom Schleppen der Gepäckstücke vom Bahnhof zur vorläufigen Unterkunft; vom nervenzehrenden Beisammensein auf engstem Raum mit den Verwandten oder der Schwiegermutter, die immer noch an den

Endsieg glaubte. Dies und die Frage, ob es sich lohne, zwei Zimmer zu heizen statt eines, bedrängen sie mehr als das tägliche Aufheulen der Sirenen. Naiv, ja vorsätzlich leichtsinnig klingt ihre Reaktion auf die Warnungen durch die Aufklärer der deutschen Luftwaffe über Dresden.

Gestern hat's ganz schön gekracht hier. Und es ist einiges gefallen, einige Straßen am Hauptbahnhof, sonst wohl einzelne Häuser in allen Gegenden. Unter anderen hat das Friedrichstädter Krankenhaus was abbekommen. Na, ich gehe ins andere.

Für die Mutter zählen nur die Zerstörungen in Sichtweite und die Tatsache, dass man sie überlebt hatte.

Als dann jeden Tag zweimal Vollalarm ist, überlegt sie, ob sie die eben erst bezogene Wohnung in Dresden nicht doch lieber aufgeben soll. *Aber werden dann nicht die ausgebombten Rheinländer den Leerstand sofort melden? Dann hat man fremde Leute in der Wohnung!* Und die werden die Kartoffeln aufessen, die sie eben erst in die Wohnung geschleppt hat. Überhaupt das Kartoffelnschleppen. Immer wieder kreisen ihre Gedanken um die Frage, in welcher Unterkunft sie bei den zahllosen Ortswechseln wenigstens einen Zentnersack Kartoffeln deponieren soll – Kartoffeln, das wichtigste Überlebensmittel.

Im Winter des letzten Kriegsjahres ist sie mit uns immer noch auf der Flucht. Monatelang irrt sie mit den vier Kindern in überfüllten Zügen zwischen Bayreuth, Oschatz, Dresden und Radebeul hin und her – zwischen Wohnungen, in denen sie mit uns jeweils für ein paar Tage oder Wochen bei Verwandten unterkommt. Bei diesem Hin und Her, so erfahre ich aus den Briefen, sind wir für ein paar Tage in Bayreuth gelandet. Die Szene im Stadion, an die ich mich erinnere, wird von der Mutter nicht erwähnt, wohl aber eine andere, die wie der Einfall eines klischeeverdächtigen Drehbuchautors wirkt:

Nach 30stündiger Fahrt und 6maligem Alarm kamen wir in B. an und fanden kein Quartier, das versprochene war inzwischen besetzt. 3 Tage hausten wir in einer leeren Dachkammer mit 2 Betten – zu fünft, die N. S. V. (Nationalsozialistische Volkswohlfahrt) schickte mich auf die Dörfer, ich klapperte mit den vier Kindern ein halbes Dutzend Dörfer ab – kein Quartier zu haben! Dann schickte mich die N. S. V., die es als ihre einzige Aufgabe betrachtet, die Leute wieder abzuschieben – mit der festen Aussicht auf Quartier nach Wunsiedel. Nach 7stündiger Fahrt und mit leeren Mägen kamen wir um 11 Uhr nachts dort an, kein Mensch ließ uns rein, keiner erwartete uns, wollte uns aufnehmen. In einer Schule öffnete nach einstündigem Klingeln widerwillig der Direktor. Nachdem man uns dort für Wochen nur Massenquartier in Aussicht stellte, löste ich mich wütend von dem Transport, fuhr nach Bayreuth zurück nach 12stündiger Fahrt!, wandte mich an Winifred Wagner und wohne zur Zeit durch ihre Vermittlung für 8 Tage im Festspielhaus oben. Für die Kinder paradiesisch. Aber Montag setzt man uns wieder raus, da die Räume fürs Rote Kreuz belegt werden. Was dann wird, ist mir schleierhaft.

Wieder der Schock und das Innehalten. Winifred Wagner, NSDAP-Mitglied seit 1926, war nach dem Tod ihres Mannes Siegfried Wagner die Leiterin der Festspiele in Bayreuth bis 1944. Im Tagebuch von Joseph Goebbels heißt es: »Ein rassiges Weib. So sollten sie alle sein. Und fanatisch auf unserer Seite.«

Offenbar hat die Mutter diese Dame persönlich gekannt. Oder sie konnte sich im Namen ihres Mannes oder ihres Geliebten Andreas auf die Nähe der Familie zum Festspielhaus berufen.

Aber was werfe ich der Mutter vor? Würde ich mich heute wohler fühlen, wenn wir nicht bei Winifred Wagner Unterschlupf gefunden hätten? Die Mutter hat sich nach tagelanger vergeblicher Suche nach einer Unterkunft an die nächstliegende Adresse gewendet, von der sie Hilfe erwarten konnte. Welche Mutter mit vier ausgehungerten Kindern hätte es ihr nicht gleichgetan? Sollten wir, die wir uns alle eines bedeutend längeren Lebens erfreuen als die Mutter, ihr für diesen Einfall in der Not nicht danken? Schließlich ist es uns auf dem berühmten Hügel acht Tage lang gut gegangen, wir haben die »paradiesischen Zustände« genossen!

Und doch! Andere Mütter, die Winifred Wagner nicht kannten, mussten damals weiter von einem Dorf zum anderen irren. Und einige von ihnen hätten sich, auch wenn sie Winifred Wagner aus früheren Zeiten kannten, nicht mehr an sie wenden können, weil sie sich inzwischen auf die andere Seite geschlagen hatten.

Wenn ich den Fluchtbewegungen der Mutter folge, wird deutlich, dass sie ihre Kinderschar mit schlafwandlerischer Sicherheit an den jeweils nächsten Zielen der Bomberflotte von General Harris vorbeigeführt hat, der die deutsche Zivilbevölkerung großflächig bombardierte in der Absicht, jenen Rest, der bei dieser »erzieherischen Maßnahme« nicht verbrannte, zum Aufstand gegen Hitler zu bewegen. Hat die Mutter, die über keine zuverlässigen Nachrichten verfügte und nur ihrem praktischen Sinn und ihrem Instinkt folgte, die Gefahrenzonen vorausgeahnt? Oder hat sie, haben wir ganz einfach Glück gehabt? Zwar glaubte sie durchaus an eine göttliche Kraft, aber nicht an eine Vorsehung und schon gar nicht an einen persönlichen Gott, der die Haare auf ihrem Kopf gezählt hätte. *Meinst du nicht*, fragt sie den Vater, der zu dieser Zeit als Funker in Wien stationiert ist, *wenn wir umkommen sollen, kommt es so oder so? Ein Entrinnen vor unserem Geschick gibt's nicht mehr.*

Wie alle, die damals auf der Flucht sind, überlegt sie, wo sie am ehesten vor den Bombenangriffen sicher ist. Jedenfalls eher auf dem Land als in den großen Städten. Denn in den Städten ist ständig Alarm – *Alarm über Dresden, Riesa, Oschatz*, meldet sie ihrem Mann. Vielleicht sollte sie sich doch nach Grainau, ins Wochenendhaus ihres Vaters, durchschlagen, in die Nähe der Lazarett-Stadt Garmisch, denn Lazarettstädte, weiß sie, werden nicht bombardiert. Aber offenbar hat ihr Vater auf ihr wiederholtes Fragen hinhaltend, wenn nicht sogar abschlägig reagiert. Seine beiden Briefe, die sie in ihrer Empörung an Heinrich weiterschickt, sind nicht erhalten. Aber aus den Wutausbrüchen gegen ihren Vater lässt sich schließen, dass ihm das Wohl der Mieter in seinem Haus – und die Miete! – offenbar wichtiger war als das Schicksal seiner Tochter und Enkelkinder.

Er bekommt noch eine Antwort, aber erst, wenn ich weiß, daß er mir nicht mehr schaden kann. So ein Schwein als Vater zu haben, in solcher Zeit!

Auf den Bahnhöfen herrschen katastrophale Zustände. Überall halb verhungerte Flüchtlinge, die nach wochenlangen Reisen und Fußmärschen aus dem Osten irgendwohin wollen, Hauptsache nach Westen. Sie verstopfen die Bahnsteige und stürmen die Züge, bevor eine Mutter mit einem Kind auf dem Arm, einem zweiten an der Hand und zweien vor oder hinter sich einen Fuß auf das Trittbrett setzen kann. Ganz zu schweigen vom Gepäck! Wie vielen Zügen, auf die sie gewartet hat, hat sie nachgeschaut, weil sie sich gegen andere Familien mit größeren Kindern nicht durchsetzen konnte? Falls sie mit ihrem Anhang die nächste Stadt erreicht, sind andere, kaum lösbare Probleme zu bewältigen: Wie das Gepäck vom Bahnhof zur Unterkunft befördern, wie möglichst noch am gleichen Tag Kartoffeln und ein paar Näharbeiten auftreiben, um mit dem schmalen Entgelt in Naturalien einen kleinen Vorrat für die nächsten Tage anzulegen? Mit welchem Holz die Zimmer, genauer das eine Zimmer, heizen, denn für die Beheizung von zwei Zimmern fehlt die Kohle. Und dazu noch das diebische Kindermädchen! Soll sie es bei der Stange halten oder morgen zum Arbeitsamt gehen, um sich ein neues zuweisen zu lassen? Welcher Aufwand ist geringer? Denn auf ein Kindermädchen, selbst auf ein diebisches, ist sie dringend angewiesen, weil Blutungen und Unterleibsbeschwerden sie in die nächstbeste Klinik treiben. Bei ihrem letzten Klinikaufenthalt hat man Polypen an ihrer Gebärmutter gefunden. Und die Ärzte haben sie im Unklaren darüber gelassen, wie gefährlich der Befund ist.

Aber all diese Dramen beschreiben nicht die größte Not der Mutter. Fast taub, mit vorsätzlicher Unempfindlichkeit geht sie mit ihren Kindern vorbei an den Trümmern und Bombenkratern, vorbei an den Lastwagen mit verbrannten und verwesenden Leichen, vorbei an den Toten und den Schwerverletzten. Der Stachel, den sie im Herzen trägt, der an ihrem Lebenswillen zehrt und sie fast umbringt, hat nichts mit dem Krieg zu tun.

8

Im Dezember 1944 hat sie Andreas noch einmal in Berlin gesehen. Bei einem jener knapp bemessenen Treffen, die er in seinem Terminplan unterbringen kann. Wie immer, wenn er sie ruft, hat sie doch noch einen Zug gefunden und die Kinder untergebracht, diesmal bei ihrer Schwiegermutter, die die Ausflüge und Krankheiten ihrer Schwiegertochter misstrauisch beobachtet. Mehrmals kommt sie in ihren Briefen auf dieses Treffen zurück, umkreist und zerlegt es, als wollte sie es mit ihren Sätzen zu einem anderen Ende zwingen.

Ich versuche, dieses Treffen zu rekonstruieren. Ihr Zug kommt offenbar mit Verspätung in Berlin an, und Andreas, der auch in Kriegszeiten jede freie Stunde sorgfältig plant, hat ungeduldig, allzu ungeduldig, in dem verabredeten Hotel auf sie gewartet. Sie merkt, sie kann sich ihm nicht öffnen, jedenfalls nicht gleich. Andreas ist nervös, er blickt, kaum hat er sie in die Arme geschlossen, auf die Uhr. Vielleicht hat er am Abend noch eine andere Verabredung, vielleicht wartet seine Frau auf ihn. Schmerzlich wird seiner Gelieb-ten die Teilung seiner Zeit, seines Gefühls, seines We-sens bewusst – wie klein eigentlich der Bereich seines

Lebens ist, der sich mit ihrem Leben berührt. Schon immer hat sie das Gefühl gehabt, dass er sich mehr Zeit für sie nehmen müsste, zumindest einmal e i n e n ganzen Tag, statt ein paar schon *von Müdigkeit zerfressene Stunden* inmitten anderer Verpflichtungen. Sie empfindet den ihr zugemessenen Zeitraum als zu klein, sie spürt eine Rangordnung in dieser Zeiteinteilung, die sie schmerzt, die sie nicht akzeptieren kann. Hat sie nicht Stunden und Tage vor dieser Begegnung mit sehnsüchtigem Warten verbracht? Und als sie ihn endlich erreicht, schaut er auf die Uhr? Wie soll, wie kann sie all *die schweren Gefühle* einfach überspringen, die sie auf dem Weg zu ihm bestürmt haben. Gleichzeitig sagt ihr die Erfahrung, dass sie den Anspruch auf mehr Zeit nicht an ihn stellen darf, aber immerhin will sie ihm sagen, dass eine Natur wie die ihre sich ihm *ganz anders öffnen würde, und er sie ganz anders ausschöpfen könnte*, hätte er mehr Zeit für sie! Und diesmal sagt sie es: *Siehst du, wenn du dann wirklich da bist, stehe ich nicht so frei und sicher vor dir, wie ich möchte. Und damit fehlt schon die wichtigste Voraussetzung zu meiner Fähigkeit, dich zu beglücken.*

Andreas hat ihr geduldig zugehört, er ist − trotz seines chronischen Zeitmangels − immer ein guter Zuhörer gewesen. Aber als sie ausgeredet hat und sich ihm zuwendet und das eine, das wichtigste Versprechen, das über ihrem Treffen steht, wahrmachen möchte, bleibt er kalt und klein. Später wird sie ihm in aller Freundschaft schreiben, es sei ihr nicht entgangen, dass er beim langen Warten auf sie offenbar Hand an sich gelegt und *seine aufgestapelte Sehnsucht* schon verströmt hatte. *Sei mir nicht böse, daß ich alles sage.*

Aber mehr als das verpatzte Glück beschäftigt sie der traurige Abschied von Andreas. Wie sie dann durch die fremden, nassen Straßen zum Bahnhof liefen, vorbei an Passanten, die in ihrem eigenen Panzer gefangen waren und gleichgültig, ohne ihnen einen Blick zu gönnen, an ihnen vorübergingen. Ja, es ist wahr, sie hat auf dem ganzen Weg kaum ein Wort herausgebracht. So überwältigt war sie von der Nähe seines Atems, dass ihr alles Reden überflüssig erschien.

Mit *zerreißender Deutlichkeit* hat sie ihn gesehen, spürte *sein Wachsen, sein Reifen und die große Aufgabe seines unausgesetzten Kampfes* und auch *seine Anmut.* Wie sollten zwei Stunden genügen, ihm die Last seiner Aufgabe abzunehmen; kaum ein ganzes Leben würde dazu ausreichen!

Eine lange Weile hatten sie wortlos vor dem Bahnhof gestanden, es gab so wenig Gutes, was sie sich hätten sagen können, *aber sind Empfindungen nicht unendlich wichtiger als Worte?*

In solchen Momenten, schreibt sie ihm, fürchte sie immer, dass er sich durch *ihre totale, bedingungslose Liebeskraft* beengt fühle und meine, dass sie von ihm etwas Ähnliches erwarte. Ganz falsch! Denn sie sucht ja keine Antwort, die nicht aus seinem Herzen kommt – keine Reaktion von ihm, wie i h r e Natur sie geben würde. Sie weiß und nimmt es als gegeben hin, dass die Kräfte in diesem Liebesspiel ungleich verteilt sind.

Andreas nimmt sie, wann und wie es ihm gefällt, er unterwirft sie seinem Willen, seiner Zärtlichkeit und seiner Gier, er tobt sich aus bei ihr, und wenn er sich verströmt hat, drängt er zum Aufbruch und lässt dann Wochen und Monate lang nichts von sich hören. Er ist beides: ein zärtlicher, ein rücksichtsvoller Liebhaber und auch ein Triebmensch, der sich für seinen Egoismus nicht entschuldigt. Aber sie kennt sein schwankendes, in Gefühlsdingen pubertäres Wesen, sie weiß um die Mauer, mit der er sich gegen die starken Emotionen schützt, die er auslöst. Und sie erträgt diese Schmerzen – ja, es sind gerade diese Schmerzen, sagt sie, *die ihre tiefste, erst durch ihn erweckte Liebesfähigkeit wachrufen.* Seine Schwächen, seine Schwankungen, seine Unfähigkeit, sich mitzuteilen, rühren ihr Herz mehr als der Glanz, der um ihn ist. Hier ist der Punkt, an dem sie immer wieder von einem so starken, so schicksalhaften Zugehörigkeitsgefühl zu ihm ergriffen wird, dass alle Dämme reißen. Denn darin ist sie sich ganz sicher: Der Panzer, mit dem er seine eigenen Gefühle abwehrt, kann nur durchbrochen werden durch ein klares, festes Gefühl von *Beheimatetsein* in einer anderen liebenden Seele. Und in Wahrheit sehnt er sich doch nach einer solchen Heimat! Hinter dem Mangel an Realität zwischen Andreas und ihr, glaubt sie, stehe eine andere, *eine wirklichere Daseinsform, deren Möglichkeiten unerschöpflich sind, weil diese Form der Liebe sehr viel größere Widerstände zu überwinden hat.*

Ob sie diese Zeilen abgeschickt hat, bleibt fraglich. Immer wieder wirft sie in den Monaten des Umherirrens Anfänge auf ein Stück Papier, Gedanken, Empfindungen und Beschwörungen. Sie denkt an Andreas, sie spricht mit ihm, sie ist sicher, dass sie mit ihm allein durch die Kraft ihrer Gefühle in Verbindung treten kann. *Spürst du all die warmen, heilenden schützenden Ströme und Gedanken an deinem wunden Herzen?* Sie liegt selber im Krankenhaus, als sie diese Botschaft notiert. Den ganzen Tag – und die Tage vor diesem Tag – hat sie auf dem Bahnhof, im Zug, beim Koffer- und Kartoffelschleppen mit Andreas gesprochen.

Es ist fast 14 Tage her, daß wir uns sahen – noch kein Wort von dir – ist das Vakuum so groß, die Entfernung von mir? Die nahe Verbindung zu dir ist das einzige, was mich hält. Muß ich nun wieder wochen-, monatelang verlassen sein von dir – um dieses Wiedersehens willen?

Hätte sie uns wirklich verlassen – Andreas zuliebe? Keine Sekunde glaube ich daran. Im Überlebenskampf hingeschriebene Worte darf man so wenig auf die Waage legen wie gesprochene oder nur gelallte. Allerdings mag ihr diese Kinderschar manchmal als das größte Hindernis erschienen sein – als der Grund für das Nicht-zustande-Kommen einer Liebe, an die sie mit ganzem Herzen glauben wollte.

Kaum hat sie die Klinik verlassen, muss die Muttermaschine wieder funktionieren. Irgendwie schafft sie es, mit ihrem Anhang nach Radebeul, in die Obhut der Eltern ihrer Schwiegermutter, zu gelangen. Hier in Radebeul, meldet sie Heinrich, sei sie glücklich, hier möchte sie bleiben, denn hier sei es immer noch wie im Frieden, es gebe *Gärtnereien, freundliche Nachbarn und Näharbeiten für sie*. Nur das zwölfstündige Zusammensein auf engstem Raum mit der Schwiegermutter, die aus Oschatz gekommen ist, um ihr zur Hand zu gehen, fällt ihr schwer. Die beiden Frauen verstehen sich weder in der Küche noch in politischen Dingen – die *liebe Mutter* überlegt allen Ernstes, ob sie ihren letzten Goldschmuck dem Führer spenden soll.

Nachts melden sich die nicht abgeschickten Briefe an den Geliebten in ihren Gedanken zurück und wollen fortgedacht, fortgeschrieben werden. Aber inzwischen hat sie nicht einmal mehr eine gültige Adresse von ihm, sie weiß nicht, wohin ihn der Krieg verschlagen hat. Tief beunruhigt fragt sie ihren Mann in Wien, ob er irgendwelche Nachrichten über Andreas habe.

Eine Postkarte hellt ihre Stimmung auf. Andreas hat ihr aus einem Lazarettzug geschrieben, dass er nach Bad Wörishofen unterwegs ist. Tief erleichtert teilt sie ihrem Mann die frohe Botschaft mit: Andreas lebt, er ist immer noch in Deutschland und wird wegen seines Asthmas und eines wohlwollenden Attests seiner Ärzte wohl nicht an die Front geschickt. Sähe sie ihn jetzt wieder, so beruhigt sie Heinrich, würde sie sicher anders als früher auf ihn reagieren. Das *Gequältwerden* halte sie nicht mehr aus und werde es nicht mehr akzeptieren. *Da ist zu viel Anderes zu schwer* ... Ach, schreibt sie ihrem Mann, ihr gehe es doch eigentlich nur gut bei ihm.

Der Empfänger dieser Zeilen, der zu dieser Zeit in Wien stationiert ist, leidet ebenfalls unter Asthma, wird aber wenig später in Marsch gesetzt.

Außer Heinrich ist ihre Freundin Linda die einzige Vertrauensperson, mit der sie ihre Nöte und Liebeswirren teilt. Die beiden Freundinnen kennen sich aus Königsberg – wie sie selber ist auch Linda unsterblich in Andreas verliebt. Linda beschreibt ihre Liebe zu Andreas in ihren Briefen mit ganz ähnlichen Worten wie die Mutter. Es ist, als hätten sich die beiden Freundinnen mit ihrer Leidenschaft und in der Art, sie auszudrücken, gegenseitig angesteckt. Nur Lindas neudeutsche Schrift bewahrt mich vor dem Eindruck, eine weitere Schwärmerei der Mutter in der Hand zu halten.

Ihn zu lieben, so klingt die Arie bei Linda, *meine Kräfte bis ins Tiefste und Letzte dieser Liebe zu weihen, sein Glück wichtiger zu nehmen als das meine und eigene Ansprüche hintanzustellen,* dies hat sie sich und ihm geschworen. Gerade deswegen finde ihr, Lindas Herz, in dem ihrer Freundin *tiefste Verwandtschaft, Halt und Bejahung.* Was auch geschehe, sie würden für immer Schwestern bleiben, weil sie das gleiche Schicksal teilten; unmöglich, dass sie sich jemals auseinanderdividieren lassen würden.

In den letzten Kriegsmonaten sehen sich die Freundinnen kaum, sind auf Briefe und auf fernmündliche

Gespräche angewiesen, falls es sich denn einmal trifft, dass sie beide gleichzeitig Zugang zu einem Telefon haben. Gemeinsam träumen sie von einem märchenhaften Projekt. Sie spekulieren über ein Exil in Frankreich. Linda unterhält eine lose Liebschaft zu einem französischen Professor, der angeblich ein Duzfreund von General de Gaulle ist. Der Professor lehrt an einer Universität in Südfrankreich, die über Besitzungen an der französischen Riviera verfügt. Linda ist entschlossen, mit dem Professor eine Vernunftehe einzugehen und ihre »Familie« an die Riviera nachzuholen, sobald sie französische Staatsbürgerin geworden ist. Also alle, die ihrem Herzen nahestehen: Andreas mit seiner Frau und die Mutter mit ihrem Mann und den vier Kindern. Über die Frage der Zustimmung des Professors und der beiden Ehegatten zu ihrem Projekt verlieren die Freundinnen kein Wort. Im Krieg, so muss man diese Auslassung wohl verstehen, haben kleinliche Gefühle wie Besitzansprüche und die Frage, wer von beiden am Ende mit Andreas leben wird, zu schweigen. Was ihnen vorschwebt, ist, lange bevor das Wort in Berlin Karriere machen und eine neue Lebensform beschreiben wird, eine Kommune deutscher Flüchtlinge an der französischen Riviera. Dort, am sonnigen Mittelmeer, soll die Herzensgemeinschaft zusammenfinden und einen neuen Anfang machen.

Dass diese Pläne nicht gerade realistisch sind, ist beiden klar. *Aber ist es nicht besser, irgendwelchen Plänen nach-*

zuhängen, als sich verloren zu geben, fragt die Mutter in einem ihrer Briefe.

Sind nicht die Bande unter Gleichgesinnten das einzig Tröstende und Verläßliche in diesen Zeiten? Wichtiger als Erfolg, ja selbst als das Essen, da doch jeder Tag den Untergang und die vollständige Vernichtung bringen kann? Woran sonst soll man sich halten? Das Wissen um die ausgesprochenen und unausgesprochenen Bindungen menschlicher Herzen, um die gelebten und unausgelebten liebenden Kräfte dieser Welt —, ist dies nicht das einzige, das wir aller Zerstörung entgegenzusetzen haben?

Dennoch sind die beiden Freundinnen nicht frei von Eifersucht und Misstrauen. Die gemeinsame Leidenschaft für Andreas ist das prekäre Band, das sie eint und immer wieder trennt. Linda geht mit ihren Gefühlen für den Begehrten pragmatischer um als die Mutter. Schmerzlich genug hat sie erfahren, dass er in Wahrheit mit der Oper verheiratet und in der Liebe ein unzuverlässiger Geselle ist. Um sich selbst zu retten, hat sie sich mehrfach von ihm abgewendet, ohne ihn je aufzugeben. Mit Teilnahme, aber auch mit Sorge beobachtet sie die Hingabe ihrer Freundin, die Andreas so bedingungslos liebt, dass ihr ein Rückzug unmöglich wird.

Die kinderlose Linda hat in ihrem jungen Leben viele Liebhaber gehabt und über manchen Liebesschwur gelacht. Sie folgte den Gelegenheiten, die sich für eine attraktive freie Bühnenbildnerin in der korrupten, auf Beziehungen und Empfehlungen gegründeten Theaterwelt des Dritten Reichs ergaben. Eine so einseitige,

Himmel und Erde umstürzende Entschlossenheit zur Liebe wie die, zu der die Mutter sich bekennt, ist ihr fremd. Besonders deren trotzig vorgetragene Devise: *Je schwieriger und aussichtsloser die Situation, desto kompromißloser werde ich.*

Sie warnt ihre Freundin: Muss man nicht gerade einem über alles geliebten Menschen den Raum lassen, Nein zu sagen? Ihm das Recht einräumen, die ihm angetragene Liebe abzulehnen?

Gleichzeitig mag die Radikalität der Mutter in Linda auch einen Zweifel angestoßen haben. Kann es sein, dass deren Bereitschaft, ihr Schicksal auf Gedeih oder Verderb in Andreas' Hände zu legen, den ewig Schwankenden doch irgendwie gefangen nimmt? Dass sie ihn auf diese Weise an sich bindet? Braucht dieser Bindungsunfähige womöglich gerade diese Herausforderung – das Selbstopfer einer Mutter mit vier Kindern –, um im Innersten erschüttert zu werden und sich endlich zu bekennen?

In einem Brief aus dem Krankenhaus hat die Mutter dem Geliebten über zwei Bücher berichtet, die er unbedingt lesen müsse. Bücher sind für sie – nächst den Menschen, denen sie vertraut – die einzigen Ratgeber, aus denen sie Auskünfte für ihr geistiges und physisches Überleben zieht. Ihren letzten Klinikaufenthalt, schreibt sie Andreas, habe sie vor allem dank dieser beiden Bücher überstanden. Nach ihrer Entlassung hat sie versucht, ihm die Bücher mit der Post zu schicken. Sie ist überzeugt, dass er die Bücher haben muss, obwohl sie fürchtet, dass er vielleicht gar nicht mehr zum Lesen kommen wird, weil man auch ihm in seinem Lazarettlager bald ein Gewehr in die Hand drücken wird. Da die Post die Sendung nicht angenommen hat, bietet sie an, die Bücher selbst zu ihm zu bringen. *Hab keine Angst, ich gebe sie nur an der Pforte ab und fahre sofort wieder zurück.*

Allerdings sei sie nicht sicher, ob sie die Reise gesundheitlich schaffen werde. *Liebster Mensch — hätten wir doch alles überstanden. Der Tod kann nicht so trennen wie das Leben — wie zerknülltes, zertretenes Papier weht es uns voneinander.*

Sie muss nach ihrer Entlassung gleich wieder zur Nachuntersuchung in die Klinik. Die Überbringerin der beiden Bücher wird Linda sein.

9

Der gefeierte, inzwischen krankgeschriebene Opern-
regisseur hat es auch in dem kleinen Kurort sogleich
zu einiger Prominenz gebracht. Seine bunten Abende
und seine Improvisationen auf dem Klavier werden
rasch so populär, dass kein Patient, der noch aus seinem Bett aufstehen kann, sie missen will. Er schreibt
Couplets und Kabarettnummern, verschränkt berühmte Opernarien mit den unvermeidlichen patriotischen
Liedern, zum Schluss sind Ohrwürmer aus dem Ope-
rettenrepertoire und Aufbaulieder angesagt. Aus der
Umgebung hat er einige Sänger um sich geschart, die
ihre Stimmen bisher allenfalls bei Maifeiern oder Kur-
konzerten zu Gehör gebracht haben, dazu ein paar In-
strumentalisten, die ihre Künste auf der Geige und der
Flöte zuletzt in einem Schulorchester zeigten, und ein
paar invalide professionelle Musiker aus dem Lazarett.
Kunstsinnige Hausfrauen aus dem Ort begeistern sich
für den Künstler aus der großen Stadt und nähen Kostüme für seine Vorstellungen. Andreas' Charisma und
sein Talent zur Improvisation hält die ganze heterogene
Truppe zusammen – alle lieben ihn.

Andreas empfängt Linda, die Abgesandte meiner
Mutter, mit einer Wärme, die sie bei ihm nicht kennt.

Der Aufenthalt im Lazarett hat ihn verändert. Der strenge Ausdruck seiner Züge hat sich gemildert, das vorspringende Kinn wirkt weicher, er ist zuhörbereit wie nie zuvor. Seine *guten Hände* fabulieren immer noch wie früher; es fehlen allerdings die unsichtbaren Fäden an den Fingern, an denen er an der Oper in Königsberg und zuletzt in Berlin seine Mitarbeiter tanzen ließ. Inzwischen hat er so viele, meist sehr viel jüngere Männer mit entsetzlichen Verletzungen gesehen, dass er sich des ungeheuren Privilegs, Unterhaltungsabende für sie auszurichten, bewusst geworden ist. Er weiß, dass ihn jetzt nur noch sein Asthma und ein rechtzeitig erkanntes Lungenemphysem davor bewahren, an eine der überall durchbrochenen Kriegsfronten geschickt zu werden. Aber auch ihm droht nun der Abmarsch. Denn jede Woche kommen die Rekrutierer von der Wehrmacht, um unter den Verletzten halbwegs Gesundete ausfindig zu machen, die man ins Feuer schicken kann. Jetzt, da der Krieg, den Andreas für verloren hält, in seine letzte Phase geht, werden auch Greise und Kinder zum letzten Aufgebot gesammelt.

Ich stelle mir vor, dass sich die beiden in einem kahlen, ungeheizten Speisesaal des Lazaretts treffen. Die Bücher der Mutter und der Brief, die Linda mitbringt, erzwingen eine seltsame, irgendwie unpassende Intimität. Sie reden leise miteinander, beugen sich beim Sprechen vor, vermeiden andererseits zu flüstern, um kein Misstrauen zu erregen. Immer wieder muss Andreas das Gespräch unterbrechen, um die Komplimente eines vorbeihinkenden Bewunderers entgegenzuneh-men. Linda berichtet ihm vom gesundheitlich und auch sonst prekären Zustand ihrer Busenfreundin. Sie wirft ihm vor, dass er sie mit seinen schwankenden Zuwendungen in eine gefährliche Überhöhung und Idealisierung ihrer Liebe treibe – sie, Linda, habe wirk-lich Angst um ihre Freundin. Er müsse sich endlich entscheiden, sich entweder zu seiner Geliebten be-kennen oder ihr das Schwert in die Brust stoßen! Alles besser, menschlicher, weniger grausam als diese hin-haltende Ungewissheit.

Andreas reagiert leise, hilflos, fast zerknirscht. Die vielen Briefe aus Grainau würden ihm die Tränen in die Augen treiben. Was er denn tun solle? Er habe ihr nie Hoffnungen auf eine gemeinsame Zukunft gemacht (Linda, die seine Briefe an die Mutter kennt, weiß es besser!). Er habe sie immer wieder auf seine Begren-zungen und die Schwankungen seines Charakters hin-gewiesen und ihr gesagt, dass ein kinderloser Regis-seur, der mit der Oper verheiratet sei, als Stiefvater von vier Kindern eine lächerliche Figur abgeben würde. Auch habe er ihr nie verheimlicht, dass er von seiner Frau nicht lassen wolle. Aber sie habe alle Hinweise und Zeichen von ihm ignoriert, und je mehr er sich ihr entzogen habe, desto unerbittlicher sei sie gewor-den. Zu spät habe er erkannt, dass er unwissentlich ein Feuer entzündet habe, das er nicht mehr kontrollieren könne. Ja, es sei schön gewesen mit ihr – wenn auch nicht immer! –, er habe die Hingabe dieser Geliebten und ihre missionarische Überzeugung, dass sie allein wisse, was für ihn gut sei, durchaus genossen. Aber wie habe er denn ahnen können, dass er mit ein paar Liebesstunden eine derartige Verantwortung auf sich geladen habe! Offenbar fehle Lindas Freundin der Sinn für die Spielregeln einer solchen Affäre. Und eine, die wichtigste Regel sei doch, dass man seine Liebe dem Partner nicht aufzwingen dürfe. Linda wisse doch, dass eine bedingungslose Liebe jeden Partner hilflos mache und statt Begehren eher ein schlechtes Gewissen auslöse. Zwar neige er keineswegs zu Schuldgefühlen, aber manchmal habe er der Regung nicht widerstehen können, seine Geliebte daran zu erinnern, dass sie die Mutter von vier Kindern sei – was sie dann jedes Mal in Wut versetzte. Eigentlich wisse er nicht mehr, wie er sich verhalten solle. Sie habe immer versucht, den *Schleier der Einsamkeit*, der ihn umgebe, zu zerreißen, habe aber nie gefragt, ob er dies auch wünsche. Vielleicht brauche er diesen Schleier! *Am Ende*, wird Andreas später an die Mutter schreiben, *finde ich mich immer in der gleichen, endlosen Einsamkeit, aus der mich nur mein Ergriffensein von der Kunst, von allem Schönen, erlöst. Immer wieder habe ich die Erfahrung machen müssen, daß ich unfähig bin, die so und nicht anders geartete Disposition der Geschöpfe, an die ich mich gebunden fühle, durch einen Willensakt zu ändern.*

Mit der Hellsichtigkeit ihrer ständig gefährdeten Liebe ahnt die Mutter, dass sich in Bad Wörishofen etwas gegen sie zusammenbraut. War es eine gute Idee, ihre beste Freundin mit den Büchern dorthin zu schicken? Die kinderlose Linda hat den Vorteil, dass sie sich frei bewegen kann. Der viel geliebte Andreas ist krank und allein, und er ist besonders anziehend, wenn er krank ist. Wird er seine *guten Hände* nicht an Lindas gern zur Schau getragenen Busen legen und die Geliebte in Grainau vergessen? Linda hatte angekündigt, gleich nach ihrem Besuch wieder zu ihr zurückzukehren, aber sie kommt und kommt nicht. Im Krieg, namentlich im letzten Kriegsjahr gibt es tausend Erklärungen, warum eine getroffene Vereinbarung nicht eingehalten wird. Aber vielleicht ist die einfachste Erklärung die zutreffende: Linda hat die Chance, mit Andreas allein zu sein, sich um ihn im Lazarett zu kümmern, ganz einfach wahrgenommen.

In ihrer Unruhe hat die Mutter offenbar eine Postkarte voller Vorwürfe an Linda geschrieben. Ihre Freundin schreibt sofort zurück und ist empört über die Unterstellung, dass sie, Linda, ihre Rolle als Botin ausnutzen würde. Wie kannst du an mir zweifeln, fragt sie. Ja, sie habe sich entschlossen, dem kranken Andreas bei seiner übermenschlichen Arbeit zu helfen. Da er tagsüber meist im Lazarett bleiben müsse, sei sie enorm im Druck mit Kostüm- und Beleuchtungs-Proben, sie müsse praktisch alle Kostüme selber nähen. Am Ende stimmt sie den vertrauten Refrain an: Wenn es um seine künstlerische Arbeit geht, ist Andreas *der Fels.*

Auch Andreas schreibt in jenen Tagen einen Brief, der sichtlich dazu dienen soll, den Frieden zwischen den beiden Freundinnen wiederherzustellen. Linda sei in Bad Wörishofen *überraschend angerauscht.* Sie befürchte, dass die Mutter ihr womöglich böse sei und ihr gar die Freundschaft aufkündigen würde, wenn sie erfahre, dass Linda sich entschlossen habe, dort zu bleiben. Wozu Andreas jedoch keinerlei Anlass sehe. Linda mache sich tatsächlich große Sorgen um ihre Freundin und die Kinder und warte dringend auf einen Brief von ihr. Er selber habe zurzeit keinerlei Kontakt zu Linda, da er seit drei Tagen mit Angina im Bett liege.

Nebenbei erkundigt Andreas sich nach Heinrich, den er in Wien vermutet. Er hoffe sehr, dass Heinrich von dort nicht *wegmuss* – ein seltsames Wort für die damit wohl gemeinte Verschickung an die Front.

In einem Brief teilt Andreas – *dies nur an dich persönlich!* – seinem Freund Heinrich seine Sorgen über die Avancen von Linda mit. Er habe wirklich nichts dazu getan, Linda irgendwelche Hoffnungen zu machen, wolle sie auch nicht in seiner Nähe haben. Aber in ihrer praktischen, lebensklugen Art habe sie sich im Offiziers-Lazarett unentbehrlich gemacht und arbeite dort als Assistentin des Chefarztes.

10

In den letzten Monaten des Krieges ist die Mutter ganz auf sich gestellt und hat niemanden mehr, dem sie mit Aussicht auf eine baldige Antwort schreiben kann. Von Linda und Andreas will sie einstweilen nichts wissen, weil sie den beiden nicht mehr traut. Gleichzeitig rechnet sie jeden Tag damit, dass Heinrich aus Wien an die Front geschickt wird. In ihrer Not wendet sie sich einem anderen Gesprächspartner zu.

Es ist ein Professor im Friedrichstädter Krankenhaus in Dresden, der sie dort betreut hat und in seinem Haus eine Art Lesekreis unterhält. Sie sieht in ihrem Arzt, den sie nur flüchtig kennt, einen Seelenverwandten und öffnet sich ihm mit aller Rückhaltlosigkeit, die ihr eigen ist. Sie ernennt ihn zu ihrem einzigen Ratgeber, ja zu ihrem Retter.

Wenn wir nicht alle vor der nackten, letzten Frage nach unserer Existenz stünden, würde ich wohl nichts mehr sagen von den Dingen, die Ihre Nähe wachgerufen haben. Es ist fast, als lösten Ihre tiefen Worte vor allem Kommenden und allem Zugrundegehenden noch eine letzte Lebensintensität und Sehnsucht aus, die leuchtet wie die gleich untergehende Sonne vor dem Abend. Fragen Sie nicht nach einem Namen für all diese Gefühle, ich wüßte keinen. Ich weiß nur, daß meine große Lebensangst — meine

*Todesangst — in Ihrer Nähe still wird und daß ich in diesen
tristen Tagen, hätte ich nicht meine geliebten Kinder, nur noch
den Wunsch hätte, bei Ihnen bleiben zu dürfen — bevor hier alles
zu Ende ist.*

Sie bittet ihn, sie nicht falsch zu verstehen. Sie teile
nicht das Geschick so vieler Frauen, die das Leben ent-
täuscht liegen lasse, denen es zu wenig gegeben habe — ihr habe es vielleicht zu viel geschenkt, mehr als
sie tragen könne, mehr als sie je gefordert hätte. Ihr
Herz müsse sich teilen zwischen *vier gesunden, blühenden
Kindern,* zwischen ihrem Mann und einem Menschen,
der ihr und ihrem Mann gleich nahestehe — dem liebsten Menschen, den es für sie gebe auf dieser Welt.
Und trotz aller Schmerzen habe sie all ihre Kraft und
auch ihr Glück aus ihrem Aufgehen in dieser schwierigen Gemeinschaft bezogen, deren Konflikte jetzt, teils
durch unglückliche Begegnungen der letzten Wochen,
teils durch die äußere Situation bedingt, nicht mehr
aufgelöst werden könnten, weil der Krieg dazu keinen
Raum mehr lasse. *Was ist der dünne, zerbrechliche Silber-
faden eines Menschenherzens, gemessen an den Kräften, die jetzt
aufeinanderprallen?* Sie werde letzten Endes fromm genug
sein, sich diesen Kräften zu unterstellen — auch im Be-
wusstsein des eigenen Unterganges. Sie glaube nicht
einmal, dass es Selbsterhaltungswillen sei, der sie zu
ihm führe. Es sei etwas anderes, kaum Nennbares; sie
sei ja sogar bereit zum Tode, wenn sie dabei nur in seiner Nähe wäre.

War es ein Hilferuf, ein Schrei gegen die Flammenmeere und die menschlichen Fackeln in den zerbombten Städten, war es ein Liebesbrief? Jedenfalls hat der Professor ihr versprochen, sie bald einmal im nahen Radebeul zu besuchen. Und sie dringt darauf, dass er sein Versprechen bald, sehr bald wahr machen müsse. Sie fürchtet, dass keine Zeit mehr bleibe und sie ihn völlig verlieren könnte, dass alles zu spät sei. Er dürfe nicht böse sein, wenn sie sich immer wieder an ihn wende. Für sie sei es wie ein Wunder, dass es einen Menschen gebe, in dessen Gegenwart sich all ihre Kräfte wieder sammelten und die Qual des letzten Jahres still werde. Sie sei so allein jetzt mit den Kindern! Wie sie das schaffen solle, wenn sie nicht nach einer Quelle suche, aus der sie Kraft schöpfen könne? Sie empfinde es als eine Gnade, dass jemand wie er in ihr Leben getreten sei, ein Mensch, dem sie sich freiwillig unterstellen könne. Aus dessen Händen sie beides, den Tod wie das Leben, willig empfangen werde. Und wenn er mit ihrem Vertrauen nichts anzufangen wisse, werde sie sein Schweigen mit der gleichen Bereitschaft hinnehmen wie seinen Rat – als das Ende einer menschlichen Beziehung, die noch gar nicht angefangen habe – und werde sich nicht länger wehren gegen den Untergang.

Ohne Übergang wechselt sie den Ton und erteilt dem Mann, aus dessen Händen sie beides, den Tod wie das Leben, willig empfangen will, selber Rat. Sie versucht, dem Professor seine Illusionen hinsichtlich des zukünftigen Kriegsverlaufs auszureden. Sie glaube keineswegs daran, dass sich die Russen bei ihrem Vormarsch aufhalten ließen. Sie beschwört ihn, Dresden zu verlassen, und versichert ihn ihrer Hilfsbereitschaft. Sie habe sehr viel Mut, ihm zur Seite zu stehen, wenn es ums nackte Leben gehe. Und wenn er nicht wisse, wohin, solle er – selbstverständlich mit seiner Gattin, wenn sie nicht schon besser untergebracht sei – erst einmal zu ihr nach Radebeul kommen.

Treuherzig berichtet sie ihm noch, dass sie ihrem Mann von ihrer neuen Bekanntschaft bereits brieflich erzählt habe. Ihr Mann sei ihr bester Freund, und es gebe eigentlich nichts, was sie ihm verschweige – *außer in letzter Zeit manchmal Dinge, die ihm sehr weh tun müssen.*

Aber dann hat der Professor sein Versprechen doch nicht wahr gemacht. Also fährt sie mit dem Fahrrad zu ihm hin, mit Hanna auf dem Rücksitz, drei Tage nach dem großen Bombardement vom 13. und 14. Februar.

Über Neustadt Bahnhof, Neustadt Markt, Albertplatz, Carola-brücke, Sachsenplatz, Pfotenhauerstr. zu den Kliniken, berichtet sie ihrem Mann in Wien. *Kam ganz gut durch, nur die Pfotenhauer war so voller Trümmer und Trichter, daß ich das Rad teilweise tragen mußte. Ich sah während der langen Fahrt ab Feldschlößchen kein ganzes Haus mehr. Es ist unwahrscheinlich, die Kliniken völlig weg – Zwinger, Oper, ital. Dörfchen – alles alles ausgebrannt. Dresden ist über Nacht zur Frontstadt geworden. LKWs, flüchtende Menschen, alle zu Fuß – Soldaten, Soldaten, Verwundete, alles auf den Landstraßen. Du kannst dir's* nicht vorstellen. Ich suchte, fand nichts und niemand in der Frauenklinik außer einigen toten Soldaten, die herumlagen, doch endlich ging ich durch die Gärten durch und fand tatsächlich Fischer — total verdreckt, total ausgebombt, aber noch immer lächelnd. Ich gab ihm Wohnungsschlüssel. Wenn die Russen kommen, soll er wenigstens hier noch (gemeint ist die Wohnung in Radebeul) die Vorräte auffuttern, und gab ihm die Gößnitzer und Grainauer Adresse.

Sie fragt den endlich gefundenen, tief erschütterten Professor, den von ihr ernannten Retter, was sie machen soll. Weg, murmelt er, nichts wie weg!

Ach, du ahnst es ja nicht, schreibt sie ihrem Heinrich, wie es hier aussieht. Krieg — Elend — Hunger — wir kommen wohl alle noch um, wenn das nicht sehr bald zu Ende ist. Dabei blut' ich wie ein Schwein. Hab aber die Tour nach Dresden gut geschafft heut, nur das Rad hat ein Loch. Herr Wendt will's mir noch flicken. Könntest du nur bei uns sein, daß wir alle zusammen zugrunde gehen! Hab so Angst, daß noch Gas oder so was kommt. So schlimm wie Dresden geht's keiner Stadt! Ich sah, wie man auf einen Lastwagen die verkohlten Leichen schaufelte. Hanna erkannte es gottlob nicht. Grausig. Es muß doch bald ein Ende haben. Ach, mein Heinrich, ich brauche viel, viel Mut, Gott schenke ihn mir und helfe mir. Es wäre alles anders, wenn du da wärst. Schon die paar Minuten bei Fischer ermutigten mich. Ich hab in Dresden mit meiner Hanna toll gefressen, wir sind an die Vorräte gegangen das 1. Mal, wir Kamele. Hanna ist eine himmlische Person mit ihrem Frohmut, ihrem Lächeln, ihren Grübchen. Und wenn ich den Kopf voll habe, ist sie still und hilft mir, wie sie kann, und erzählt so süß die Geschichten wie-

der, die sie liest, und ihr ganzer Zauber ist erst spürbar, wenn
man sie allein hat.

Sie ist fest entschlossen, sich mit den Kindern in den
großen Flüchtlingsstrom Richtung Süden einzureihen.
Bevor sie aufbricht, schreibt sie dem Professor noch,
wo der Schlüssel zum Keller der aufgegebenen Wohnung in Radebeul liegt und wo der Koffer mit Mehl,
die zurückgelassenen Einweckgläser und drei Zentner
Kartoffeln zu finden sind.

Zunächst soll es nach Oschatz gehen, zur Wohnung
ihrer schwierigen Schwiegermutter, bei der ihre drei
anderen Kinder untergebracht sind. Sie verfügt über
zwei Fahrräder. Eines belädt sie mit fünfzig Pfund Gepäck, den Rücksitz des anderen lässt sie frei. Mit dem
unbeladenen Fahrrad begibt sie sich mit ihrer Tochter
auf die Landstraße, spricht einen Soldaten an, der zu
Fuß in dieselbe Richtung will. Sie beredet ihn, ihr zu
folgen, sich das zweite Fahrrad zu nehmen und mit
dem Kind auf dem Rücksitz vorauszufahren. Sie selber
radelt mit dem Gepäckrad den beiden hinterher. Sie
bewegen sich in einem kilometerlangen Tross von Treckern, Pferdekarren und Handkarren. Wenn Autos sie
überholen, werden sie mit Schlamm bespritzt und von
der Straße abgedrängt. Die Schlammspritzer machen
ihr nichts aus; sie hat ihre Tage und fürchtet, dass ihr
Blut durch die Windeln in das Kleid gesickert ist und
dort den runden dunklen Fleck hinterlassen hat, mit
dem viele Frauen auf der Flucht geschlagen sind. Lieber Schlamm am Hintern als Blut.

Inzwischen ist es dunkel geworden und die Luft in ihrem Hinterrad ist raus. Als sie an einer Straßenkreuzung den Reifen aufpumpt, hält ein PKW. Der Fahrer, ein Offizier, bietet ihr an, sie ein Stück mitzunehmen. Zuerst ist sie von ihrem Glück überwältigt und will das Gepäck umladen, aber wo ist Hanna? Der Soldat ist mit ihrer Tochter auf dem Rücksitz in der Dunkelheit verschwunden. Sie lässt den Kavalier mit seinem Auto stehen und rennt ihrer Tochter, aus Leibeskräften ihren Namen rufend, in die Richtung hinterher, in der sie sie zuletzt gesehen hat. Endlich unterscheidet sie in dem Gewirr der Geräusche die vertraute Kinderstimme. Hanna hat gemerkt, dass ihr die Mutter nicht mehr gefolgt ist, und den stur weiterradelnden Soldaten durch ihr Geschrei gezwungen, anzuhalten. Die Mutter bietet allen Charme auf, um dem Soldaten klarzumachen, dass er allein und zu Fuß sehr viel schneller an sein Ziel gelangen werde als mit ihr, mit dem Gepäck und dem siebenjährigen Kind. Er überlässt ihr Kind und Fahrrad. Gemeinsam schieben Mutter und Tochter das platte und das intakte Fahrrad in der Nacht weiter. Und trotz aller Anstrengung, trotz ihrer Übermüdung ist der Mutter plötzlich richtig wohl. *Himmel − Erde − Luft*, schreibt sie, *das alles längst nicht so schlimm wie Städte, Bahnhöfe, die Panik unter den Menschen, und ich bin erst wieder etwas ruhig jetzt, seit ich dem entflohen bin.* Nach drei Stunden Fußmarsch gelangen die beiden nach Oschatz − zur Wohnung der Schwiegermutter.

11

Dort warten andere Kämpfe auf sie. Von Beginn an sinnt sie auf Flucht – nichts wie weg aus Sachsen, das den Russen in die Hände fallen wird, nichts wie weg aus dem verhassten Oschatz, vor allem weg von der Schwiegermutter. Diese unausgesetzte Nähe auf engstem Raum den ganzen Tag, schreibt sie an Heinrich, sei ihr unerträglich – *eine Nähe, die mir nicht mit dem liebsten Menschen möglich wäre, eher noch mit gänzlich Fremden wie bei euch in der Kaserne.* Was sie an Heinrichs Familie hasse, wogegen sie kämpfe, sei das Ungestaltete – *je proletiger, desto wohler* fühle sich seine ach so geliebte Mutter *in diesem Stall.* Alles, was mit Ordnung und irgendeiner Form zusammenhänge, falle ihr schwer und sei nur mühselig erlernt. *Gerade ist es Mittag, und wer schläft und schnarcht noch inmitten einer vielköpfigen Kinderschar – die Oma!* Ach, ruft sie ihrem Mann zu, der jeden Tag den Marschbefehl erwartet, das Gebundensein an diese seine Familie sei schon *ein großes Unglück – das hätten wir eher erkennen und die Dinge anders gestalten sollen!*

Was will sie ihrem Mann denn sagen? Will sie ihm ihre Heirat in die Pastorenfamilie und gleich auch noch die viel zu vielen Kinder zum Vorwurf machen?

Ich kann nur raten, wie es dem Empfänger dieser Briefe zumute gewesen sein muss. Vor allem die Bemerkungen seiner Frau über das *Proletige*, das *Formlose* und *Ungestaltete* seiner Familie müssen heftige Gefühle bei ihm ausgelöst haben. Sprach aus diesen Zeilen nicht derselbe Dünkel, den sie selber zeit ihres Lebens ihrem Vater, dem früheren Reichstagsabgeordneten, vorwarf? Hat ihn, den Empfänger dieser Klagen, nicht die Wut gepackt? Hat er seiner Frau nicht doch einmal Bescheid gegeben und ihr gesagt: Danke deinem Gott auf Knien, dass du mit unseren Kindern bei der proletigen Oma untergekommen bist und nicht auf deinen Vater angewiesen warst!

Aber er wusste wohl, dass seine launische Frau jedes Gefühl ohne Hemmungen aussprechen, mitteilen musste, das sie gerade bedrängte. Rücksicht, gar eine Zensur ihrer Empfindungen wären ihr als Verrat erschienen.

Heinrich geht es zu dieser Zeit gut bei seiner Funkereinheit in den Hügeln über Wien. Zum ersten Mal schreibt er lange, erzählerische Briefe. Er hat dort nicht viel zu tun.

Herrlich ist hier die Landschaft, leicht gebirgig, alles Wald, die Bäume jetzt überall bereift, bei klarem Wetter ein zauberhafter Anblick. ... Gerade wollen wir ins Dorf zu einem Heurigen gehen — doch der heutige Wehrmachtsbericht mit dem russischen Durchbruch legt sich wie ein schweres Gewicht auf die Kameraden, die ihre Familien in Schlesien zu Haus oder evakuiert haben. ... Morgen nachmittag will ich Skifahren, abends

*habe ich Wache. Zu essen gibt's genug. Wenn ich nur erst mal
von euch hören würde! Hoffentlich seid ihr gesund, und du bist
bei Laune!*

Er berichtet von seinen abendlichen Ausflügen in die
Stadt, von seinen Besuchen in der Oper und im Kon-
zerthaus, in die er sich mangels Eintrittskarten ein-
schleicht. In dieser Kunst hat er seine Kinder nach dem
Krieg erfolgreich unterrichtet. Wenn immer ein teures
Konzert in der Freiburger Stadthalle angekündigt war,
das wir keinesfalls verpassen durften, fanden sich seine
vier Kinder ohne Eintrittskarten und rechtzeitig, bevor
der Dirigent den Taktstock hob, auf verschiedenen Plät-
zen in den ersten Reihen ein.

Heinrichs Frau ist gleichzeitig beruhigt und auch nei-
disch auf das Idyll, das er ihr ausmalt. Sie empfindet
seine Erzählungen wie ein Märchen, während die Russen schon vor Breslau, Königsberg und Posen stehen.

*Auf den Skiern wars herrlich, ich fiel zwar viel hin, doch hat-
te ich bald die Herrschaft wieder. Morgen bin ich wieder dabei.
Heut haben wir zu dritt 6 Stunden lang Holz geholt, gesägt und
gehackt! Ein richtiges Farmerleben!*

Aber der Gefreite Heinrich ist kein gehorsamer Soldat. Er, der Musiker und Komponist, wütet gegen das
ständig laufende Radio und verlässt die Truppe manchmal auch ohne Erlaubnis. Am Montag, seinem freien
Tag, will er mit einem Kameraden in die Stadt gehen
und einen Pelz für seine Frau aussuchen, abends dann
in das Philharmonische Konzert mit Karl Böhm. Dass

er vor niemandem Angst habe, schreibt er seiner Frau, habe sich in seinem Soldatenleben als sehr vorteilhaft erwiesen.

In den Wochen des Wartens auf den Marschbefehl geht er während der Wache unter einem klaren Sternenhimmel – der ersten Wache in seiner bisher 1¾-jährigen Militärzugehörigkeit – seinen Gedanken nach.

Fest steht, daß jeder Soldat, der nicht direkt an der Front steht, ein absolut unfruchtbares, regelrecht schmarotzerhaftes Dasein führt. Jeder sollte sich eigentlich schämen! Sehr viele sehen das auch ein und hassen diese aus der Not geborene Lebensform aus tiefster Seele. Wird nun der Soldat eingesetzt, so doch nur wieder zur Zerstörung. Im Anfang geschah dieses bei sehr vielen aus einer starken Vitalität heraus, um uns Raum, Luft und »Recht« zu schaffen. Für Deutschland war dies der vertretbare Anlaß zum Krieg. Bei vielen Soldaten konnte das nur durch Zwang geschehen, da sie die vorwiegende Berechtigung zum Soldatensein in der Erhaltung und dem Schutz der Heimat sahen. ... Wer schafft nur heute noch Positives, wer sorgt für die Beschaffung der Nahrung, Kleidung, Erziehung der Kinder? – Nicht mehr die Männer, sondern ausschließlich die Frauen und Ausländer und Gefangenen. Und nur ganz wenige noch, die einen Bruchteil Zeit der Schönheit und der Vertiefung leben. (Das muß erhalten bleiben!) Es ist immer wieder erschreckend zu sehen, wie willenlos, geduldig und voller Angst der Soldat sich in die Zwangsjacke einpressen läßt. Die Macht der Maschine!

Entweder gibt es keine Antwort der Mutter auf diesen Liebesbrief, der ihre ungeheure Leistung, die Leistung aller Mütter während der Flucht anerkennt, oder ihre Antwort ist nicht erhalten. Ich bin dankbar, dass ich diesen Brief des Vaters lesen konnte. In diesem Brief erkenne ich den Vater wieder, den ich liebte – trotz HJ und Führerhauptquartier.

Wenig später erfährt Heinrich von seiner Frau, dass seine von den Kindern und von ihm so sehr verehrte Mutter gegen ihre Schwiegertochter nach Kräften intrigiert. Versehentlich habe sie einen noch nicht abgeschickten Feldpostbrief der Oma an ihren Mann, Heinrichs Stiefvater, gelesen. Darin hatte die Oma Zweifel geäußert, ob man ihre Enkel der Mutter überhaupt noch einen Tag länger überlassen könne. Sie sei *hysterisch* und schnappe immer wieder über. Die Beschuldigte weiß nun Bescheid; keine Illusionen mehr über die hilfreiche, für ihre protestantische Geradlinigkeit berühmte Oma. Aber gleichzeitig weiß sie auch, dass sie die Oma für die geplante Flucht aus Oschatz braucht. Ihr praktischer Verstand sagt ihr, dass sie die Reise bei ihrem prekären Gesundheitszustand eigentlich nur gemeinsam mit der Oma überstehen kann – wenn die sich denn ihrem, dem Kommando ihrer Schwiegertochter, unterwirft.

Aber nicht nur die Oma, auch alle Bekannten im Umkreis raten ihr von der Flucht nach Bayern ab. Darunter auch ein Familienfreund namens Sellner, der sie zunächst begleiten will, aber im letzten Moment erkennen lässt, dass er mehr Angst vor der Flucht hat als sie selber. Plötzlich redet er nur noch von den

Bombardierungen der Züge und fragt sie, wovon sie denn sich und ihre Kinder ernähren wolle, wenn die Reise eine oder zwei Wochen dauere. *Einen feigen Hund kann ich als Begleiter nicht gebrauchen*, schreibt sie an Heinrich.

Ein paar Tage später fällt Sellner ganz aus. Er hat erfahren, dass seine Braut mit vielen Tausend anderen ostpreußischen Flüchtlingen mit der »Gustloff« untergegangen ist. Lapidar vermerkt die Mutter, dass Sellner nun *nicht mehr zur Verfügung* stehe. Jeder hat in diesen Tagen ähnliche Nachrichten zu verkraften und kann nur überleben, wenn er sie resolut verdrängt.

In einem Brief an Heinrich analysiert die Mutter kaltblütig ihre Lage. In einer Situation existenzieller Ungewissheit, findet sie, gebe es nur noch zwei Menschentypen: diejenigen, die sich vom Instinkt des Verharrens leiten lassen; die anderen, die das Risiko einer Flucht ins Ungewisse auf sich nehmen. Beide würden Gefahren eingehen, die sie nicht kennten. Aber die einen würden dies passiv tun, die anderen hätten immerhin die Initiative auf ihrer Seite.

Niemand weiß in diesen Tagen und Wochen, wo die Frontlinien verlaufen, ob ein Ort, der eben noch »Hinterland« war, plötzlich Teil der Front wird; niemand kann voraussehen, bei welcher Besatzungsmacht man landen wird, wenn man sich bewegt.

Trotz ihres angeschlagenen Zustandes und ihrer eigenen Bedenken, ob sie die Strapazen kräftemäßig überstehen wird, entschließt die Mutter sich, die Flucht nach Süden zu wagen. Wer wird das Gepäck und den kleinen Paul tragen, wovon werden sich die fünf, wenn die Reise eine Woche oder länger dauert, ernähren, was, wenn sie unterwegs krank wird und physisch versagt? Sie weiß es nicht. Sie näht den Kindern aus Segeltuchresten Rucksäcke, die ausschließlich mit Lebensmitteln gefüllt werden. Nur der Älteste soll noch eine weitere Last tragen: zwei Partituren des Vaters, die noch nicht aufgeführt worden sind. Aber ausgerechnet Rainer, der damals knapp Elfjährige, um den sie am meisten bangt, falls sie den Russen in die Hände fallen, wehrt sich mit Händen und Füßen gegen die Flucht. Er sperrt sich gegen die Veränderung, gehört zu denen, die ihr Glück im Verharren suchen. Oder ist er von der Oma entsprechend indoktriniert worden? Bis zuletzt hofft die Mutter auf die Ankunft ihrer Freundin Linda, die sie in ihrer Verzweiflung doch noch um Hilfe gebeten hat. Aber offenbar kann Linda ihre Zusage – weil sie keine Reisegenehmigung bekommen hat, weil die Züge nicht fahren, weil sie Andreas die Hand auf seinem Krankenlager in Bad Wörishofen hält? – nicht wahrmachen.

Linda hatte ihre Freundin kurz zuvor ausdrücklich vor dem Weg nach Bayern gewarnt. Es sei keineswegs gesagt, dass die Maßnahmen der amerikanischen Besatzungsmacht humaner ausfielen als die der Russen, zumal die Amerikaner vor allem ihre *farbigen Truppen* als Besatzer einsetzen würden!

»Farbige Truppen« – was bedeutete dieser Ausdruck damals? Andere nannten die farbigen amerikanischen Soldaten damals »Neger« – was kein Schimpfwort war. Aber beunruhigend war der Hinweis doch. Nur in den Großstädten hatte man vor dem Krieg den einen oder anderen »Neger« gesehen.

Die Warnung von Linda mag die Mutter einen Augenblick lang irritiert haben, sie hält sie nicht davon ab, den Weg zu den *farbigen Truppen* zu wählen.

Die Mutter hält sich zugute, dass sie *die Dinge etwas schneller erkennt* als die anderen. Aber nun muss sie sich durchsetzen gegen alle, die nichts als Unmöglichkeiten vor sich sehen. Die Oma war gestern noch entschlossen mitzukommen, aber in der Nacht vor der Flucht hat sie schlecht geschlafen und sich zu der Meinung durchgerungen, unter den gegenwärtigen Bedingungen abzuhauen sei reiner Wahnsinn, nichts als *Hysterie* und *ungesund* – diese Worte sagt sie der Mutter am Morgen ins Gesicht. Auch alle anderen Verwandten und Bekannten hätten sich zum Bleiben entschlossen.

Für einen Augenblick ist die Mutter wie gelähmt. Das Wort ungesund trifft sie, es trifft sie mehr, als ihre Schwiegermutter ahnt. Es setzt einen flirrenden Selbstzweifel frei, und in diesem Augenblick sehnt sie den Vater ihrer Kinder herbei und denkt: Ein Wort von Heinrich, dem vergötterten Sohn, würde alles lösen!

Aber Heinrich hat auf ihren letzten Brief nicht mehr geantwortet, sie weiß nicht einmal, ob er noch in Wien ist. Und ist Heinrich nicht ein Muttersöhnchen? Der Liebling, der seiner Mutter nach ihrer Scheidung von ihrem liederlichen, notorisch untreuen Pfarrersgatten auch den Mann ersetzen musste? Die Mutter muss die Entscheidung ganz allein verantworten und teilt sie den zum Bleiben Entschlossenen mit erzwungener Ruhe mit: Sie hat sich für die Flucht entschieden und wird mit den Kindern gehen – noch heute!

Da fährt die Schwiegermutter sie an, sie schreit. Dann fahr doch, fahr doch, in fünf Stunden geht der nächste Zug. Aber die Kinder lässt du hier!

Die Mutter, die die Risiken der Reise durchaus vor Augen hat und ihres Entschlusses keineswegs ganz sicher ist, begreift nur noch eines: Die Oma will sie loswerden und die Kinder dabehalten. Sie leitet einen Besitzanspruch daraus ab, dass sie der immer wieder bettlägerigen Schwiegertochter die Arbeit mit den Kindern und dem Haushalt abgenommen hat. Der Oma ist es mit ihrer von Heinrich stets gerühmten »Mütterlichkeit« gelungen, die Mutter auf die Seite zu drängen. Längst hören die Kinder mehr auf ihre Oma als auf ihre Mutter. Und natürlich ist der Oma, die ihre Augen überall hat, nicht entgangen, dass die Mutter Briefe von einem anderen Mann erhält, der nicht Sütterlin schreibt, sondern das moderne heidnische Latein. Auch nicht, dass die Empfängerin dieser Briefe, wenn die Kinder schlafen, mit fliegendem Stift viele Seiten füllt, die sie der Oma nicht mitgibt, wenn die zur Post geht. Die Oma, hat die Mutter an Heinrich geschrieben – und diese hat den Brief womöglich gelesen –, hasse *jede Regung von Individualismus, jeden Versuch eines selbstbestimmten Lebens*. Sie halte sie, Heinrichs Frau, für eine Rabenmutter, für *haltlos, ja für verrückt*.

Vorausgegangen ist diesem Brief ein Streit über Andreas. Die Oma hat die Kinder aus dem Zimmer geschickt und gefragt, was es mit dieser Geschichte auf sich habe. Und die Mutter, die nicht lügen kann und will, verneint die Frage nicht, ob sie mit dem anderen Mann ein Verhältnis habe. Es macht ihr sogar Spaß, die festgefügten protestantischen Moralvorstellungen der Oma zu erschüttern. Was sie mit dem Wort »Verhältnis« meine, fragt die Mutter zurück. Ja, sie liebe beide von ganzem Herzen, den Vater ihrer Kinder und auch Andreas. Falls die Oma Näheres wissen wolle, solle sie gefälligst ihren Sohn fragen, denn sie habe keinerlei Geheimnisse vor ihm.

Am Ende kommt es zu einem seltsamen Handel zwischen den beiden Frauen. Die Oma schlägt vor, die Mutter solle ihr wenigstens die zwei älteren Kinder überlassen. Die Mutter bleibt so gefasst wie möglich, aber in der Sache hart. Es sei ihr keineswegs entgangen, dass alle Kinder sehr an ihrer Oma hingen. Und sicher würden alle Kinder schrecklich leiden, wenn sie sie entbehren müssten. Aber die Oma werde ihre Enkel nur dann weiter sehen und betreuen können, wenn sie sie auf der Flucht begleiten würde – und zwar alle vier! Und dazu sei sie herzlich eingeladen!

Die Mutter ist tief erleichtert, als sie noch kurz vor ihrer Abreise einen Brief ihres Mannes erhält, in dem er sich ganz auf ihre Seite stellt und sie in ihrem Plan zur Flucht bestärkt. Überschwänglich bedankt sie sich für seinen Beistand, für die Gewissheit, dass sie ihn in ihrer inneren Verlassenheit immer hinter sich weiß. *Wir müssen uns wiederhaben und wieder zusammen an einem Leben für unsere Kinder bauen, weiter wollen wir uns nichts mehr wünschen und dafür alles auf uns nehmen!*

Die Luft ist voll von schrecklichen Gerüchten: Tausende von Flüchtlingen sind auf der Leipziger Landstraße unterwegs und noch zweihunderttausend weitere sollen dazukommen. Das ganze linke Elbufer soll geräumt werden, und jeder, der mit etwas Essbarem im Koffer oder im Rucksack unterwegs sei, heißt es, riskiere Mord und Totschlag. Sie setzt auf die ebenfalls fliehenden deutschen Soldaten, die sie und ihre Kinderschar für ein paar Zigaretten und ein paar Mark ein Stück weit auf ihren Lastwagen weiterbringen werden. Sie hat 1000 Mark dabei und sechzig Zigaretten. Allerdings hat sie keine Ahnung, ob das Haus ihres Vaters in Grainau frei ist. Er hat auch ihr letztes Telegramm nicht beantwortet.

Die Flucht übertrifft alle ihre Albträume. Ein Meer von Flüchtlingen ist auf der Leipziger Landstraße unterwegs. Zusammen mit den Deutschen flüchten Hunderte von Russen und Ukrainern nach Süden, die bis eben noch als Sklavenarbeiter in deutschen Betrieben geschuftet haben. Offenbar haben sie vor der Roten Armee noch mehr Angst als vor den Deutschen, schreibt die Mutter an Heinrich, *ein unabreißbarer Zug von Elend und Leid.* Furchtbarer als der Anblick der Toten, die sie in Dresden gesehen hat, ist ihr der Anblick *von ehemaligen Strafgefangenen* – so ihre Bezeichnung für einen Zug von KZ-Häftlingen, der von SS-Bewachern noch in den letzten Monaten nach Bayern geführt wird – *mit so verzerrten Gesichtern, so verhungert und verelendet, viele konnten nicht mehr laufen, wurden gezerrt und geschleppt – grauenvoll! Die Bilder der verkohlten und verbrannten Menschen in Dresden sind nichts gegen das Leid dieser Unglücklichen.*

Sie entschließt sich, nur Regionalzüge zu nehmen, die nicht so oft bombardiert werden wie D-Züge, und nur solche, die nachts fahren. Bei Morgenanbruch steigt sie mit den Kindern aus, egal wo, nur weg vom Bahnhof, und verbringt den Tag irgendwo auf dem Land. Bei Anbruch der Dunkelheit dann zurück zum Bahnhof und auf den nächsten Regionalzug warten, der Richtung Süden fährt. Wenn der nicht kommt – oder wenn sie es nicht schafft, mit den Kindern hineinzugelangen –, nachts zu Fuß weiterlaufen. In den selbst genähten Rucksäcken hat sie Proviant für sieben Tage untergebracht. Wie man den achten, neunten oder zwölften Tag überstehen soll, weiß nur der große Schweiger namens Gott, an dessen Hilfe sie nicht glaubt.

Die Deutsche Post funktioniert auch noch im letzten Kriegsmonat. Im April 1945 hatte Andreas eine Postkarte der Mutter mit einem Bericht über ihre Flucht erhalten. Von seinem Lager in Bad Wörishofen aus lässt er sich zu einer Hymne über ihre Tatkraft hinreißen. Er bewundere ihre Umsicht und Kraft restlos, lässt er sie wissen. Dass sie sich und ihre Kinder vor den Angriffswalzen der alliierten Bomber rechtzeitig nach Bayern gerettet habe. Und dabei noch Koffer und Kartoffeln geschleppt und die hundert anderen *Bedarfsfragen* bewältigt habe, ganz abgesehen von den Widerwärtigkeiten beim Umgang mit gierigen Taxifahrern. Er verstehe *alles sehr, sehr gut* und finde *das alles fast übermenschlich*. Es komme eben doch auf den Kopf genauso an wie auf die physischen Kräfte – es sei wirklich eine Tat, auf die sie stolz sein könne. Nur solle sie sich etwas Ruhe gönnen, auch wenn die Bälger schreien! *Denke immer daran, daß du von all deinen Kindern das Teuerste bist!*

Es war dunkel, als wir ankamen. Ich sah nur die Umrisse des spitzgiebeligen Holzhauses auf dem Hügel, von dem die Mutter sagte, dass dies jetzt unser Zuhause sei. In dem kurzen Stück Himmel zwischen den rundum aufragenden Bergwänden blinkten ein paar Sterne. Endlich waren wir in Sicherheit – und zwischen himmelhohen Felswänden gefangen. Bisher hatte ich nur flache Landschaften mit weiten Horizonten gekannt.

12

Im Vergleich zu den Bauernhäusern im Dorf bot das Haus des Großvaters einigen Luxus. Es gab fließendes Wasser, elektrisches Licht und ein Telefon. Die Bauern im Dorf wohnten mit ihrem Vieh unter einem Dach. Eine Tenne trennte den Wohn- vom Wirtschaftsteil. Die Tiere verbrachten den Winter, nur durch eine Holzwand oder eine Mauer getrennt, im selben Haus. Die meisten Bauern hatten Licht in ihren Häusern, aber kein fließendes Wasser. Der Küchenboden bestand aus gestampfter Erde, das Klohäuschen stand im Hof, die Wäsche wurde draußen im Kreppbach gewaschen. Der einzige Schmuck in den Häusern waren Hirschgeweihe, Marien- und Christusbilder und Holztafeln mit gereimten Sinnsprüchen an den Wänden. Die Balkone waren mit Brüstungen aus Holz versehen, in die Sterne, Halbmonde oder Herzen geschnitten waren. Im ganzen Dorf gab es nur drei Autos, die den ortsansässigen Vereinen gehörten: dem Schützenverein, der Feuerwacht und dem Alpenverein. Als Transportmittel dienten von Ochsen gezogene Hornschlitten und rechteckige Stellwagen.

Das Kriegsende kündigte sich in Grainau zuerst durch

eine Invasion von herrenlosen Pferden an. Überall auf den Wiesen, in den Straßen, in den Gärten liefen auf einmal hungrige Pferde umher, scharrten mit den Hufen den frisch gefallenen Aprilschnee weg, stocherten mit ihren Nüstern in der immer noch halb gefrorenen Erde herum und verteilten überall ihren Kot. Die herumstreunenden Pferde sorgten für große Aufregung im Dorf – die Bauern mochten Pferde nicht. Sie waren an den Anblick und Gestank von Kuhfladen gewöhnt; die runden trockenen Äpfel, die plötzlich aus tausend Pferdehintern fielen, erregten den Unmut der Einheimischen. In Grainau hatte man seit Jahrhunderten Schafe, Schweine, Ochsen und Kühe gehalten – Pferde galten als Luxustiere, die allenfalls ein paar Adlige und Villenbesitzer zum Ausreiten und Jagen benutzten.

Plötzlich, über Nacht, gab es mehr Pferde als Kühe im Dorf.

Aber die über tausend Pferde, die Grainau in eine Art Ausnahmezustand versetzten, gehörten nicht den paar verstreuten Städtern und Adligen in der Umgebung. In der Nacht zum 30. April 1945 waren versprengte Einheiten der Gebirgsjäger und der SS auf ihrer Flucht vor der amerikanischen Armee von Garmisch über Hammersbach nach Grainau gelangt und verstopften mit ihren Pferdegespannen, ihren Last- und Stellwagen die Straßen.

Garmisch-Partenkirchen hatte sich am Abend des 29. April 1945, einen Tag vor dem Selbstmord Adolf Hitlers, der US-Armee ergeben. Wahrscheinlich war die

Stadt, so erzählte mir der wohl wichtigste Heimathistoriker der Region, Alois Schwarzmüller, durch den heroischen Alleingang des Standortkommandanten Ludwig Hörl und seiner Offiziere vor dem Untergang gerettet worden.

In seinem Bericht über das Kriegsende in Garmisch-Partenkirchen stellt Alois Schwarzmüller detailgetreu das Drama der letzten Kriegstage nach. Die Stimmung in den Kasernen und Stäben war von wachsender Unsicherheit und Nervosität bestimmt. Bei Lenggries und Seefeld in Tirol standen starke SS-Kräfte, vom südbayrischen Schongau her näherten sich unaufhaltsam die Amerikaner. Auf der Landstraße wälzte sich ein täglich wachsender Flüchtlingsstrom nach Süden, darunter die Ersatzeinheiten, die Gebirgsjägerschule, die Unteroffizierlehreinheiten – alle regel- und führerlos.

Im Divisionsstabsgebäude in Garmisch-Partenkirchen rief Hörl seine Offiziere, unter ihnen Major Pössinger und Hauptmann Müller, zu einer Besprechung zusammen. Ein ungebetener Teilnehmer dieser Unterredung war der Oberstleutnant Hans Bauernfeind. Er stellte sich als »Sonderbeauftragter des Führers« vor, hatte offenbar von den Gerüchten gehört, dass Garmisch-Partenkirchen kampflos übergeben werden sollte, und beschuldigte Oberst Hörl der Verletzung seiner soldatischen Pflichten.

Hörl ließ sich nicht einschüchtern und legte seinen Standpunkt dar: Truppe und Bevölkerung seien demoralisiert, mit den aufgelösten Truppenteilen sei eine Reorganisation nicht möglich, den Soldaten stehe nur noch eine »mittelalterliche Bewaffnung« zur Verfügung. Die »Rettung der soldatischen Ehre« sehe er darin, sinnloses Blutvergießen zu verhindern und die Bevölkerung und die Verwundeten in den Lazaretten zu schützen. Die anwesenden Offiziere stellten sich hinter Hörl. Nicht so »der Sonderbeauftragte des Führers« Bauernfeind. Die beiden Männer schrien sich an und drohten einander gegenseitig mit Erschießen. Major Pössinger, der Bauernfeind als Regimentskommandeur in Ostpreußen kannte, trat dazwischen und konnte die Situation entspannen.

Einen Tag später kam Oberst Hörl zu Ohren, dass es einem Spezialkommando der 10. US-Panzerdivision gelungen war, das deutsche Brückenkommando an der Echelsbacher Brücke, der wichtigsten Verbindungsbrücke auf dem Weg nach Süden, lautlos zu überwältigen und so zu verhindern, dass sie gesprengt wurde. Auch im Ammertal in Südbayern hatten US-Verbände eine strategisch wichtige Panzersperre eingenommen. In dieser Situation hielt der Oberst den Zeitpunkt für die kampflose Übergabe von Garmisch-Partenkirchen für gekommen. Er beauftragte seine Offiziere, Major Pössinger und Oberleutnant Licht, den Amerikanern mit der weißen Fahne entgegenzufahren. Als Dolmetscher gab er ihnen Gisbert Palmié mit, einen des Englischen kundigen Kunstmaler, der in den Lazaretten von Garmisch-Partenkirchen zur Truppenbetreuung eingesetzt war.

Hörl sah seine Aufgabe darin, dafür zu sorgen, dass die Kapitulationsverhandlungen nicht noch in letzter

Minute von SS-Eiferern, von Durchhalte-Funktionären der NSDAP oder von vagabundierenden Wehrmachtsteilen gestört oder gar verhindert wurden. In der Nähe standen immer noch zwei kampfbereite Gebirgsjägereinheiten. Während seine Unterhändler auf dem Weg zu den Amerikanern waren, ging im Divisionsstabsgebäude der Befehl von Generalfeldmarschall Kesselring ein, Garmisch-Partenkirchen »rücksichtslos zu verteidigen«. Oberst Hörl missachtete den Befehl und erteilte den ihm unterstehenden Verbänden die Weisung, alle Versuche zur bewaffneten Abwehr der US-Truppen zu unterbinden. Noch während seine Unterhändler verhandelten, gab er um 14 Uhr eine vorbereitete Proklamation an die Bevölkerung von Garmisch-Partenkirchen heraus, die Stadt unterstehe ab sofort den von ihm befehligten Gebirgsjägern; ortsfremde Truppenteile, Stäbe und Dienststellen hätten Garmisch-Partenkirchen und Umgebung zu verlassen. Gleichzeitig verhängte er das Standrecht.

Erst eine Stunde vorher, gegen 13.00 Uhr, hatten Pössinger, Licht und Palmié die von den US-Streitkräften eingenommene Panzersperre vor Oberammergau erreicht und gingen von dort aus den Amerikanern entgegen.

Die Begegnung verlief zunächst nicht friedlich – auf Pössinger und seine Begleiter wurde trotz der weißen Fahne geschossen. Nach einigem Hin und Her gelang es aber, mit dem verantwortlichen Offizier der Amerikaner, Lieutenant Colonel »Red« Hankins vom 61. US-Infanteriebataillon, Kontakt aufzunehmen. Die Unterredung dauerte zwei Stunden. Pössinger eröffnete das Gespräch mit der Versicherung, das gesamte Loisachtal einschließlich der Lazarettstadt Garmisch-Partenkirchen werde kampflos an die Amerikaner übergeben. Hankins reagierte abweisend und gab zu verstehen, dass bereits alle Vorbereitungen zur Bombardierung von Garmisch-Partenkirchen getroffen worden seien. Der Angriff aus der Luft stehe unmittelbar bevor, es sei nicht mehr möglich, diese Maßnahme rückgängig zu machen. Pössinger setzte seine Beredsamkeit und seine militärische Erfahrung ein, um Hankins davon zu überzeugen, dass der Angriff amerikanischer Bomber nicht mehr notwendig sei, weil Garmisch-Partenkirchen und das Loisachtal nicht mehr verteidigt würden. Nach vielen Telefonaten erklärte der US-Offizier am Ende der schweißtreibenden Unterredung schließlich, dass es ihm gelungen sei, den Angriff »in letzter Minute« abzuwenden.

Bis heute, so merkt Alois Schwarzmüller an, streiten amerikanische Zeitzeugen und Historiker über die Gründe für die Verhinderung des bereits vorbereiteten Bombardements. In den Aufzeichnungen der »Combat-Chronology der US-Army Air Forces in World War II« für den 29. April 1945 heißt es: »Weather cancels operations by 9th Bomb Div.«, »Weather again restricts operations« und » Bad weather again prevents HB operations«. Im Übrigen, so behaupten einige amerikanische Historiker, sei die Drohung mit Bomberangriffen eine List gewesen, um eine Stadt wie Garmisch-Partenkirchen kampflos einzunehmen. Aus militärischer

Sicht wäre es falsch gewesen, die einzige Straße, auf der die Panzer Innsbruck erreichen konnten, zu zerstören.

Ob nun der tapfere Oberst Hörl oder das schlechte Wetter verantwortlich war – sicher ist, dass das Schicksal von Garmisch-Partenkirchen, aber auch das von Grainau anders verlaufen wäre, wenn der Bombenangriff stattgefunden hätte. Vergeblich suche ich im Stadtplan von Garmisch-Partenkirchen nach einem Platz oder einer Straße, die den Namen von Ludwig Hörl trägt.

Wegen des Gewimmels von Pferden, Stellwagen und Soldaten unten auf der Straße hatte uns die Mutter verboten, aus dem Haus zu gehen. Aber als wir sahen, dass die Soldaten Säcke von ihren Wagen abwarfen, die von den Nachbarskindern sogleich aufgesammelt und weggeschafft wurden, stürmten wir hinunter. Wir griffen nach den zwei, drei Säcken, die noch übrig waren, aber Kaffee, erkannten wir an den Aufschriften, gehörte nicht zu unserer Beute. Kaffee war der Mutter wichtiger als Schokolade und als Butter. Kaffee war für sie ein Lebensmittel – das einzige, das ihr gute Laune machte.

Hanna beschwatzte zwei Nachbarsjungen, von ihren Vorräten eine Ladung Kaffee für die Mutter abzuzweigen. Die beiden taten ihr den Gefallen, warfen ein gutes Dutzend Kaffeepackungen in einen Sack und trugen ihn ins Haus. Die Mutter umarmte die verdutzten Jungen stürmisch, als sie das magische Wort hörte: Kaffee!

Sie konnte ihre Enttäuschung nicht verbergen, als sie gewahr wurde, um welche Sorte von Kaffee es sich handelte: Malzkaffee.

Die Szene mit den abgeworfenen Säcken in der Straße vor unserem Haus gehört zu meinen frühesten Erinnerungen an Grainau. Bis vor Kurzem hätte ich geschworen, dass es die US-Armee gewesen war, die die Säcke mit den Lebensmitteln gespendet hatte. Aber in meiner Begeisterung für die amerikanischen Soldaten, ihre Jeeps und ihre Panzer hatte ich die Szene umgeschrieben. Ein halbes Jahrhundert später lernte ich einen der beiden Nachbarsjungen kennen, die den Kaffee in unser Haus getragen hatten. An mich, den damals fünfjährigen Knirps, konnte sich Anderl nicht erinnern, wohl aber an meine beiden älteren Geschwister, mit denen er gespielt hatte. Der fast Achtzigjährige belehrte mich darüber, dass es SS-Einheiten gewesen waren, die die Säcke in der Alpspitzstraße abgeworfen hatten. Die US-Army war mit ihren Panzern erst einen Tag später in Grainau eingetroffen. Aber sie hatte bei ihrem Einmarsch nicht die schmale Alpspitzstraße genommen, sondern die Loisachstraße, die man auch heute noch als die Hauptstraße nach Grainau bezeichnen kann. Die Säcke, die vor unserem Haus abgeworfen wurden, stammten also nicht von der US-Army, sondern von der SS.

Die versprengten SS-Einheiten waren auf ihrer ungeordneten Flucht einen Tag vor der amerikanischen Armee in Grainau angekommen. Ursprünglich hatten sie wohl gehofft, über die Alpen nach Tirol weiterzukommen. Als ihnen klar wurde, dass sie weder vor noch zurück konnten und in Grainau festsaßen, ließen sie ihre Pferde frei und trieben sie auf die Wiesen. Sie liefen zu den Bauernhöfen und tauschten ihre Lebensmittelvorräte gegen Zivilkleidung ein. Säcke mit Mehl, Bohnen, Mais und Zucker und Kartons mit Kaffee und Schokolade wechselten gegen alte Hüte, Stallgewänder, Melkschürzen, speckige, durchlöcherte Lederhosen und Arbeitskittel den Besitzer. Die SS-Leute warfen ihre Waffen, ihre Munition und Gasmasken in die Loisach und in die Bärengrube und flüchteten zu Fuß in die Berge. Schon am nächsten Morgen waren sie verschwunden – nur ihre Pferde blieben.

Noch Monate nach dem amerikanischen Einmarsch hatten Gebirgsjäger und SS-Soldaten in den Heustaderln hoch über Grainau gehaust. Ihre verlassenen Pferde jedoch irrten über die Wiesen und durch die Straßen. Nach und nach wurden sie von den Amerikanern beschlagnahmt. Anderl selbst hatte gerade noch rechtzeitig ein Pferd eingefangen, indem er ihm ein Büschel von Heu vor das Maul hielt, und es dann im Stall eines Bauern versteckt. Später hatte er es an einen Händler losgeschlagen, der es zusammen mit anderen Pferden auf einem Lastwagen nach Niederbayern brachte.

Die Bauersfrauen sammelten die zurückgelassenen Uniformen ein, wuschen sie im Kreppbach und nähten daraus, nachdem sie den Stoff gewendet hatten, Jacken, Hosen, Mäntel und sogar Unterwäsche für ihre Familien. Noch zwei Jahre nach dem Krieg lief das halbe Dorf im Einheitsgrau der Gebirgsjäger herum.

Am Tag nach dem Spuk mit den Säcken auf der Alpspitzstraße hörten wir wie fernes Donnergrollen dumpfe Motorengeräusche. Hanna und ich rannten den Geräuschen nach zum unteren Dorfplatz und suchten zwischen den Beinen der dicht gedrängten Erwachsenen nach einer Lücke. Die Spitze der amerikanischen Einheit bildete ein kleines, offenes, mit einem MG bestücktes Fahrzeug, in dem vier Soldaten saßen. Auf die Motorhaube war ein großer weißer Stern gemalt. Dem offenen Wagen folgten mehrere Panzer und andere Kettenfahrzeuge, dann wieder Jeeps mit zwei oder vier Soldaten. Einer der Fahrer ließ das linke Bein lässig über das Trittbrett hängen. Das Gesicht unter der Mütze war rabenschwarz. War dies eine Kriegsbemalung oder war ein Flecklegwander aus einem fremden Land gekommen, der gleich absteigen, nach mir greifen, mich in die Luft werfen und anschließend verdreschen würde? Der Fahrer fluchte, weil Hanna eine Lücke zwischen den Reihen der Einheimischen gefunden hatte und ihm fast vor die Räder lief. Sie rief ihm etwas zu, was der Fahrer erst nach mehreren Wiederholungen zu verstehen schien. Er winkte ihr zu und öffnete die Lippen, wobei er eine Reihe von erschreckend weißen Zähnen sehen ließ. Die weite Öffnung des Mundes in dem schwarzen Gesicht und die Geräusche, die aus diesem Mund kamen, konnten nur bedeuten, dass der Mann lachte. Und während er so furchterregend lachte, warf er Hanna ein paar längliche Streifen zu. Thank you!, rief meine Schwester, während sie die Streifen von der Straße aufsammelte.

Mit den geheimnisvollen Streifen liefen wir zum Haus zurück. In dem silbrigen Papier unter der Verpackung steckte etwas Graues, Gummiartiges, das Hanna sich beherzt in den Mund schob. Vergeblich versuchte ich das Wort aussprechen, das sie mir vorsagte: Chewinggum. Du musst den Gummi kauen, sagte Hanna, sehr lange kauen! Diese Regel kannte ich von unseren Brotrationen. Aber dass man den Gummi nach endlosem Kauen nicht etwa schlucken, sondern ausspucken sollte, war zu viel verlangt. Hungrig, wie wir waren, haben wir unsere ersten Kaugummis geschluckt.

Das lässig aus dem Jeep heraushängende Bein des schwarzen Fahrers hat mein Bild von den USA geprägt.

Schon am nächsten Tag bauten die »Amis« auf einer Wiese nicht weit vor unserem Haus eine Feldküche auf. Aus einem ungeheuren Suppentopf, der so groß wie eine Kirchenglocke war, schöpften sie mit einer Kelle Suppe und verteilten sie an die Einheimischen. Die fanden rasch heraus, dass Kinder beim Suppenfassen bevorzugt wurden – je kleiner die Kinder waren, desto eher wurden sie bedient. Deswegen schickten die Eltern ihren Nachwuchs zum großen amerikanischen Suppentopf – je mehr Kinder eine Familie hatte, desto mehr Suppe konnte sie ergattern. Wer keine Kinder hatte, schickte die Neffen oder Enkel. So bildeten sich vor dem Suppentopf lange Schlangen von Kindern, unter denen sich rasch das Gesetz des Stärkeren durchsetzte. Die Größeren warteten in der Nähe, nahmen den Kleineren ihre gefüllten Näpfe weg und schlürften sie in einem Zug aus. Der eine oder andere Räuber spülte den leer gegessenen Napf mit Pisse aus und stellte sich damit wieder an. Hanna und mir gelang es nicht, unsere Töpfe vor den halbwüchsigen Wegelagerern zu retten. Der Einzige, der Suppe mit nach Hause brachte, war unser kleiner Bruder Paul, der damals gerade laufen konnte. Er hatte sich mit seiner Kindergießkanne angestellt und brachte sie gut gefüllt nach Hause.

Die amerikanische Feldküche wurde wenige Tage später geschlossen. Die von der US-Armee gespendete und beaufsichtigte Schulspeisung, meist Nudeln oder Maisgries mit irgendetwas Süßem, wurde von den Lehrern zugeteilt. In Turnkleidung mussten wir uns in der Schule aufstellen – die Wohlgenährten, in der Regel Bauernkinder, wurden ausgesondert, nur die Mageren und Dünnen durften sich zum Essen anstellen. Hanna und ich gehörten zu den Dünnen.

13

In einem Mitteilungsblatt des Grainauer Vereins »Bär und Lilie«, der die Grainauer Ortsgeschichte erforscht, stieß ich auf eine weitere erstaunliche Entscheidung der amerikanischen Besatzer. Es handelt sich um einen ebenso hilflosen wie anrührenden Versuch, den Opfern des nationalsozialistischen Rassenwahns ein Stück Gerechtigkeit widerfahren zu lassen. In den letzten Tagen vor dem Kriegsende hatte es unter Hunderten von Soldaten und anderen Flüchtlingen auch eine Gruppe von KZ-Häftlingen nach Grainau verschlagen. Ein paar SS-Männer hatten 30–40 Sinti und Roma in tagelangen Fußmärschen bis dorthin geführt. Einer der Bewacher behauptete nach seiner Verhaftung, man habe die Gefangenen bis zur Schweizer Grenze – wahrscheinlich war die österreichische Grenze gemeint – bringen und dort freilassen wollen. Dazu kam es nicht mehr, die US-Truppen waren bereits zu nah. Die Bewacher ließen ihre Häftlinge frei und flüchteten in die Berge. Die Häftlinge versteckten sich in den Heuschobern auf dem flachen Untergrainauer Feld. Als die US-Army im Dorf einfuhr, liefen ihr die halb verhungerten Gestalten in ihren grau-lila gestreiften Häftlingsanzügen entgegen. Die Amerikaner verpflegten sie und gewährten ihnen ein Sonderrecht: Sie durften drei Tage lang im Dorf plündern und jeden anzeigen, der sich ihnen entgegenstellte. Aber was und bei wem sollten die Häftlinge, entkräftet und unbewaffnet wie sie waren, schon plündern? Die Einheimischen hatten ihre Vorräte und Wertsachen längst in Sicherheit gebracht. Und falls die »Plünderer« doch etwas Essbares fanden, konnten sie es den Besitzern schwerlich nehmen. Sie waren einzig und allein auf die Barmherzigkeit des einen oder anderen Bauern angewiesen. Nur eine junge Frau namens Maria Schuster, vermerkt das Mitteilungsblatt, verschaffte ihnen – wohl halb aus Mitleid, halb aus Rachsucht – eine nennenswerte Beute. Sie führte sie zum Haus ihrer Eltern, das die Amerikaner beschlagnahmt hatten. Während sich die Besatzer auf dem Balkon sonnten, wies Maria den Häftlingen den Weg in die Küche. Von dort machten sie sich, unbemerkt von den Amerikanern, mit deren Vorräten in prall gefüllten Rucksäcken davon.

Nach wenigen Tagen waren die armen »Plünderer« in ihrer Häftlingskleidung wieder aus Grainau verschwunden. Es gibt keinen Bericht, der ihre Spur verzeichnet.

Wären sie zu uns gekommen, die Mutter hätte es wohl nicht über sich gebracht, sie wegzuschicken. Aber was hätte sie den Ärmsten – mit den vier hungrigen Mäulern im Haus – schon geben können?

Das Dorf füllte sich immer mehr mit Flüchtlingen. Im Herbst 1944 waren die Ausgebombten aus den deutschen Städten gekommen, im Sommer 1945 trafen die Sudetendeutschen ein. Zu Dutzenden quollen sie aus der Zugspitzbahn – die Frauen trugen weiße Kopftücher und Holzschuhe an den Füßen und transportierten große, aus Betttüchern zusammengeknotete Ballen mit ihrem tragbaren Hab und Gut auf den Köpfen. Der von den Amerikanern neu eingesetzte Gemeinderat quartierte die Flüchtlinge zunächst in den Häusern von NSDAP-Mitgliedern ein. Aber da jeder Zug neue Trauben von sudetendeutschen Familien brachte, mussten immer mehr Räume beschlagnahmt werden – bald war in jedem zweiten oder dritten Haus eine Flüchtlingsfamilie untergebracht.

Die Flüchtlingskinder wurden nach der Schule von den einheimischen Kindern gehänselt und verprügelt. Sie waren »Saupreißen« und hatten in den Augen der Einheimischen in Grainau nichts zu suchen. Die Bauern machten sich ihre unerwünschten Mitbewohner als Hilfskräfte zunutze und hielten sie an, ihnen beim Melken, Mähen und Heutreten zur Hand zu gehen und Holzvorräte für den Winter anzulegen. Die Nähe auf engstem Raum führte zu heftigen Streitigkeiten oder auch zu unvorhergesehenen Annehmlichkeiten. Die große Mehrzahl der Flüchtlinge bestand aus Müttern und ihren Kindern, der männliche Teil der Familie war meist nicht aus dem Krieg zurückgekehrt. Die Einheimischen, die über Schinken, Butter und Milch, über Eier, Kartoffeln und Gemüse geboten, hatten genügend Trümpfe in der Hand, um von den flachsblonden Mädchen aus dem Sudetenland gewisse Gefälligkeiten zu verlangen.

Grainau war seit Jahrhunderten ein tiefkatholisches Dorf gewesen. Dank der Frauenflut aus dem Sudetenland fielen nicht wenige seiner männlichen Bewohner vom sechsten Gebot ab. Fromme Einheimische, die man bisher im Gasthof unter Hirschgeweihen nur in einer Männerrunde sah, unterhielten plötzlich heimliche Liebschaften mit blonden Geschöpfen aus dem Norden, denen sie ihre Mundart beibrachten. In der Öffentlichkeit ließen sich die ungleichen Liebespaare nicht sehen. Aber im Dorf wusste jeder, was in den Schlafzimmern vorging, auch wenn eine Gardine vor dem Fenster hing. In den fünf Jahren nach dem Krieg, erzählte mir die inzwischen neunzigjährige Maria, habe im Zugspitzdorf Grainau »Sodom und Gomorrha« geherrscht.

Auch das Haus des Großvaters füllte sich mit Flüchtlingsfamilien. Im zweiten Stock hatte sich ein ständig braun gebranntes Paar einquartiert, das norddeutsch sprach. Morgens gingen die beiden mit Tennisschlägern aus dem Haus, um auf einer weit entfernten Anlage zu spielen. Herr Halbeisen hatte im Krieg einen Wadendurchschuss erlitten und ließ uns Kinder manchmal, wenn er mit Frau Fröhlich, seiner Freundin, nachmittags zurückkehrte, mit unseren Fingerchen die Tiefe seiner Narbe ausmessen. Danach forderte er Paul oder mich auf, ihm zwei oder drei Zigaretten aus dem Kolonialwarenladen im Dorf zu holen. Er klatschte in die Hände und drückte auf ein Wunderwerk an seinem Handgelenk – eine Armband-

uhr mit Stoppuhr. Wenn wir unsere bisherige Best-
zeit für den Lauf hin und zurück unterbieten würden, versprach er, werde er uns mit einem Stück
Schokolade oder mit einer Packung Kaugummi belohnen.

Nachts wachten wir oft durch gellende Schreie auf,
die aus dem Schlafzimmer des Paares drangen. Dann
hörte ich die Mutter mit der Hand gegen die Tür schlagen. Aufhören, aufhören!, rief sie, ob Frau Fröhlich
Hilfe brauche, ob sie die Polizei rufen solle? Immer
war es die Stimme von Frau Fröhlich, die meine Mutter beruhigte. Alles in Ordnung, machen Sie sich keine
Sorgen, ächzte sie. Um gleich darauf wieder in Schreie
auszubrechen.

Die Kellerwohnung war von einer kleinen, verwach-
senen Frau namens Dirndlbauer mit mehreren Kindern
bezogen worden. Bertl Kraus, der Freund von Frau
Dirndlbauer, war nur abends zu sehen, wenn er mit
rotem Gesicht und Schnapsfahne die Treppe hinunter-
stolperte. Von dort hörten wir dann gebrüllte bayrische
Flüche und Beschimpfungen, gefolgt von dumpfen
Schlägen und Gewimmer. Eines Morgens entdeckten
wir eine erschreckende Leere in Bertls linker Augenhöhle. Der habe, behauptete Herr Halbeisen, sein Glasauge in einem Streit mit der Dirndlbauer als Wurf-
geschoss benutzt und sie dummerweise verfehlt. Das
Auge sei von der Wand gesprungen und auf dem Stein-
boden im Keller in viele Teile zerschellt. Ein tragischer
Verlust für den Bertl, meinte Herr Halbeisen mit einem

Augenzwinkern. Denn in Grainau werde er in den nächsten Jahren keinen Ersatz für sein Glasauge finden, wohl auch nicht in Garmisch.

Auch ohne Glasauge mochte ich den Bertl. Abends setzte er sich auf die Bank unten im Garten und spielte ein brettartiges hölzernes Instrument mit unzähligen Saiten. Mit seinem dicken rechten Daumen, auf den ein stählerner Stift gesteckt war, zupfte er die oberen Saiten an und erzeugte herzzerreißende, zittrige Melodien. Mit den Fingern der anderen Hand brachte er gleichzeitig Akkorde hervor, die das Klagen der Melodiestimme wuchtig untermalten. Ich saß in meinen Lederhosen neben Bertl auf der Bank, blickte gespannt auf seine Finger, manchmal auch in seine leere Augenhöhle und dann hinauf zu den glühenden Felswänden. Bertls Töne, so schien es mir, wanderten ohne jede Mühe an senkrechten Wänden hinauf.

Die Schule lag oberhalb des Friedhofs neben der Kirche mit dem Zwiebelturm und hatte zwei Klassenräume. Wir waren an die fünfzig Schüler in der ersten Klasse, in der zweiten Klasse schon um die siebzig, da inzwischen die Kinder der Flüchtlingsfamilien hinzugekommen waren. Man saß zu dritt, zu viert in einer Bank und an der Seite. Die Disziplin wurde mit martialischen Methoden durchgesetzt. Üblich waren je nach Schwere des Vergehens abgezählte Schläge (Tatzen) mit dem Rohrstock auf die Hand, im Zweifelsfall auch auf den nackten Po und in die Kniekehlen. Der gefürchtetste Schläger war der Schuldirektor. Aber auch die Lehrerinnen schlugen kräftig zu.

Ich war ein unheilbarer Linkshänder. Ich warf und kickte Bälle mit links, schrieb und verteidigte mich mit links, fiel beim Stürzen immer auf die linke Hand – selbst den Geigenbogen hatte ich zuerst in die linke Hand genommen und die Geige in die rechte. Jedes Mal, wenn die Lehrerin den Stift in meiner linken Hand entdeckte, schlug sie ihn mir – manchmal von hinten – mit ihrem Stock aus den Fingern und verabreichte mir genau abgezählte Schläge auf die ausgestreckte Frevelhand. Wer die Hand vor dem Schlag wegzog, hatte unter dem Spott der Mitschüler eine weitere Runde von Schlägen zu gewärtigen.

Im ersten Schuljahr wurde ich auf dem Nachhauseweg von einer Kinderbande abgepasst. Dös iss a, rief der Anführer, ein dicker Bauernbursche mit erschreckend großen Nasenlöchern. Wie hoasst du, wo kummst her? Wenn ich dann meinen Namen und meine Geburtsstadt Lübeck nannte, setzte es die erste Watschen. Es dauerte eine Weile, bis ich begriff, dass der Grund dieser Nachstellungen mein hochdeutscher Akzent war. Kunnst koa Bayrisch? Noa, worum nit? – und wieder patsch.

Heimlich hatte ich Jodeln und auch Schuhplatteln geübt, war aber nie bereit, meinen Feinden in ihrem gutturalen Bergidiom zu antworten. Ich mochte den Dialekt nicht – vielleicht, weil meine Mutter ihn nicht mochte.

Obwohl ich chancenlos war, stellte ich mich dem Kampf. Regelmäßig landete ich unter dem Gejohle der Bande im Dreck. Der Anführer mit den großen Nasenlöchern legte sich mit seinem ganzen Gewicht auf mich und nahm meinen Kopf in den Schwitzkasten, bis ich nicht mehr japsen konnte. Erst wenn mein Gesicht blau anlief, ließ er von mir ab. Dann stand ich auf, wischte mir den Dreck und das Nasenblut aus dem Gesicht, holte tief Atem und forderte meinen Gegner zu einer weiteren Runde auf. Hoast noch nit gnug?

Meine Bereitschaft zu einer neuen, unvermeidlichen Niederlage nötigte der Bande eine gewisse Achtung ab.

Nachdem ich ein paar Monate lang verdroschen worden war, änderte ich meine Taktik. So viel war klar: Mit gleichen Waffen konnte ich in diesem Kampf nichts ausrichten. Als das überernährte Kindermonster wieder einmal auf mich zustürmte, griff ich nach dem Lineal, das senkrecht aus meinem Schulranzen herausstach, und zog es mit der scharfen Kante durch sein Gesicht. Und wenn ich ihm ein Auge ausgestochen hätte – in diesem Augenblick wäre es mir recht gewesen.

Ungläubig fasste sich der Getroffene ins Gesicht und starrte auf das Blut, das durch seine Finger tropfte. Es dauerte eine Weile, bis er begriff, dass es sein Blut war, nicht meines. Nach den Regeln eines fairen Kampfes unter Schülern hatte ich verloren – ich hatte eine unerlaubte Waffe in den Kampf eingeführt. Aber mein Übergriff hielt die Bande fortan auf Abstand. Ich hatte gezeigt, dass ich gefährlich werden konnte. Ich galt als unberechenbar und hatte Ruhe.

Vergeblich suche ich in meinem Gedächtnis nach den Namen und Gesichtern der Mitschüler, mit denen ich vier Jahre meines Lebens geteilt habe. War es das Dunkle, das Abweisende, das Feindliche, das ich mit Grainau verband, das mir den Zugang zu ihnen versperrte?

Das einzige Gesicht, das sich mir eingeprägt hat, gehörte einem zarten Flüchtlingskind namens Schaudin-Liesl. Nach der Schule begleitete ich sie auf ihrem weiten Heimweg bis nach Hammersbach. Mit ihrer Erlaubnis trug ich ihren Schulranzen. Wenn wir vor ihrem Haus angelangt waren, verabschiedete ich mich nach Ritterart. Ich ließ mich vor meiner Dame auf ein Knie herunter, wartete auf die kleine weiße Hand, die sie mir reichte, und drückte einen gehauchten Kuss darauf. Mit derselben Hand nahm sie mir ihren Schulranzen ab und öffnete das Gartentor, ohne mir das Gesicht mit den blonden Zöpfen noch einmal zuzuwenden.

14

Ein paar Jahre, bevor ich mich entschloss, dieses Buch zu schreiben, hatte eine Klassenkameradin Kontakt mit mir aufgenommen. Wir hatten uns getroffen und erstaunt festgestellt, dass wir einander keineswegs so wildfremd waren, wie wir angenommen hatten. Noch als junge Frau, als meine Familie längst aus Grainau weggezogen war, hatte sie in dem Dorf gewohnt und konnte mir Namen und Adressen von Mitschülern nennen. Sie erinnerte sich daran, mit wem ich befreundet gewesen war und wer neben mir gesessen hatte. Immer wieder unterbrach sie ihre Erzählung mit dem Satz: Aber daran musst du dich doch erinnern!

Manchmal nickte ich, als wäre es eine Pflicht, mich zu erinnern. Ich fürchtete, sie werde es als ein Zeichen von Überheblichkeit empfinden, dass ich den Ruf: Natürlich! Jetzt fällt's mir wieder ein!, schuldig blieb. Aber offenbar gehorcht das Gedächtnis nicht den Regeln der Höflichkeit. Auf weite Strecken hörte ich ihr zu, als erzähle sie von einem fremden Leben.

Nach diesem Gespräch ging ich bei einem Besuch in Grainau in ein Geschäft, in dem alte Webstühle und gewebte Stoffe und Teppiche ausgestellt waren. Ich erklärte, wer ich war und wen ich sprechen wollte: einen Matthias, mit dem ich in den Nachkriegsjahren die Grainauer Volksschule besucht hatte. Die Geschäftsführerin war freundlich und rief nach oben. Nach einer Weile kam der Gerufene eine Holztreppe herunter und begrüßte mich nicht gerade neugierig. Es war klar, dass er derjenige war, nach dem ich suchte: Er bestätigte seinen Namen, seinen Besuch der Grainauer Volksschule und sein Alter. Aber sichtlich scheiterten wir beide bei dem Versuch, in unseren alten Gesichtern irgendeine Spur des »Originals« wiederzuerkennen, das wir aus der Schulzeit in Erinnerung hatten. Und warum überhaupt sollte Matthias sich diese Mühe geben? Nur kurz sah er mich an und blickte dann zur Seite. Er könne sich an so gut wie nichts und niemanden aus dieser Zeit erinnern, sagte er. Nur an einen, dessen Vorname ihm allerdings entfallen sei. Den habe er manchmal nach der Schule besucht, weil bei ihm zu Hause ein Klavier gestanden habe, das einzige Klavier im Ort. Gleich hinter der Veranda, neben der Tür zum Wohnzimmer habe das Klavier gestanden. Wo, in welchem Haus? In dem alten Holzhaus in der Alpspitzstraße, das immer noch so aussehe wie damals. Mit dem, der damals dort gewohnt habe, habe er musiziert, Schneider habe der geheißen.

Aber das bin doch ich!

Ungläubig sahen wir uns an und umarmten uns.

163

Unserer ersten Begegnung folgten viele weitere, wir wurden Freunde.

Matthias erzählte mir von seiner früh erwachten Leidenschaft für Orgeln und Tasteninstrumente, die sein ganzes weiteres Leben bestimmt hatte. In der winzigen Kapelle am unteren Dorfplatz, die kaum zwanzig Personen fasste, hatte er zum ersten Mal ein paar Akkorde gehört, die der Pfarrer auf dem verstimmten orgelähnlichen Instrument hervorbrachte. Die schrägen Klänge hatten ihn derart bezaubert, dass er sich in seinem Kinderzimmer aus Pappe ein etwa gleich großes Instrument zusammenbastelte, dessen Tasten er, wie er es bei dem Original in der Kapelle gesehen hatte, mit kurzen schwarzen und längeren weißen Papieren beklebte. Hinter der Tastatur hatte Matthias Pappröhren angebracht, die die Orgelpfeifen darstellten. Seine Nachbildung litt allerdings an einem Defekt, mit dem Matthias sich nicht abfinden konnte: Sie brachte keinen Ton hervor.

Irgendwann hatte ich ihm wohl von dem Klavier in unserem Haus erzählt. Fortan hatte mich Matthias nach der Schule öfter nach Hause begleitet, durchschritt, ohne nach rechts und links zu blicken, die Veranda und setzte sich ans Klavier. Matthias war nicht sicher, ob er damals Noten lesen konnte. Ich selbst konnte einigermaßen flüssig Noten im Geigenschlüssel entziffern, der Bassschlüssel blieb mir ein Rätsel. Dank der Blindübungen auf seiner Papporgel fand Matthias erstaunlich schnell die Akkorde zu der Melodiestimme, die ich mit der Geige vorgab. Er improvisierte zu einer einfachen Corelli-Sonate oder auch zu einem der Lieder, die wir in der Schule sangen: »Die Bubbele, die Maddele, die schlage Purzelgaggele«.

Stimmt, rief ich, jetzt erinnere ich mich! Aber ist das nicht ein schwäbisches Lied gewesen?

Nachträglich dankte ich Matthias dafür, dass er damals, statt mich wegen meines Hochdeutschs und der falschen Religion, der ich angehörte, zu verprügeln, lieber auf die Tasten des Klaviers hinter unserer Veranda eingeschlagen hatte.

Irgendwann war Matthias nicht mehr in die Alpspitzstraße gekommen. Er brauchte das Klavier nicht mehr. Nachdem er seinen Vater jahrelang bestürmt hatte, mietete der einen regelrechten Flügel für seinen musikverrückten Sohn. Das Ungetüm passte kaum durch die Tür des Hauses und füllte ein ganzes Zimmer.

Neben seinen musikalischen Etüden übte Matthias sich in heimlichen Ritualen, die durch die heilige Kommunion inspiriert waren. Eine fromme Tante hatte ihm ein rotes Messgewand und auch das dazugehörende Messgeschirr besorgt. In einer Treppenkehre unter dem Dach des Hauses nahm ihm ein Freund, der den Pfarrer spielte, die Beichte ab. Matthias war nie ganz sicher, welche Verbrechen er zu beichten hatte, erst auf der Treppe fielen ihm seine Sünden ein. Ein Tritt gegen eine Katze, ein blutiger Ritzer im Arm eines Klassenkameraden, mit dem er gerauft hatte, ein Blick unter den Rock eines Flüchtlingsmädchens. Worauf es beiden bei dem Spiel ankam, war die fürchterliche Strafpredigt, die dem Geständnis folgen musste. Zu seinem

Erstaunen wuchs sein Freund, angetan mit dem Messgewand, immer mehr in seine Rolle als Beichtvater hinein. Mit schriller Stimme kreischte er auf den knien-
den Matthias ein: Er rede sich heraus, er solle endlich
offen und ehrlich seine großen, seine ungeheuerlichen
Sünden bekennen und die gerechte Strafe dafür empfangen. Matthias ging in sich und erfand neue Sünden:
Urinieren in der Kirche, Sodomie mit der hauseigenen
Ziege, ein Massaker unter Hühnern. Endlich brach die
Sopranstimme hinter dem roten Gewand in wilde Verwünschungen und Flüche aus und verurteilte ihn dazu, drei Wochen lang jeden Tag dreimal bis zur Kirche
hin und zurück zu laufen und dabei zwanzigmal das
Vaterunser zu beten.

Matthias und sein gleichaltriger Beichtvater mussten
diese Übungen abbrechen. Nachbarn hatten sich über
die obszönen Strafpredigten und das unmäßige Flu-
chen in Matthias' Elternhaus beschwert.

Ich war verblüfft, als Matthias mir erzählte, er habe
damals und noch viele Jahre später vom Fliegen ge-
träumt. Als Kinder hatten wir nie über diese gemeinsame Leidenschaft gesprochen. Erst als Erwachsener,
behauptete Matthias, habe er eine Technik entwickelt,
die ihm ermöglichte, ausgehend von einem Wach-
traum seine Träume vom Fliegen zu dirigieren. Im
Traum habe er Dutzenden von Flugschülern, die sich
um ihn scharten, Lehren über das Fliegen erteilt: Es
kommt allein auf euch selber an. Ihr müsst im Augenblick des Absprungs den Atem anhalten und selbst bestimmen, wann ihr wieder einen Fuß auf die Erde

setzt! – Viele seiner Träume habe er im Lauf der Jahre aufgezeichnet – in Stenoschrift. In einem Wutanfall habe er das 600 Seiten starke Traumbuch später weggeworfen.

15

Im Sommer des Jahres 1945 wartet die Mutter vergeblich auf eine Nachricht über das Schicksal ihres Mannes, sie hört auch nichts von Andreas. Sie fürchtet sich vor jedem Brief, vor jeder Postkarte. Heinrichs letztes Lebenszeichen ist ein Telegramm im April aus Linz gewesen. Wohin es ihn danach verschlagen hat, ob er verwundet oder tot ist oder als »prisoner of war« in einem Lager lebt, weiß sie nicht. *Der Vorhang meines Geschickes ist zugezogen*, notiert sie in einem Briefentwurf an Andreas, *und vielleicht ist diese Zeit des Wartens noch die gnadenvollste Zeit meines Lebens.*

Sie weiß nicht, an welche Adresse sie den Brief schicken soll.

Da läuft ihr im August in Grainau ein Sänger aus Königsberg über den Weg und erzählt ihr, Andreas sei in München gesehen worden.

Ein heißes Glücksgefühl, schreibt sie dem Geliebten, *überströmt plötzlich alles Dunkle, Ungewisse, Quälende – die Sorge um Heinrich lastet schwer auf mir. Dich in der Nähe zu wissen, wäre ein so unendlicher Trost – und dich vielleicht wiedersehen zu können. Ich bin ja immer um dich – trotz allem Nichtwissen, allen Zweifeln dir so nahe – ob du's gespürt hast,* dieses weithin reichende Treuegefühl? Kräftigend und beglückend inmitten aller Schwere, aller Enttäuschungen und dunklen Erfahrungen bezüglich Kapitel »Mensch« ist nur die eine: Daß alles äußere Entwurzeltsein, alle äußere Armut nur immer klarer die Dinge freilegt, in denen wir wirklich wurzeln. Und ich weiß nun — in meiner Verlassenheit —, wie unumstößlich ich an dich gekettet bin — an Heinrich und an die Kinder — dafür nehme ich alles auf mich.

Und schon entwickelt die Träumende, die nie ihren praktischen Sinn verliert, einen Überlebensplan für Andreas. Durch Vermietung von zwei Zimmern im Haus und durch ihre Näharbeiten kann sie außer ihren Kindern einen, zur Not auch zwei Erwachsene durchfüttern. Natürlich denke sie dabei zuerst an Andreas und an Heinrich. Kraft dazu gebe ihr die Hoffnung, dass ihr Mann zurückkomme und Andreas wieder zu ihr finde. Solange ich darauf warten kann, werde ich alles können — verlöre ich diese Hoffnung, dann wüßte ich nicht weiter.

In Grainau, teilt sie Andreas mit, herrsche inzwischen Zuzugssperre; aber wenn er für die Zeit seines Besuchs für sich selber Brot, Butter und eventuell auch Fleisch in der Büchse mitbringen könne, werde sie ihn durchbringen, Kartoffeln habe sie genug. Sie werde ihm ihr stilles, kleines Wohnzimmer überlassen, in das die Zweige der Tannen und Buchen hereinlugten. Er könne auf ihrem Südbalkon Sonnenbäder nehmen — sie werde ihn nicht weiter stören. Sie werde glücklich sein, ihn bei sich zu haben und zu wissen, dass sie für ihn sorgen könne wie für eines ihrer Kinder, die blühend und *gesund sind wie schöne junge Tiere*. Vielleicht werde er gar nicht begreifen, wie sie ihn immer noch einbeziehe in ihr Leben. Es sei ihr auch gar nicht bange, wenn Andreas mit ihr jetzt vielleicht gar nichts zu tun haben oder mit ihr lieber verkehren wolle wie mit einem fernen Menschen – *irgendwann, vielleicht erst viel, viel später, wirst du mich doch einmal suchen und brauchen, irgendwann muss dies alles, was in mir lebt und mich leben läßt, sein Ziel finden …*

Und dann, nach all diesen Rücknahmen ihres Gefühls, entfährt ihr doch wieder, unverstellt und unaufhaltsam wie ein Kinderwunsch, der Satz: *Könnte ich doch nur mit dir zusammen sein! Ich wäre zu allem bereit!*

Nein, sie kann nicht diplomatisch sein, kann sich nicht auf die Zunge beißen. Ob sie den Brief abgeschickt, ob Andreas ihn erhalten hat, bleibt ungewiss. Jedenfalls bekommt sie keine Antwort.

Inzwischen hat sie andere Sorgen. Sie hat ein Testament ihres Vaters gefunden, das ihren Bruder in Berlin zum alleinigen Erben des Hauses in Grainau bestimmt. Danach sind seine beiden Töchter auf den Pflichtanteil beschränkt. Sie fürchtet, dass sie, selbst wenn es ihr gelingt, durch Vermietungen und Näharbeiten die Steuern für das Haus aufzubringen, doch immer nur für ihren Bruder und dessen Kinder arbeite; dass ihr die Steuern über den Kopf wachsen, dass ihre Mieteinnahmen gepfändet werden. Wozu soll sie das Haus reparieren und am Leben erhalten, wenn all ihre Anstrengungen doch nur ihrem Bruder und seinen Kindern zugutekommen! *Womit ich diesen Vater verdient habe*, fragt sie Andreas. *Nehme aus diversen Gründen an, daß er nicht mehr lebt. Interessiert mich — abgesehen von diesem Erbfall — auch nicht mehr.*

Sie überlegt, ob sie nicht besser führe, wenn sie irgendwo zwei Zimmer nähme und sich und die Kinder mit ihren Näharbeiten über Wasser hielte. Wenn sie die Belastungen des Hauses los wäre, hätte sie mehr Zeit zum Nähen. Sie könnte auch als Assistentin bei einem Arzt arbeiten, aber mit Nähen verdient sie mehr, vor allem kann sie für ihre Näharbeiten Lebensmittel eintauschen und bei den Kindern bleiben. Sie hat ein Zimmer im Haus an ein ungarisches Schneidermeisterpaar vermietet, das sie einen Monat lang mietfrei wohnen lässt. Als Entgelt sollen ihr die Ungarn ihre raffinierten Schnitte beibringen — *Typ des ganz großen Wiener Salons!*

Aber wen im bäuerischen Grainau verlangt es nach solchen Schnitten!

Im Herbst 1945 hörten wir in den Abendstunden einen Pfiff von der Straße. Jedes von uns Kindern erinnert sich an diesen Pfiff — mein Bruder Paul und ich wahrscheinlich nur, weil uns dieser Pfiff bei den vielen nachträglichen Erzählungen über das Ereignis immer wieder vorgepfiffen worden ist. Zuerst kam er aus weiter Ferne, und alle, die ihn kannten, glaubten, sie hätten sich verhört. Vielleicht hatte irgendjemand unten auf der Straße die vier unverwechselbaren Töne aus

171

Versehen getroffen. Aber als der Pfiff wiederholt wurde und immer näher kam, war jeder Irrtum ausgeschlossen. Niemand in Grainau, niemand auf der ganzen Welt benutzte diesen schrägen Pfiff. Auf den ersten Ton B folgte das um einen Halbton tiefere A, danach das um zwei Tonstufen höhere C, danach das wiederum um einen halben Ton tiefere H. Die ganze Tonfolge B A C H war eine Dissonanz, ein Missklang für jedes Ohr, das an die chromatische Tonleiter gewöhnt war. Und wenn er mit weißen statt mit feuerroten Haaren, wenn er blind, einarmig oder mit einem Holzbein heimgekommen wäre – an diesem Pfiff, schworen Hanna und die Mutter, hätten sie ihn erkannt. Es gab nur einen Menschen, der die Buchstaben des Namens seines Lieblingskomponisten in Töne übersetzt und sie zu seiner Erkennungsmelodie gemacht hatte: unseren Vater.

Als er die Treppe zur Veranda hochstieg, waren Hanna und ich gerade in der Kellerwohnung bei unseren Untermietern. Aus dem Souterrainfenster sah ich – oder war es Hanna, die mir später davon erzählte? – auf den Treppenstufen ein rissiges Paar Stiefel. Wir rannten nach oben. Inzwischen waren auch die Mutter und die anderen Geschwister in der Veranda angelangt, sodass ich in dem wild bewegten Menschenknäuel immer nur ein Hosenbein oder einen Ärmel des Vaters ausmachen konnte, der einen von uns an sich drückte.

Meine Erinnerung an die Minuten nach dieser Begrüßung – die Bilder der Umarmungen, die Liebesworte und die Satzfetzen über seine Flucht – ist ausgelöscht. Deutlich nur, weil ich es noch nie bei ihm gesehen hatte, das runde flache Ding auf seinem Kopf mit dem kleinen Zipfel in der Mitte. Erst später lernte ich den Namen dieser Kopfbedeckung: Basken-mütze.

Die Flucht des Vaters aus französischer Gefangenschaft wurde zu einem Familienmythos – wegen der Mischung aus Wagemut, haarsträubendem Leichtsinn, Optimismus und auch Glück. Die Fluchtgeschichte wurde wieder und wieder und schließlich in verschiedenen Versionen erzählt. Die Baskenmütze hatte der Vater von einem Wächter im Kriegsgefangenenlager in Perpignan gegen ein paar Dutzend Zigaretten eingetauscht, die der Nichtraucher in den Monaten der Lagerhaft gehortet hatte. Aus irgendeinem Grund besaß er auch noch eine stattliche Summe Geld. Da es ihm jedoch trotz aller Bestechungsversuche nicht gelang, sich eine Jacke oder einen Mantel zu beschaffen, blieb die Baskenmütze sein einziges ziviles Kleidungsstück. Ihm war klar, dass eine Flucht in Häftlingskleidung auf dem langen Weg bis zur deutschen Grenze schierer Wahnsinn war. Ein paar Tage vor seiner eigenen Flucht waren ein paar Mitgefangene in ihrer Häftlingskleidung getürmt und noch am selben Tag von der Militärpolizei zurückgebracht und mit Dunkelhaft bestraft worden. Davon wusste er, das bedachte er – aber vorsichtiges Planen gehörte nicht zu den Stärken des Vaters.

Am 1. November – an Allerheiligen – überwand er den Lagerzaun. In Häftlingskleidung und mit der Baskenmütze auf dem Kopf erreichte er den nächsten Bahnhof und löste dort eine Fahrkarte 1. Klasse nach Lyon. Seine Hoffnung war, dass ein Schaffner in einem Fahrgast in der ersten Klasse, der seinen Rücken mit dem POW-Aufdruck fest gegen die Rückenlehne presste und eine Tarnkappe namens Baskenmütze auf dem Kopf trug, nicht einen entlaufenen Kriegsgefangenen vermuten würde. Der Plan ging auf – der Schaffner fragte lediglich nach seinem Fahrschein.

In Lyon angekommen, verführte ein Plakat den Vater zu einer irrwitzigen Unterbrechung seiner Flucht. Auf dem Plakat war ein Nachmittagskonzert angekündigt – geleitet von einem berühmten Dirigenten. Nichts hatte der Vater während der Gefangenschaft so sehr entbehrt wie Musik. Da der Zug nach Straßburg ohnehin erst abends fuhr, konnte er der Versuchung, die das Plakat auf ihn ausübte, nicht widerstehen. Inmitten einer Traube von Konzertbesuchern schmuggelte er sich an den Kontrolleuren vorbei und mischte sich unter die Stehplatz-Besucher.

Mit dem Rücken immer an der Wand blieb er in der Nähe einer Einlasstür. Er vergaß seine Sorge, entdeckt zu werden, als das Licht ausging und der Taktstock des Dirigenten die ihm vertrauten ersten Akkorde aufrief. Er habe sich gerade noch zurückhalten können, nicht mit den Händen mitzudirigieren, erzählte der Vater später.

In der Pause sprach er eine Französin an, die neben ihm stand. Sein Französisch war erbärmlich – er offenbarte sich der jungen Frau, indem er ihr den POW-Aufdruck auf seinem Rücken zeigte. Und das Wunder, mit dem der Vater, der unverbesserliche Optimist, fest gerechnet hatte, geschah. Die junge Frau war von der Begegnung mit dem musikbegeisterten deutschen Flüchtling derart berührt, dass sie ihn mit nach Hause nahm und ihm einen Mantel ihres Mannes gab.

In einer anderen Version hat sich die Szene mit anderer Besetzung erst in Straßburg abgespielt. Danach war der hilfsbereite französische Engel nicht weiblichen, sondern männlichen Geschlechts gewesen. Die französische Militärpolizei war auf dem Straßburger Bahnhof auf den Flüchtling aufmerksam geworden. Im Sprinttempo – der Vater war der beste Kurzstreckenläufer seiner Schule gewesen – war er seinen Verfolgern davongelaufen. In einer Seitenstraße hatte ihn ein junger Franzose in einen Hauseingang gezogen und ihn mit ziviler Kleidung ausgestattet. Dessen Hilfsbereitschaft war wohl nur dem Umstand zu verdanken, dass er auf der anderen Seite des Rheins eine deutsche Geliebte hatte.

Am nächsten Tag war der Vater auf der offenen Ladefläche des Transporters dieses Helfers, unter Decken und allem möglichen Gerät versteckt, über die einzige noch intakte Brücke über den Rhein nach Kehl gebracht worden. Von dort aus hatte er sich dann zu seiner Familie in Grainau durchgeschlagen.

Ob nun die eine oder die andere Version zutrifft, ob am Ende beide oder keine stimmen – für uns war der Vater ein Held.

Die Baskenmütze, seine Tarnkappe, hat er wie einen Talisman gehütet und sein Leben lang getragen. Und immer, wenn ich später einem älteren Mann mit Baskenmütze begegnet bin, habe ich unwillkürlich Vertrauen zu ihm gefasst.

In meiner Phantasie hatte der Vater nicht nur ein paar Monate, sondern eine unendlich lange Zeit, mindestens mehrere Jahre in Gefangenschaft verbracht. So viel steht fest: Als er in dem französischen Lager in Perpignan gefangen war, konnte er nicht voraussehen, wie lange er dort würde ausharren müssen. An welchem Bild von seiner Frau hatte sich der Vater festgehalten, wenn er nachts in der Baracke lag und nicht wusste, wann und ob er jemals zu seiner Familie finden würde? Wenn seine Mitgefangenen sich zerdrückte kleine Schwarz-Weiß-Fotos von ihren Verlobten oder Frauen zeigten und sich erzählten, wie sie die Ihre, die Eine und die Reine, eines Tages in die Arme schließen würden? Welchen Traum von seiner Heimkehr hatte er? Die Kriegsgefangenschaft, die aus prügelnden Ehemännern, aus gefühllosen Soldaten, aus bestialischen Frauen- und Kindermördern romantische Ritter machte, die nur noch von ihrer treu wartenden Ehefrau oder Geliebten schwärmten, hatte dem Vater e i n e Illusion nicht gegönnt: dass sie auf ihn, auf ihn allein und keinen anderen wartete.

Eine riesige Literatur erzählt von der Verzweiflung der Heimkehrer, die nach unendlichen Strapazen zu Hause anlangten und dann in ihrem Ehebett einen anderen fanden. Teck – tock – teck – tock! ... Ein Mann kommt nach Deutschland! Eine derartige Entdeckung brauchte der Vater nicht zu fürchten, er wusste immer, dass seine Frau außer ihm noch einen anderen liebte – seinen besten Freund. Zwar konnte er darauf vertrauen, dass sie ihn bei seiner Rückkehr stürmisch in die Arme schließen würde – aber treu war sie ihm nicht. Er war sich klar darüber, dass seine Frau auch noch auf einen anderen wartete, und auf diesen anderen vielleicht sehnlicher als auf ihn.

Hat er diesen Gedanken von sich weggeschoben, ihn – wie es mit einem inzwischen handlichen und automatisch abgerufenen Fachwort heißt – »verdrängt«? Oder weckte der Gedanke an den Freund, von dem er annehmen konnte, dass er dank seiner Beziehungen nie an der Front gewesen war, gar keine feindlichen Gefühle in ihm? Warum hatte sich der Vater in seinen Briefen aus dem letzten Kriegsjahr immer wieder besorgt nach dem Schicksal von Andreas erkundigt? Hatte der Krieg in diesem kleinen Künstler-Club von Kriegsverächtern eine Großzügigkeit freigesetzt, die über Besitzansprüche, Eifersucht und Rachegefühle erhaben war? Vielleicht waren solche intimen Bindungen zwischen »Seelenverwandten« in den Kriegsjahren gar nicht so selten und so skandalös, wie es uns Heutigen erscheint. Wer jeden Tag den Tod vor Augen hat, entwickelt womöglich eine ganz andere Vorstellung vom Glück als die Friedensverwöhnten: den Wunsch, gemeinsam zu überleben oder auch gemeinsam zu sterben.

16

Ich weiß nicht mehr, wie lange der Vater nach seiner Heimkehr bei uns blieb. Jedenfalls blieb der Mutter nicht viel Zeit, ihn mit dem wenigen, das sie hatte und im Dorf auftreiben konnte, aufzupäppeln. Der Vater hatte sich kaum ausgeruht, da musste er schon wieder fort, um sich an einer Oper in einer der zertrümmerten Großstädte eine Anstellung als Kapellmeister zu verschaffen. Für uns Kinder war es nach dem Krieg kaum anders als im Krieg: Nur für ein paar Tage oder Wochen – meist zu Weihnachten und in den Sommerferien – bekamen wir den Vater zu sehen. Und jedes Mal, wenn wir ihn am Bahnhof in Grainau abholten, ergriff uns das Gefühl des Jubels, das wir erlebt hatten, als wir die Stiefel auf der Verandatreppe sahen. Jeder Besuch des Vaters war ein Feiertag, zu dem die Glocke der Dorfkirche hätte läuten sollen.

Einmal kamen wir zu spät zum Bahnhof. Der Zug, der ihn bringen sollte, war schon wieder abgefahren, als wir dort anlangten. Wir sahen den Vater uns entgegenkommen. Staub wirbelte vor ihm auf und löste die Gestalt in vibrierende Lichtpunkte auf. War der, der da im Gegenlicht auf uns zukam und so irritierend leuchtete, unser Vater? Nur die Baskenmütze auf dem Kopf machte mich sicher. Aber warum erwiderte er unsere Winke nicht? Erst als er näher kam, erkannte ich, dass er gar nicht winken konnte, da er in beiden Händen etwas trug: in der einen seine Ledertasche, in der anderen einen kupferfarbenen Eimer, der in der Sonne funkelte wie eine Monstranz.

Kaum hatte er jeden von uns begrüßt – Rainer, der Älteste, fehlte wieder, weil er im Internat war –, machten sich Hanna, Paul und ich am Deckel des Eimers zu schaffen. Sirup, erklärte uns der Vater, fünf Liter Sirup – für meinen Verstand eine Menge, die für das ganze Dorf gereicht hätte. Irgendwie hatte der Vater das klebrige süße Zeug, in das wir schon auf dem Heimweg unsere Finger tauchten, »organisiert« – das Wort bezeichnete in jenen Jahren alles, was schwer zu beschaffen und nur durch Beziehungen oder im Schutz der Dunkelheit zu erlangen war. Der Vater, das hatte er durch seine Flucht bewiesen, war ein Fachmann in dieser Disziplin, und wir lernten früh, es ihm nachzutun.

Im Sommer »organisierten« wir Kartoffeln oder »Fallobst«, wobei der Vater dem Obst beim Fallen nachhalf, indem er kräftig gegen den Stamm trat. Im Winter »sammelten« wir Holz zum Heizen, das man auch nur vom Boden auflesen konnte, wenn man es zuvor mithilfe eines Beils oder einer Säge in eine waagrechte Lage gebracht hatte. Zum »Organisieren« gehörte auch, dass einer Wache stand und rechtzeitig B A C H pfiff.

In den Sommerferien mieteten wir ein Ruderboot auf dem nahen Badersee, an dessen Ufern himmelhohe Bäume aus dem Wasser wuchsen. Ich hatte von einer verwunschenen splitternackten Seejungfrau gehört, die auf dem Grund des Sees lag. Nur vom Boot aus, wusste ich, konnte man die Seejungfrau entdecken und nur, wenn man ohne Ruderschlag über sie hinwegglitt – jede Welle in dem moosigen Wasser machte sie unsichtbar.

Nur einmal habe ich die Seejungfrau gesehen, wie sie, den wunderschönen Oberkörper auf den Ellbogen gestützt, den anderen Arm in die Höhe streckte, als warte sie auf einen Retter, der ihre Hand ergreifen würde. Der lange silbrig glänzende Fischschwanz unterhalb ihres Oberkörpers ruhte auf dem Grund des Sees. Tief beugte ich mich über den Bootsrand, senkte meinen Arm in das grüne Wasser, bis ich fast das Gleichgewicht verlor. Aber die Hand der Seejungfrau vermochte ich nicht zu erreichen.

Im Winter ging der Vater mit uns und einem Schlitten, auf den eigentlich nur ein Erwachsener mit einem Kind passte, rodeln. Der Vater war tollkühn, aber auch weichherzig; dem Jammern eines seiner Kinder konnte er nicht widerstehen. Wenn wir nur lange genug quengelten, setzte er ein zweites und auch ein drittes Kind vor sich auf den Schlitten und den kleinen Paul auf seine Schultern. Und schon raste die wacklige Familien-Pyramide den steilen Ziehweg hinunter; der Schnee stob uns in die Augen, und plötzlich war wie-

der dieses herrliche Sirren in meinen Ohren; die beschneiten Bäume links und rechts kippten wie getroffene Schießbuden-Figuren von uns weg, bis wir in
einer steilen Kehre das Gleichgewicht verloren und
übereinanderpurzelten.

Einmal hatte der Vater beim Bremsen einen Absatz
verloren. Und weil Schuhabsätze rar und schwer zu
ersetzen waren, liefen wir mit ihm den ganzen Weg
noch einmal zurück und suchten links und rechts der
Schlittenspuren nach dem Gummiteil. Wir fanden es
nicht und fühlten mit dem Vater, weil er den schlimmen Verlust zu Hause gestehen musste. Jeder von uns
wusste, dass er große Risiken mit uns einging, für die
ihn unsere Mutter vielleicht getadelt hätte, falls wir ihre Fragen über unsere Schlittenfahrt wahrheitsgemäß
beantwortet hätten. Wir liebten ihn für seinen Mut und
Leichtsinn und hielten dicht. Er war einer von uns, er
gehörte zur Bande.

Es gab die Zeit vor Weihnachten und die Zeit nach
Weihnachten. Das ganze Jahr bekam erst durch Weihnachten seinen Sinn. Von den Großeltern und Groß-
tanten kamen Päckchen, die von den Eltern allzu nach-
lässig versteckt wurden. Jeder von uns wusste, auf
welchem Schrank, in welcher Truhe welches Paket auf
ihn wartete. Ein paar Tage vor dem Fest gingen wir mit
dem Vater in den Zigeunerwald. Die Auswahl an gerade
gewachsenen kleinen Tannen mit dichtem Astbestand
und langen grünen Nadeln war riesig. Der Vater veran-

staltete einen Wettbewerb: Wer als Erster den schönsten, den einzig richtigen Weihnachtsbaum entdeckte, durfte ihn auch fällen. Anschließend hatte er dann Mühe, den Streit zwischen uns zu schlichten – wenn er auf uns gehört hätte, wären wir mit vier Weihnachtsbäumen nach Hause gekommen.

Zwei Stunden vor dem Auspacken der Weihnachtsgeschenke gingen Rainer und ich mit unseren Geigen – ich mit einer Halbgeige – in die kalte Dämmerung hinaus. Wir stellten uns vor den Türen von Häusern auf, deren Bewohner sich im Jahr zuvor »bewährt« hatten. Ohne zu klingeln, spielten wir zweistimmig das Repertoire, das wir beherrschten – Corelli, Händel und Vivaldi. Dann öffnete sich die eine oder andere Tür und eine Hand reichte etwas heraus: ein Stück Stollen, ein Stück Schokolade, einen Geldschein. Einmal fiedelten wir vor einem Bauernhaus, dessen Besitzer nach Meinung des Vaters Berge von Speck und Fleisch in seiner Speisekammer hortete. Noch vor dem Ende unseres Adagios, bei dem ich meiner klammen Finger wegen mehrmals patzte, öffnete sich die Tür. Aber statt uns mit einer Speckschwarte zu belohnen, schimpfte der Hausherr über die Katzenmusik und warf uns einen Holzschuh hinterher.

Auf dem Heimweg stritt ich mich mit Rainer: Mit einem bayrischen Jodler hätten wir wahrscheinlich mehr erreicht als mit einer Doppelsonate von Corelli. Vielleicht auch mit einem Schuhplattler! Ich zeigte meinem großen Bruder, was ich in dieser Disziplin gelernt hatte. Rainer, der bei den Regensburger Domspatzen sang, sah mich entgeistert an. Wie hatte es geschehen können, dass sein kleiner Bruder derart verbauert war?

Rainer kam nur in den Schulferien – manchmal auch erst nach den Feiertagen zu Weihnachten und Ostern, weil er im Chor der Domspatzen nicht fehlen durfte. Die Eltern redeten oft und mit großem Respekt über ihn – der Vater war stolz auf seine guten Noten und seine rasanten musikalischen Fortschritte. Rainer brachte die Erwachsenen zum Staunen, wenn er sich ans Klavier setzte. Aber er strahlte nicht, wenn er ihren Applaus entgegennahm. Der räumliche Abstand zur Familie hatte sich in den Jahren auch in eine emotionale Distanz übersetzt.

Ich habe meinen großen Bruder aus jenen Jahren als einen bewunderten und doch schüchternen Jungen in Erinnerung, der mich hinter seinen Brillengläsern von weit her ansah. Stundenlang konnte er am Klavier sitzen und sich in seinen Chopin-Etüden verlieren. Bei den Spielen mit den Nachbarskindern hielt er sich zurück.

Mehr als ein halbes Jahrhundert später erzählte mir Anderl, der Nachbarsjunge in den Nachkriegsjahren, er habe Rainer einmal gefragt, warum er denn, anders als seine Schwester Hanna, immer nur herumsitze und nicht mitmache. Ich kann nicht mit euch spielen, habe Rainer geantwortet, ich habe unter Toten gelegen.

Anderl schwor, dies seien Rainers Worte gewesen. Er habe den Satz in Erinnerung behalten, weil er ihm so seltsam vorgekommen sei.

Ob Rainer auf der Flucht etwas passiert war, worauf sich dieser Satz beziehen ließe, bleibt ungewiss. In ihren Briefen erwähnt die Mutter nichts dergleichen. Hunderttausende von Kriegskindern wissen nicht genau, was ihnen in jenen Jahren zugestoßen ist. Ereignisse, die nie zur Sprache kommen, sinken allmählich ins Vergessen. Und schließlich ist es, als hätten sie nie stattgefunden.

Die Mutter spürte, dass ihr Ältester nicht glücklich war, und machte sich Sorgen, dass er im Internat überfordert sei und seine Begabung ausgebeutet werde. In ihren Briefen an den Vater und die Schwiegermutter beschwert sie sich darüber, dass man aus Rainer ein Wunderkind mache und ihm viel zu schwierige Stücke einstudiere, *die der Junge wohl spielt, weil er hochbegabt ist, die aber letzten Endes eine seelische und geistige Belastung bedeuten. Ich war teilweise sehr traurig, als ich sah, wieviel von seiner Kindlichkeit weg ist, und daß er sich in einem gewissen inneren Kampf befindet – er ist dort – eben als eine Art Wunderkind – total isoliert und allein, und es dauerte fast 14 Tage, bis er wieder hier zu seinen Geschwistern Kontakt bekam. Und das Kind ist so rührend gut und hilfsbereit, daß ich manchmal heulen könnte.*

Sie entwickelt immer neue Ideen, in welchem anderen Internat Rainer besser aufgehoben wäre. Aber was Rainer wohl am meisten fehlte, war die Nähe zu seiner Mutter.

Bei Einbruch der Dunkelheit wurden die Kerzen angezündet, ein erwartungsvolles Frösteln lief uns über Rücken und Arme. Der Vater setzte sich ans Klavier und gab die Akkorde des ersten Weihnachtsliedes vor: »Es ist ein Ros entsprungen ...«. Mit einem schwungvollen Nicken, das seine rote Mähne in die Stirn fallen ließ, gab er den Einsatz für den Familienchor. Jedes Lied wurde erbarmungslos bis zum Ende der letzten Strophe abgesungen. Wenn eines von uns Kindern unsauber sang, gab er den richtigen Ton vor, indem er auf die entsprechende Taste einhämmerte, und ließ die ganze Strophe wiederholen.

Nach dem Programmpunkt »Weihnachtslieder« trat einer von uns vor den Weihnachtsbaum und sagte auswendig die Weihnachtsgeschichte aus dem Lukas-Evangelium auf. Bei den Worten »... und Frieden auf Erden« stürzten wir an die Gabentische und rissen die Päckchen auf, die mit unseren Namen bezeichnet waren. Beim Auspacken fanden wir Dinge, die sonst unerreichbar waren: Puppen und Kulissen für ein Puppentheater, ein Winter-Dirndl für Hanna, eine Tafel Schokolade, Schuhe und gestrickte lange Strümpfe, von denen wir wussten, dass sie furchtbar an den Beinen kratzten und an Strumpfhaltern getragen werden mussten. Gelassener, aber kaum weniger aufgeregt packten die Erwachsenen ihre Geschenke aus. Einen Riegel Butter, eine Flasche Rotwein, einen Briefumschlag mit Lebensmittelmarken, 100 Gramm Bohnenkaffee für die Mutter – erst ein Jahrzehnt später wurde das Wort Kaffee ohne die Vorsilben »Bohnen« ausgesprochen, weil es inzwischen nur noch Bohnenkaffee gab.

Einmal nahm der Vater meinen Schulfreund Matthias und mich auf die Empore der Dorfkirche mit, um die Toccata und Fuge in d-Moll seines Lieblingskomponisten auf der Orgel einzuüben. Nach seinen Anweisungen durften wir den einen oder anderen Perlmuttknopf über der Tastatur ziehen. Mit zunehmender Erregung spielte Matthias an den Knöpfen und registrierte, wie sich die Klänge aus den Orgelpfeifen in Flötenstimmen oder in einen schmetternden Trompetenchor verwandelten. Von seiner Macht berauscht, wollte er auch die Fußpedale ausprobieren. Da er die Pedale wegen der Kürze seiner Beine im Sitzen nicht erreichen konnte, sprang er wie ein Kobold auf ihnen hin und her. Der Vater hatte Mühe, den entfesselten Matthias zu bändigen und seinen Sitz an der Orgel wieder einzunehmen.

Der Pfarrer hatte den Vater eingeladen, seine Künste auf der Orgel zum Ausklang der Morgenandacht vorzuführen. Die katholische Gemeinde, die die gewaltige Musik des evangelischen Komponisten in ihrer Kirche noch nie vernommen hatte, hörte zu mit offenem Mund. Ein- oder zweimal trat der Vater auf das falsche Fußpedal, vielleicht, weil das richtige Pedal klemmte, vielleicht auch, weil er seine Füße zuletzt nur zum Davonlaufen aus Frankreich benutzt hatte. Matthias und ich waren begeistert. Wenn der Vater sich nach dem Konzert eine Soutane übergeworfen hätte, meinte Matthias, hätte ihm die Gemeinde sogar anschließend das evangelische Vaterunser nachgebetet.

Der große Hunger hat erst nach Kriegsende eingesetzt. Die Gespräche im Haus drehten sich meist um andere, um »höhere« Dinge, aber die Gedanken kreisten um die nächste Mahlzeit. Die Mutter hielt uns an, das Brot so lange zu kauen und im Mund zu behalten, bis es weich wie Spucke war. Trotzdem mussten wir das wenige, das uns zukam, teilen, wenn etwa Hannas Schulfreundin Ingrid zu Besuch kam. Ingrid kam, weil sie ein Einzelkind war und sich in der großen Geschwisterzahl in unserem Haus wohlfühlte, wohl auch, weil sie darauf vertrauen konnte, dass wir teilten, was wir hatten. Kau dieses Stückchen, wies meine Mutter Ingrid an, und zähle bis dreißig, bevor du den Bissen schluckst.

Und wenn du bis hundert zählst, versprach Hanna, wirst du schon vom Zählen satt!

Wenn die Mutter ausnahmsweise ein Stück Speck ergattert hatte, das die übliche Bratkartoffel-Mahlzeit in ein Festessen verwandelte, blickte jeder von uns auf die Teller der Geschwister und stellte Vergleiche an. Einmal wurde das Gefühl, dass ich weniger als die anderen auf dem Teller hatte, in mir so übermächtig, dass ich mich aus Protest unter dem Tisch verkroch. Dort blieb ich, bis ich von der Mutter hervorgezerrt und mit ein paar Ohrfeigen gezwungen wurde, meine Ration aufzuessen.

Die Mutter kochte Milchsuppe, Holundersuppe, Brennnesselsuppe und andere Suppen, deren Namen ich vergessen habe. Einmal ertappte ich sie in der Küche, als sie ein Stück Fleisch briet. Ich verwende das Wort »ertappen«, weil sie sich bei meinem Hereinkommen vor die Pfanne stellte, als tue sie etwas Verbotenes. Instinktiv verstand ich, dass sie dieses Stück für sich briet, für sich allein. Das Schnitzel in der Pfanne war viel zu klein, als dass man es unter vier Mäuler hätte aufteilen können.

Auf dem Heimweg von der Schule entdeckte ich in einem Garten einen Baum, an dessen Zweigen im Überfluss schwarz glänzende Beeren hingen. Sie sahen aus wie Holunderbeeren, aber sie waren dicker und fleischiger und funkelten in der Sonne. Ich kletterte über den Zaun und aß mich satt. Zu Hause fragte die Mutter, warum mein Mund und meine Finger schwarz seien. Die Tinte meines Füllers sei ausgelaufen, behauptete ich. Sie wollte meine Zunge sehen, und da ich die Zähne zusammenbiss, fuhr sie mir mit den Fingern in den Mund und zog meine Zunge heraus. Offenbar war sie so schwarz wie meine Finger, und weil die Mutter immer wütender wurde, erzählte ich ihr von dem Baum mit den schwarzen Beeren.

Als ich sie zu dem Baum geführt hatte, stieß sie einen Schrei aus, packte mich an der Hand und zog mich zum Haus von Doktor Krause, das in unserer Straße lag. Der Arzt wurde im Dorf der »Tropenarzt« genannt, weil er im Krieg in Afrika die schwer Verwundeten aus

Rommels Armee zusammengenäht hatte. Als sie dem Arzt sagte, was ich gegessen hatte, blickte der mich an, als wolle er mir gleich den Bauch aufschneiden. Stattdessen stopfte er einen Schlauch in meinen Mund und befahl mir, ihn zu schlucken. Während ich an dem Schlauch würgte und zu ersticken glaubte, sah ich, wie die ganze schwarze Herrlichkeit aus meinem Magen in kleinen, widerlichen Klumpen in den Glasbehälter am Schlauchende quoll.

In dem strengen Winter, der dem Sommer folgte, war ich an einer Katastrophe schuld. Die Mutter hatte mich mit einem Einkaufszettel ins Dorf geschickt. Auf dem Weg schneite es. Als ich im Kolonialwarenladen ankam, merkte ich, dass das Heft mit den Lebensmittelmarken nicht in meiner Einkaufstasche lag. Oder hatte ich es auf dem ganzen Weg in meinem Fausthandschuh festgehalten? Es vielleicht verloren, weil ich die Finger im Handschuh immer wieder aneinandergerieben hatte, damit sie nicht erfroren?

Die Augen starr auf den Boden gerichtet, lief ich den ganzen Weg zurück, den Spuren nach, die ich auf dem Hinweg im Schnee hinterlassen hatte. Weil es ununterbrochen weiterschneite, waren meine Spuren nur noch an den leicht erhöhten Rändern meiner Schuhabdrücke zu erkennen. Immer wieder schob ich den frischen Schnee zur Seite – und plötzlich entdeckte ich etwas, das dort im Schnee lag. Ich fand den Handschuh meiner linken Hand, den ich eben erst beim Tasten und Wühlen ausgezogen und im Schnee gelassen hatte.

Zwei Passanten, die mir entgegenkamen, blieben stehen und sahen mir zu.

Ob sie etwas auf dem Weg gefunden hätten, fragte ich.

Was denn, fragte die Frau, was hätten sie denn finden sollen?

Etwas Schmales, so groß wie ein kleines Schulheft!

Vielleicht ein Heft mit Lebensmittelmarken?

Ich biss mir auf Lippen und schüttelte den Kopf.

Mir liefen die Tränen über das Gesicht. Die Frau strich mir über meinen beschneiten Kopf, ich starrte auf ihre freie Hand und auf die Hände ihres Begleiters. Falls sie das Heft mit den Lebensmittelmarken gefunden hatten, hatten sie es längst in ihre Manteltaschen gesteckt. Als sie weitergingen, blickte ich zurück und sah, dass auch sie noch einmal stehen geblieben waren. Aber sie winkten mich nicht zu sich, sie schauten nur bedauernd zu, wie der Kleine mit Händen und Füßen im Schnee wühlte.

So leise wie möglich ging ich die Stufen zur Veranda hinauf und blieb auf der Schwelle stehen. Ich wagte nicht, die Tür zu öffnen. Aber die Mutter hatte mich gehört, streckte mir die Hand entgegen und zog mich ins warme Haus. Erst einmal brachte ich nichts heraus, als sie mir die leere Einkaufstasche abnahm und hineinschaute. Der gestammelte Satz, mit dem ich auf ihre Frage antwortete, ist vielleicht der längste meines Lebens gewesen. Als ich mein Geständnis wiederholte, weil sie nicht fassen konnte, was ich sagte, war ich auf die Höchststrafe gefasst – auf eine Tracht Prügel mit dem schlimmen, dem eisernen Teppichklopfer – und stimmte innerlich dieser Strafe zu. Nicht nur ich, die ganze Familie würde den Rest des Monats hungern müssen. Der Verlust eines Monatshefts war das Schlimmste, was passieren konnte.

Aber die Mutter ging nicht in die Besenkammer, sie holte nicht den eisernen Teppichklopfer, sie blickte mich nur an. Ich meinte zu sehen, wie sich ein Sturzbach von Beschimpfungen und Verwünschungen in ihr anstaute. Ich kannte ihre Wutausbrüche, sie konnte sich durchaus uns Kindern gegenüber gehen lassen und uns anschreien. Aber sie ließ kein Wort heraus. Sie nahm mich an der Hand und ging den ganzen Weg mit mir zurück.

Inzwischen war es fast dunkel, und im Schein der Taschenlampe konnten wir erkennen, dass der immer heftigere Schneefall auch die Ränder meiner Fußabdrücke eingeebnet hatte. Niemand außer uns lief mehr auf der Straße, und die im Nebel schwankenden gelben Lichter in den Häusern waren zu schwach, um uns zu erreichen. Vor meinen Augen dehnte sich eine weiße Fläche, die noch keines Menschen Fuß betreten hatte. Nur an den Schneehäubchen auf den dunklen Latten der Gartenzäune war die Richtung des Weges zu erkennen. Die Mutter sagte nichts, als wir mit schnellen Schritten, die Augen starr auf den Boden gerichtet, den Weg vor- und zurückgingen. Ein paar Mal drückte sie meine Hand, als wollte sie sie wärmen. Wir wuss-

ten beide, dass unsere Suche aussichtslos war. Ich spürte ihre Verzweiflung, aber als ich zu ihr aufblickte, lä-
chelte sie mich an, sie machte mir keinen Vorwurf. Mit
meiner Hand in der Hand der Mutter hätte ich eine
Ewigkeit so weiterlaufen mögen.

17

In den Nachkriegsjahren sind auch die Theaterleute, die nun keine Privilegien mehr genießen, mit Fragen des schieren Überlebens beschäftigt. Andreas hat inzwischen eine Anstellung als Regisseur an der Münchner Oper gefunden und auch den Vater dort als Dirigenten untergebracht. Linda ist als Kostümbildnerin beschäftigt – die »Kommune« hält auch nach dem Krieg zusammen. Die Mutter, die die Wiedervereinigung ihrer *drei geliebten Seelen* Linda, Heinrich und Andreas in München nur per Post und Telefon verfolgen kann, sitzt mit ihrer Kinderschar im ungeliebten Grainau fest.

Es gibt keine Nachrichten darüber, wie sich die Dinge zwischen Andreas und der Mutter im ersten Jahr nach dem Krieg entwickelt haben. Die beiden müssen sich gesehen und geschrieben haben, aber Andreas geht zunehmend auf Distanz. Offenbar hat er sich entschlossen, Ordnung in sein turbulentes Liebesleben zu bringen, und scheint sich ganz auf seine Nachkriegskarriere zu konzentrieren. Er sucht Abstand – jedenfalls zu der einen, der schwierigen Geliebten mit den vier Kindern, die ihn mit den Schwüren ihrer *bedingungslosen Liebe* zunehmend in Gewissensnöte bringt.

Dabei kommt ihm eine Berufung nach Hamburg zustatten, die Stadt ist 800 Kilometer von Grainau und Garmisch-Partenkirchen entfernt. Offenbar setzt er auf die Kräfte der räumlichen Distanz – es gehört nicht zu seinen Stärken, in Liebesdingen dramatische Entscheidungen zu treffen. Der Schreck, das Entsetzen seiner Geliebten über die weite Entfernung, die nun zwischen ihnen liegt, mag ihn überrascht haben, jedenfalls macht er keinen Versuch, sie zu beruhigen.

Hellwach für jedes Zeichen des immer drohenden, aber unvorstellbaren Endes, registriert die Mutter die Absetzbewegung des Geliebten. Es muss in diesen Monaten der Ungewissheit gewesen sein, dass sie sich mit anderen Männern zu trösten sucht. Darunter mit einem, für den die Mutter die große Liebe seines Lebens werden sollte. Er schreibt ihr all die hingebungsvollen Liebesbriefe, auf die sie von Andreas vergeblich gewartet hat, und er ist – aus der Sicht des Sohnes, der diese Briefe liest – ein »verzeihlicher« Liebhaber. Anders als das Genie Andreas, das neben seinen vielen Talenten leider auch das Mitgliedsbuch der NSDAP vorzuweisen hat, gehört Max zu den politisch Verfolgten.

Wahrscheinlich hat die Mutter Max im Haus Hirth kennengelernt. Das Haus Hirth war die einzige Adresse im Dorf, die ihren Ansprüchen auf städtische Kultur und einen gewissen Luxus genügte. Wie ein Irrläufer, den ein Südwind über die Alpen getragen hat, steht die Villa auf einem steilen Hügel am Fuß des Kramer. Das im italienischen Ocker gehaltene Haus mit seinen hell-grünen Fensterläden ist der einzige städtische Bau, den man sieht, wenn man von Garmisch aus nach Grainau fährt. Hoch über den Bauernhäusern, den weidenden Kühen und den Heuschobern auf den Talwiesen ge-legen, wirkt die Villa wie eine Fata Morgana.

Der erste Besitzer, ein wohlhabender Verleger aus München, hatte unterhalb der Villa in den Zwanziger-jahren ein großes Haus für seine Frau gebaut. Der Sohn hatte es mit seiner kunstsinnigen Gemahlin Johanna zu einem Gästehaus für ihren Freundeskreis und gut situierte Gäste umgebaut, die von weit her aus Deutsch-land und aus der angelsächsischen Welt kamen. Künst-ler wie Ernst Jünger, Wilhelm Furtwängler, Carl See-mann, aber auch Gelehrte, Politiker, Bankiers, adlige Gäste aus aller Welt, darunter Prinzessinnen und Fürs-ten, erholten sich dort und versprachen sich von ih-rem Aufenthalt, ihr Asthma, ihre Gicht und ihre Seelen in der Bergluft zu kurieren. Im Dritten Reich war das Gästehaus von den Nazis beschlagnahmt worden und diente deren Gattinnen und ihren prominenten Freun-den aus Frankreich, Italien und Rumänien als Refugi-um. Bei Kriegsende wurde es von der amerikanischen Armee beschlagnahmt.

Im Zuge einer Goodwill-Aktion luden die Amerikaner einheimische Kinder dorthin zu einer Weihnachtsfeier ein. Auch die Mutter und ihr Anhang fehlten nicht. So gut sie konnten, summten die Dorfkinder nie gehör-te Weihnachtslieder wie »Jingle Bells« mit, die Eltern hielten sich ratlos den herumgereichten englischen Text vor die Augen. Die anderen Weihnachtslieder, die die Amerikaner anstimmten, waren uns Ton für Ton bekannt; es waren samt und sonders deutsche Lieder. Schüchtern erst, dann immer lauter überdröhnten die Grainauer Kinder die amerikanischen Offiziere mit dem deutschen Text.

Die Verwirrung erreichte ihren Höhepunkt, als ein bärtiger Kerl mit Bommelmütze große braune Papptüten verteilte. Der Kerl sprach Englisch, hieß Santa Claus, obwohl er wie ein Weihnachtsmann aussah, und hatte offenbar das richtige Datum für sein Erscheinen am 6. Dezember verpasst. Da in den Tüten jedoch Köstlichkeiten wie Orangen, Mandarinen, Kakao und Schokolade steckten, fanden sich die Einheimischen mit dieser Zeitverschiebung ab und griffen zu.

Dank seiner angelsächsischen Kundschaft wurden das Gästehaus Hirth und auch die Villa bald den ursprünglichen Besitzern zurückgegeben.

Für die Mutter ist das Haus Hirth ein Refugium, ein Ort der Erholung und des geistigen Austauschs, in dem sie das Flirren und die mondäne Atmosphäre wiederfindet, die sie zuletzt in Königsberg genossen hat. Sie fiebert den Hauskonzerten und Vorträgen im Haus Hirth entgegen, zu denen nur Auserwählte geladen werden. Dort kann sie Gespräche führen, die sich nicht in der Frage nach dem Wohlergehen der Kinder erschöpfen. Einmal hört sie dort eine Gigue von Johann Sebastian Bach, gespielt von Carl Seemann, einem

Freund aus Vorkriegszeiten. Wochenlang zehrt sie von diesem Erlebnis. Die Unbestechlichkeit, die Absolutheit und hinreißende Zärtlichkeit dieser Musik, schreibt sie an Andreas, habe sie vollkommen überwältigt. Sie habe wieder gespürt, wie verwandt sich alle wirklich großen Dinge seien. *Wenn die Seele — kraft großer, starker Erfüllungen — ihre Schale verlasse, sich mitreißen und erhöhen lasse, dann sei der erreichte Zustand jedem anderen Glücksgefühl ähnlich, gleichviel, ob der Anlass dazu ein starkes künstlerisches Erlebnis sei oder ein ganz persönliches. Und so entstünden wohl diese seltsamen, fast unentwirrbaren Verbindungen, die ein liebendes Herz herstellt zwischen dem, den es liebt, und allem Schönen, Erhabenen dieser Erde, das ihm irgendwie faßbar ist.*

Der neue Liebhaber Max schreibt Briefe, wie jeder Sohn sie seiner Mutter, wenn sie denn dem Vater ihrer Kinder aus welchen Gründen immer untreu werden muss, nur wünschen kann. Wie alle Briefe, die im besetzten Deutschland hin- und hergehen, werden sie von der amerikanischen Zensurbehörde gelesen und abgestempelt.

Der zweite Tag. Den ganzen Tag liege ich draußen auf dem Liegestuhl. Träumend. Schlafend. Ich habe nur einen Gedanken, der mich unablässig bewegt, du! Ich sehe dich dort, so nahe und so weit fort, wie durch einen Kontinent getrennt. Wie ist das nur möglich? Wie kann man sich so etwas auferlegen? Mir ist so, als wären wir überfallen worden. Als hätten sich wildfremde Menschen unserer bemächtigt und uns unter ihren Willen ge-

zwungen. Ich habe etwas Derartiges noch nicht erlebt. *Wie konnten wir uns das nur antun?* Ich bin heute morgen um 5 Uhr zur Ruhe gekommen und um 7 Uhr war ich schon wieder auf. Und immer war ich bei dir. *Diesen Zustand habe ich noch nie kennengelernt. Ich spreche zu Hause nur das Notwendigste. Und ich sehe, daß meine Frau entsetzlich leidet.* Um 8½ spätestens bin ich in meinem Zimmer und fast immer, wie schon vorher, um 9 Uhr im Bett. Ich bin krank und ich weiß, daß nur deine Gegenwart mich heilen kann. Ich sehne mich nach dir mit einer Leidenschaft, die mich vollkommen unterworfen hat. *Die Liebe eines jungen Mannes ist wie ein Sturzbach. Ein Fall und danach ist alles wieder eben und glatt. Die Liebe eines Mannes ist wie ein Strom, gewaltig und alles zerbrechend in seiner Gewalt. Die Liebe eines älteren Mannes aber ist wie das Feuer der Unterwelt. Wie der Hades. Wer sich der Liebe hingibt, verbrennt, geht unter. Und seine Seele irrt umher wie ein verlorenes Kind.* Ich bin oft nicht mehr meiner Sinne mächtig. Und nur deine Kinder sind der Schutz, der dich unablässig umgibt. *Du bist mir alles. Alles, der Anfang und das Ende. Wenn ich deinen Körper umfangen halte, bin ich losgelöst von allem, was es an Bösem und Schlechtem in der Welt gibt. Ich habe dich unsagbar lieb. Und der letzte Gedanke wird immer nur dein Name sein.*

Max war als politischer Häftling in den Moorlagern im Emsland inhaftiert gewesen. Dorthin verbrachten die Nazis ihre politischen Feinde, auch den bekanntesten unter ihnen, Carl von Ossietzky. Nur weil Mithäftlinge den sterbenden Max entdeckten und ihn aufpäppelten, überlebte er, schwer gezeichnet, die Haft. Und die Mutter, die in ihrer Verlassenheit unter Depressionen leidet, wird in Max so etwas wie einen Bruder erkannt haben.

Die Hirths haben die neue Liaison, die unter ihren Augen zustande kam, offenbar nach Kräften zu verhindern versucht. Empört vermerkt Max, dass die Gastgeber die Bedeutung der Anziehung zwischen ihm und der Mutter nicht verstünden.

Wüßten die Menschen doch, was sie uns antun! Ahnten selbst die Hirths, was sie von mir, von uns verlangen? Sie kämen zu uns und bäten uns, uns wiederzusehen, beieinander zu sein. So halten sie das Ganze für einen Flirt, der vorübergeht. Für ein Spiel. Für das Funkeln eines Sonnenscheins. Für das Blühen eines Baums, der weiß, daß er seine Blüten morgen wieder abgeben muß. Für den Mondschein in mondklarer Nacht, der zwangsläufig der Helligkeit wieder weichen muß. Für den Schrei eines Vogels. Für das Getöse des Windes, das nach Kurzem einer vollkommenen Stille weichen muß. Sie ahnen es nicht, was in mir vorgeht. Sie wissen nicht, daß ich verbrenne bei lebendem Leibe.

Der Empfängerin dieser Liebesschwüre kann es nicht entgangen sein, dass sie von Max Briefe erhielt, die in ihrem Überschwang, in ihrer vollständigen Preisgabe jenen Briefen ähneln, die sie an Andreas geschrieben hat. Max verzehrt sich nach ihr, er bestürmt sie mit derselben Rückhaltlosigkeit, mit der sie ihren Andreas verstört. Aber Mitgefühl, gar Erbarmen haben in der heroischen Idee der Mutter von einer großen Liebe nicht viel zu suchen. Es gibt keinen Hinweis darauf, dass sie die Hingabe von Max mit gleichem Feuer erwidert hätte.

Ich vermute, dass sie sich dem fünfzehn Jahre älteren Max in einer Aufwallung von Bewunderung und romantischem Mitgefühl hingegeben hat. Dass sie sich mit dem Leiden dieses Verfolgten identifizierte und ihm ihre Liebe schenkte, so wie andere, besser Gestellte wie die Hirths, Geld oder Lebensmittel vergaben – als ein Zeichen der Teilnahme, des Trostes, als eine Botschaft: Ich sehe dich, ich fühle deine Not, ich schenke dir diese Nacht als ein Zeichen dafür, dass du wieder unter Menschen bist und wahrgenommen wirst. Ihre Leidenschaft jedoch gehörte immer noch dem anderen, der ihr nicht einen einzigen Halbsatz jener Beteuerungen gönnte, mit denen Max sie überschüttete.

Max' Liebe zur Mutter ist nur ein kurzes Leben beschieden. Er meldet sich noch ein paar Mal in den folgenden Monaten, aber sein Ton wird nüchterner, ist geprägt von familiären Auseinandersetzungen und den Sorgen des alltäglichen Überlebens. Diese Sorgen, schreibt er, seien für einen politisch Verfolgten nicht weniger drängend als für irgendeinen Nazi oder Mitläufer. Max hat – ebenso wie die Mutter – eine Familie und sorgt sich um sie. Er findet keinen Ausweg aus dem Tumult in seinem Herzen.

Seine Tochter Franziska wurde eine bedeutende Malerin und hat ihrem Vater in ihren Prosa-Skizzen »Orangen auf dem Gefängnishof« ein bewegendes Denkmal gesetzt. Bruchstückhaft, in lakonischen Bildern, gibt

sie die Leidensgeschichte ihres Vaters in den Moorlagern und Steinbrüchen im Emsland wieder. Wie er
als schon Totgeglaubter von einem Mithäftling vor
dem Verscharrtwerden bewahrt und beim morgendli-
chen Appell vor dem Umfallen gestützt wird. Was er
seinen Kindern vom Weihnachtsfest im Moorlager erzählt hat: Die Nazi-Schergen hatten einige Leidensge-
nossen von ihm an vorher aufgestellten Weihnachtsbäumen aufgehängt und dann die Bäume angezündet.
Sie hatten dabei zugesehen, wie diese Häftlinge verbrannten. Sie schildert, wie ihr Vater nach der Entlassung aus der Haft mit grauer Haut und kahl geschore-
nem Kopf nach Hause kehrt.

Am Ende hat sich Max ein feines, scharfes Messer in
die Brust gestoßen.

Es ist möglich, dass die Mutter von Max' Tod gar nichts
mitbekommen hat. Oder sie hat davon erfahren und
sein Ende unter Tränen abgehakt. Fast jede Woche treffen in diesen Jahren Unheilsbotschaften ein, für die
nur ein eng bemessenes Quantum von Trauer übrig ist.

18

Völlig unvorbereitet erhält die Mutter im Herbst 1946 einen Brief von Andreas, der sie fast umbringt.

Vieles ist zerbrochen, das meiste an Unverstand, Ungeduld, Eifersucht, das gilt auch zum Teil für dich.

Es ist die erste deutliche Absage von Andreas, eine Art Kündigung. Die Mutter antwortet ihm sofort.

Lieber — Ich denke darüber nach, was du wohl meinst. Daß mein Gefühl für dich nicht zerbrochen ist, weißt du. So kann es nur in deinem einen Sprung gegeben haben. Ist es so? Und das sagst du mir erst jetzt? Was für eine Art von Geduld er sich denn wünsche, fragt sie ihn, etwa eine, wie Linda sie habe, die ihr Gefühl — sehr utilitaristisch — je nach Bedarf dasein lassen und vergessen kann? *Dazu bin ich nicht fähig. Distanzieren kann mich nur sehr, sehr viel Schmerz. Ob er zerbrechen kann, was nicht dich findet? Ich glaube kaum.*

Sie versucht ihm ihre Ungeduld zu erklären, verlangt Verständnis für ihr Drängen. *Entschuldigt es mich gar nicht, daß ich von den 5 Jahren, die ich dich nun kenne, 4 Jahre Nichtstun, gewartet habe, meist umsonst — immer auf dich? Ich hoffte auf die Gefahren des Krieges, ich hoffte auf sein Ende, ich hoffte auf die räumliche Nähe mit dir, der du in München warst — immer wieder, in jeder Lebenslage suchte sich das Herz* eine Zukunft, einen Sinn für dein Leben. *Und wenn es keinen gab, erfand es sich einen.*

Sie schließt den Brief mit einem für sie ganz untypischen Rückzug. Er solle sich Zeit und Gedanken nehmen für sein ruheloses Herz und gesund bleiben. Mit ihr selbst habe es keine Eile – er möge ihr einmal antworten, wenn er Zeit dafür finde. *Es wartet weiter – deine Ungeduldige.*

Andreas nimmt das Angebot, sich Zeit zu nehmen, wieder einmal wörtlich. Vergeblich wartet die Mutter auf eine Antwort. Da Andreas zur Wiederaufnahme einer Premiere noch einmal nach München kommt, nimmt sie die Gelegenheit wahr, ihn zu sehen. Obwohl sie wieder Unterleibsbeschwerden hat, setzt sie sich in den Zug und überlässt die Kinder ihrer Haushaltshilfe Tilla. So treffen denn die Protagonisten der »Kommune«, die in den Träumen der beiden Freundinnen das Kriegsende eigentlich an der französischen Riviera erleben sollten, in München zusammen.

Die Begegnung wird zum Albtraum. Die Mutter ist in Heinrichs kleiner Münchner Wohnung abgestiegen und erwartet dort Andreas, den sie ein Jahr lang nicht gesehen hat. Aber statt des Geliebten erscheint Linda in der Wohnung, um ihr eine Botschaft von Andreas zu überbringen. Er hat beschlossen – was seinem Brief nicht zu entnehmen war –, mit der Mutter Schluss zu machen, er will sie jetzt nicht einmal mehr sehen. Und zur Überbringerin dieser Botschaft hat er ausgerechnet ihre Busenfreundin erkoren

Linda bricht ihrerseits in Schluchzen aus, als sie ihren Auftrag erledigt hat, die beiden Frauen fallen sich in die Arme. *So weint denn schließlich alles,* schreibt die Mutter an Tilla, die sie in ihrer Verzweiflung zur Vertrauten macht. Ausgerechnet von ihrer Freundin die Beendigung ihres Verhältnisses mit Andreas zu erfahren, sei viel unbarmherziger, als wenn sie dies von ihm selbst gehört hätte.

Vergeblich sucht sie Halt bei Linda. Sie kann den Verdacht nicht unterdrücken, dass ihre Freundin die Nutznießerin dieser Trennung ist und Andreas' Worte irgendwie entstellt und verschärft hat. Sie sucht sich ihre Trauer durch die Empörung über die Art und Weise der Trennung vom Leib zu halten. Wenn Andreas ihr seine Entscheidung wenigstens selber ins Gesicht gesagt hätte! Aber war er in der Liebe nicht immer ein Feigling gewesen?

Heinrich übernimmt es, seine in Tränen aufgelöste Frau ins Krankenhaus nach Garmisch zu begleiten. Die Fahrt dorthin, berichtet sie Tilla, ist endlos, immer wieder hält der Zug. In der Klinik wird ihr ein Dreibettzimmer zugewiesen, vergeblich versucht Heinrich, ihr ein Einzelzimmer zu verschaffen. Nachts liegt sie wach, findet trotz Schlaftabletten keine Ruhe. In ihrem wunden Zustand sind ihr die beiden anderen Patientinnen, die sie auf Bayrisch begrüßt haben, unerträglich. *Die eine schnarcht, die andere geht ständig auf den Topf.*

Der Zwang, an den primitivsten Lebensäußerungen dieser fremden Menschen teilnehmen zu müssen, stürzt sie noch tiefer in Verzweiflung. In ihrem Überwachsein kreisen ihre Gedanken um Andreas und den brutalen Abschied. In ihrem Kopf formen sich Anklagen, Hilferufe, Zornesausbrüche, einiges kritzelt sie auf Papier. *Niemand wird dir einen Vorwurf daraus machen, daß du nicht lieben kannst. ... Ein echtes Gefühl muß man leben lassen, man kann es nicht an einem Tag wünschen und am nächsten Tag als störend empfinden. ... Dann entschließe dich zu völligem Alleinsein.*

In den Wochen und Monaten nach ihrem Besuch in München nimmt die Mutter es auf sich, das bisher Undenkbare und Unfühlbare wahr zu machen. Sie beginnt damit, sich von Andreas zu lösen.

Sie zwingt sich, nicht mehr an ihn zu denken, nicht mit ihm zu sprechen und vor allem, ihm nicht mehr zu schreiben. Tagsüber verteidigt sie sich gegen ihre Leidenschaft; versucht, das Gebirge ihrer Hoffnungen abzubauen, sich über die Realität ihrer Liebe klar zu werden. Ihre Enttäuschung verwandelt sich in Zorn über ihre Enttäuschung, über das Getäuscht-worden-Sein durch den Geliebten, am Ende auch über das ambivalente Spiel ihrer Freundin Linda. In ihren nächtlichen Träumen jedoch und ihren Briefentwürfen bleibt sie an Andreas gebunden.

Nach Andreas' Rückzug in München hat Linda, als wäre nichts gewesen, für das Wochenende ihren Besuch in Grainau angekündigt. Sie versuche, schreibt sie ganz unbefangen, Andreas auf diese Reise mitzuschleifen. Leider sei der trotz aller Überredungskünste nicht zu bewegen, sie zu begleiten.

Die Mutter ist empört. Erkennt Linda denn gar nicht, beschwert sie sich bei Andreas, welche Entwürdigung in dieser Formulierung liegt? Ist ihr über ihrem neuen Liebesglück die Fähigkeit abhandengekommen, sich in die Lage ihrer verlassenen Freundin zu versetzen? Und Andreas selbst? Was kann er denn noch gegen sie haben, nachdem er ihr auf so rüde Weise den Abschied gegeben und ihr danach weder einen Anruf noch einen Brief gegönnt hat? Will er sie nun auch noch von Linda abschneiden? Hat sie nicht ein Recht darauf, als Freundin am Glück der beiden teilzunehmen – denn wie viel Not hat sie mit ihnen schon geteilt?!

Es war immer ein Dreieck, wenn auch ich selbst meist unsichtbar blieb. Ich trug und trage mit an Lindas Bindung zu dir. Es geht nicht, daß sie und ich in einem nahen, liebevollen Verhältnis zueinander stehen, das ja über dich geht – und du lehnst mich ab. Linda liebt dich – sie liebt und braucht auch mich. Deine Ablehnung macht sie unsicher, quält sie, sie greift zum billigsten diplomatischen Mittel, zum leeren belanglosen Wort, und zwingt mich damit zur Abwehr. Wissen wir nicht alle viel zuviel voneinander, um immer wieder den einen an den anderen zu verraten?

Warum das Urteil nicht aussprechen, zu dem sie sich durchgerungen hat:

Du willst nur das Echo, du willst nicht die Gegenkraft. Du willst nicht die ehrliche Freundschaft, die im Gegenüber liegt. Dabei habe sie gedacht, sie könnte ihm dieser Freund werden – nun da die Leidenschaft besiegt und das Nahe-Sein geblieben sei.

Glaubst du, soviel geweinte Gedanken um ein Menschenherz ließen dies vergessen? – Wie du willst! Wenn du es nicht erträgst, daß ich mich rettete, dann wollen wir uns nicht mehr sehen. Weißt du eigentlich, daß ich zugrunde gegangen wäre an der Bindung zu dir – ich war nicht umsonst im letzten Jahr vier Monate krank, weil meine liebenden Kräfte ins Nichts gestoßen waren – , wenn mir nicht durch eines Menschen zärtliche Hände die Gegenkraft erwachsen wäre, die mich auffing? Solltest du nicht froh darüber sein, daß dir die Belastung eines zerstörten Lebens erspart blieb? Und solltest du nicht jemandem dankbar sein, der es mir ermöglicht hat, jenen Abstand zu dir zu finden, den du dir jahrelang von mir gewünscht hast? Und ich hoffte, er könnte dir zum Freund werden. Was tust du aber? Schmeißt Tor und Türen zu – ohne Stellungnahme. Weißt du, was ich manchmal mit dir tun möchte? Am liebsten hätte ich es an deinem Geburtstag getan, den ich nicht vergaß, sondern an dem ich – traditionsgemäß – deiner im Traum gedachte: Ohrfeigen möchte ich dich, rechts und links – den Herrn Operndirektor in seinem Papststuhl, der die, die ihn liebhaben, mit Dreck beschmeißt! So, jetzt ist mir bedeutend wohler!

Falls Andreas diesen Brief bekommen hat, mag er eher erleichtert gewesen sein als betroffen. Eine zornige Verlassene weckt nicht so leicht Schuldgefühle wie eine Verzweifelte, die sich an ihren Liebhaber klammert.

Aber er glaubt ihr nicht ganz, dass sie ihre Bindung an ihn *überwunden* habe. Und er kennt die Radikalität der Mutter, er sieht voraus, dass ihn bei einem Besuch in Grainau nur Vorwürfe und schmerzliche Szenen erwarten würden. Was für eine Energieverschwendung, mag Andreas sich gesagt haben. Warum sollte er sich solchen aufwühlenden Auseinandersetzungen stellen, nun, da alles entschieden ist? Er will nicht nur, er muss arbeitsfähig bleiben! Wenn er schon ein Ekel ist – in einem Brief an die Mutter hat er einmal diesen Titel für sich vorgeschlagen –, ein Masochist ist er nicht.

Mit ihrer letzten Kraft sucht die Mutter, ihre neue Rolle in dem Dreieck zu bestimmen. Es will ihr nicht in den Kopf, dass Andreas von ihrem Freundschafts-Angebot nichts wissen will und sich wieder einmal tot stellt. *Oh liebe Eitelkeit,* schreibt sie Heinrich. *Er verträgt nicht den geringsten Einwand, sondern nur die totale Anerkennung und Bewunderung. Ich bin traurig, dass er so klein ist.* Offenbar komme Andreas nicht damit zurecht, dass sie ihn überwunden habe. Sie hält es sogar für möglich, dass er ein schon sicher geglaubtes Engagement ihres Mannes hintertrieben habe. Ganz nach Tyrannenart: Wenn mir deine Frau nicht mehr hörig ist, jage ich euch beide aus meinem Schloss!

Sie erschrickt, als Linda ihr sagt, dass sie ein Kind von Andreas will. Sie kämpft ihren Schmerz nieder und nimmt sich vor, der Freundin bei dem Schicksal zu helfen, das auch ihr unweigerlich bevorsteht. Denn darin ist sich die Mutter sicher: So unvermittelt, wie der kalte Prinz sie verstoßen hat, wird er auch Linda in die Wüste schicken und ihre Gefühle ebenso mit Füßen treten wie die ihren.

Zu diesem Zeitpunkt kann die Mutter noch nicht wissen, wie nahe sie der Wahrheit mit ihren Zweifeln an Lindas Zukunft mit Andreas kommt. Sie kennt den Brief nicht, den Andreas – ausdrücklich im Vertrauen auf die Diskretion seines Freundes – an Heinrich schreibt. *Ein offenes Wort nur an dich*, heißt es dort. Zur Premiere von »Barbier von Sevilla« sei Linda nach Hamburg gekommen. Offenbar sei sie von Andreas' Regie, von dem Improvisorium des Opernhauses und von der ganzen Stadt derart begeistert, dass sie die Absicht habe, ihre Zelte in München abzubrechen und nach Hamburg umzuziehen. Er, Andreas, wolle Heinrich nur sagen, dass er Linda nicht im Geringsten zu diesem Schritt ermuntert habe. Vielmehr habe er sie wiederholt und eindringlich gebeten, von ihren Plänen Abstand zu nehmen.

Andreas schließt den Brief an Heinrich mit einer rätselhaften Wendung. *Warum ich dir das alles sage? Ich glaube, du weißt es. Es liegt mir fern, dir eine naheliegende Hilfe auch nur im Geringsten zu erschweren.*

Es bleibt offen, worauf Andreas mit den letzten Sätzen dieses Briefes hinauswill. Wollte er Heinrich damit sagen, dass er auf keinen Fall gewillt sei, sich auf Lindas Avancen einzulassen und damit einen Keil zwischen die beiden Freundinnen zu treiben? Oder spielt er auf eine Beziehung zwischen Linda und dem Vater an?

Offenbar hat sich Linda weder von Andreas noch von ihrer Freundin von ihren Hoffnungen abbringen lassen. Schmerzlich wird der Mutter klar, dass sie mit ihrer Freundin nicht mehr offen reden kann. Linda hält plötzlich Abstand zu ihr, weil es Andreas tut. *Oh diese labilen Geschöpfe*, schreibt sie an Heinrich, *die heute nicht mehr wissen, was sie gestern sagten.* Aber wenigstens Andreas muss und will sie mit der Wahrheit konfrontieren. In immer neuen Anläufen hat sie sich zu einer Bilanz durchgerungen. Das Scheitern ihrer Liebe ist kein persönliches Schicksal, das sich aus einer ungünstigen Konstellation ergeben hat, aus dem Zeitmangel eines überbeschäftigten Regisseurs und den Bindungen einer vierfachen Mutter an ihre Kinder. Es hat nichts mit irgendwelchen äußeren Umständen zu tun, nichts mit dem Krieg, nichts mit der Entfernung, nichts mit verspäteten oder ausfallenden Zügen, auch nichts, wie er einmal angedeutet hat, mit einer gewissen Distanz zu ihrem Typ. Dieses Scheitern ist in ihm selbst begründet und wird sich unweigerlich mit jeder anderen Geliebten wiederholen. Was sie früher nachsichtig *die Schwankungen seines Charakters* genannt hat, seine Unfähigkeit sich festzulegen, seine Weigerung, der Geliebten nach einer hastigen Liebesstunde ein Zeichen der Verbundenheit zukommen zu lassen, sind nicht irgendwelche Nebensächlichkeiten − es ist die Hauptsache. *Niemand wird dir einen Vorwurf machen, daß du die Spannungen deines*

Gefühls nicht halten kannst. Aber deine Forderung an den anderen, sein Gefühl zu reduzieren oder es auf Hochtouren laufen zu lassen, je nach dem Stand deiner eigenen Spannungen, ist so unmenschlich, daß sie dir keine Frau der Welt erfüllen kann. Ein echtes Gefühl kann man nicht am einen Tag wünschen, um es am anderen als störend zu empfinden. Das ist eine seelische Vergewaltigung und ein Mangel an Ehrfurcht vor der innersten Substanz der Frau. Wenn du diese Ehrfurcht nicht endlich einmal lernen kannst, dann entschließe dich zum völligen Alleinsein. Deine Frau weint – auch Linda weint. Von mir verlangst du Resignation, – und in einem halben Jahr wünschst du sie dir von Linda – soll das so weitergehen? Die menschlichen Verwirrungen und Traurigkeiten, die deine Labilität auslöst, lassen sich nicht verantworten – auch nicht damit, daß deine Arbeit reiche Früchte trägt. Ich glaube nicht, daß Gott sich auf solche Schuldabbuchung einläßt. Auch du hast kein Recht, Menschenleben an dich zu binden, ohne je dabei an einen ernsthaften Einsatz deinerseits zu denken. Sieh Linda an: Du bindest sie so sehr an dich, daß ihr alle natürlichsten Wünsche nach Ehe, nach einem Kind dadurch für immer verbaut sind. Willst du dich nicht einmal irgendwo zum »Verlieren« entschließen, damit du anderswo gewinnst? Denn sonst ist eines Tages alles verloren. Keinem würde deine völlige Ehrlichkeit so weh tun wie das, was du tust: die Dinge offen halten, ruhen lassen. Das hat alles einmal ein Ende.

Endlich!, ruft der Sohn, der diese Zeilen liest. Wie lange mussten alle, die als unwissende Beteiligte die Wirkungen des Liebesdramas zu erdulden hatten, auf diesen Schlussstrich warten!

Es ist, als würden hundert eng beschriebene, meist unter Qualen verfasste Briefseiten an dieser Stelle in einem großen Ausatmen enden und ein neues Kapitel im Leben der Mutter ankündigen, ein Kapitel ohne Andreas. Und wenn sie noch so viele Liebhaber brauchte, um sich von der unseligen Fixierung an Andreas und seine raren Liebes-Sprechstunden zu lösen – endlich ist sie frei!

Es brauchte Monate und viel Vor- und Zurückblättern in den Briefen, bis ich erkannte, dass dieser befreiende Brief wahrscheinlich nie abgeschickt worden ist. Es handelt sich um einen unvollendeten Entwurf. Ob die Mutter ihn je »ins Reine« geschrieben und der Post übergeben hat, bleibt ungewiss.

19

Ich kann nicht sagen, an welchem Punkt Hanna und ich der Mutter endgültig entglitten und zu Willi und dem Erzengel übergelaufen sind. Es war keine bewusste Entscheidung, sondern ein schleichender Machtwechsel. Hanna war elf Jahre alt, ich drei Jahre jünger. Irgendwie haben wir gespürt, dass die Mutter einer fremden Macht verfallen war, und legten unser Schicksal in die Hände des Erzengels und seines selbst ernannten Stellvertreters. Und vielleicht kündigten wir der Mutter unseren Gehorsam ausgerechnet in der Zeit auf, als sie sich von der anderen Macht, der sie gehorchte, zu lösen versuchte.

Als sie merkte, dass Hanna und ich nicht mehr auf sie hörten, war es zu spät.

Für den Namenstag des heiligen Michael hatte Willi sich von mir ein besonderes Geschenk erbeten. Der Erzengel habe, sagte Willi, Gefallen an dem Hirsch aus Elfenbein gefunden, der das Mittelstück meiner Hosenträger schmückte. Solche Abzeichen gebe es im Himmel nicht.

Geschnitzte Hirschembleme trugen damals viele Jungen im Dorf, aber kein Hirsch war so weiß und trug ein so mächtiges, perfekt gearbeitetes Zwölfender-Geweih wie der meine. Wie denn der Engel, fragte ich Willi, auf den Hirsch auf meinem Hosenträger aufmerksam geworden sei, er habe mich doch nie besucht.

Der Engel sei schon oft in meiner Nähe gewesen, erwiderte Willi, ich habe ihn nur nicht sehen können, da er ein Lichtwesen sei. Ob es mir in letzter Zeit nicht manchmal vor den Augen geflimmert habe, sodass ich die Augen hätte schließen müssen, um nicht geblendet zu werden? Das sei der Erzengel Michael gewesen.

Ich kämpfte gegen Tränen der Wut. Den Hirsch könne er nun wirklich nicht von mir verlangen, sagte ich, der sei ein Wertstück, mehr wert als das Haus, in dem wir wohnten, mehr wert als das Haus von Willis Vater, mehr wert als alle Häuser in der Alpspitzstraße, außerdem gehöre der Hirsch gar nicht mir, sondern meinem Großvater.

Schade, sagte Willi. Dann wird es wohl nichts werden mit dem Fliegen.

Er habe für den Namenstag des Engels ein Treffen verabredet, aber das werde er nun wohl absagen müssen. Wo denn? An der Madonna unter dem Bärenwald! Punkt sieben Uhr früh!

Nachts löste ich beim Licht einer Taschenlampe mit einem scharfen Messer das runde Hirschmedaillon von meinem Hosenträger. Erschrocken starrte ich auf das kahle Oval, das auf dem Leder zurückblieb. Darin war immer noch der Umriss eines Hirschs zu sehen, ich meinte sogar, den Schatten seiner Beine und des Geweihs zu erkennen. Ich rieb das Bruststück mit Schuhcreme ein, doch der Schatten blieb.

Am Namenstag des Erzengels, am 29. September, schlich ich mich aus dem Haus; die Mutter und meine Geschwister schliefen noch. Ich hastete an der Dorfkirche und der Schule vorbei und weiter hinauf zu den steilen Hügeln unter dem Bärenwald. Ich nahm nicht den Serpentinenweg, auf dem Willi und ich die Mutter auf ihrem Spaziergang mit dem Gast aus Berlin beobachtet hatten, ich stieg die Hügel senkrecht hinauf. Die Erwartung, dass ich bald, ja schon in wenigen Minuten fliegen würde, trug mich aufwärts. Die Felder und Häuser im Tal lagen noch unter Nebelstreifen, nur das Geläut der Kuhglocken und der Kirchenglocke, die jede Viertelstunde angab, drangen zu mir herauf. Ich zählte sechs Schläge, als die Glocke die volle Stunde einläutete – oder waren es sieben gewesen?

Panik ergriff mich, ich stürmte weiter nach oben. Der Engel hasse Verspätungen, hatte Willi gesagt.

Oben, am Rand des Bärenwalds, sah ich dunkle, mächtige Tannen, in deren Nadeln der Nachtreif glitzerte. Weit und breit kein Willi, keine Madonna, keine Lichterscheinung. Schließlich entdeckte ich die Gebenedeite – eine winzige Frauengestalt in blauem Gewand, die in einem geweißten Oval aus Zement stand und auf einen verwelkten Veilchenstrauß zu ihren Füßen blickte. Kein Wunder, dass ich sie immer übersehen hatte. So klein und unscheinbar, wie sie dort stand, konnte sie nur jemand finden, der sie suchte. Und vielleicht hatten Evangelische keinen Blick für Madonnen.

Ich war mir nicht sicher, wie der Führer der himmlischen Heerscharen zur Madonna stand. Da der Engel noch nicht zur Stelle war, konnte es nichts schaden, wenn ich der Madonna einstweilen ein paar frische Wiesenblumen pflückte.

Endlich sah ich ihn – nicht den Engel, sondern einen kleinen, dunklen Wurm in Lederhosen. Tief unter mir kroch er den Berg hinan, aber er nahm nicht den geraden Weg aufwärts, sondern den Serpentinenweg. Nein, sagte eine Stimme in mir, Willi konnte gar nicht fliegen, er hatte nicht einmal die Anfänge dieser Kunst erlernt, sonst würde er von Hügel zu Hügel aufwärtsspringen und sich mit einem letzten Riesensatz neben mich setzen. Als er, immer noch tief unter mir, auf Rufweite herangekommen war, winkte er mir zu.

Zu spät, du hast es versaut!, schrie ich ihm entgegen.

Willi blieb stehen, schöpfte Atem und machte keinen Versuch, sich zu rechtfertigen. Als er bis auf zwei Serpentinen an mich herangekommen war, erklärte er, nach Atem ringend, die Verspätung des Erzengels. Der kümmere sich nicht um die Uhrzeit. Er fliege mit dem ersten Sonnenstrahl zu seinen Verabredungen – und ich solle mich doch umsehen! Bisher liege alles noch im Schatten!

Der Rücken des gegenüberliegenden Wank lag immer noch im Dunklen. Nur ein dünner Lichtstreif über dem breiten Kamm und ein paar weiß und rötlich aufschimmernde Lichtkreise im blassen Morgenhimmel kündigten den Aufgang der Sonne an. Einige Strahlen erfassten bereits die Spitzen der Alpspitze und der Waxensteine in meinem Rücken, aber der Bärenwald hinter uns stand immer noch im Schatten. Im Tal wanderten Nebelschwaden, die in einem unruhigen Wechsel die Dächer der Bauernhäuser und Heuschober freigaben und wieder verhüllten. Inzwischen hatte Willi den Hügel erreicht, auf dem ich stand. Als der erste Sonnenstrahl die Wipfel der mächtigen Tannen hinter uns aufleuchten ließ, traf mich ein Lichtpfeil, so gleißend hell, dass ich vor Schmerz die Augen schloss. Willi flüsterte mir zu, dass der Erzengel jetzt direkt vor mir stehe, ich dürfe auf keinen Fall die Augen öffnen, sonst werde ich mein Augenlicht verlieren. Ich müsse mich vom Boden abstoßen und weiter als jemals zuvor ins Freie springen, der Engel werde mich auf seine Flügel nehmen und in die Höhe tragen.

Dicht unter meinem Standort hatte ich einen Hügel ausgemacht, der wie eine kleine Sprungschanze über dem Abgrund stand. Mit einer Hand vor den Augen tastete ich mich zum höchsten Punkt vor und sprang. Und ich flog, diesmal war es kein Traum, ich löste mich von der Erde, fühlte mich emporgehoben von einem Flügel des Unsichtbaren, spürte das beängstigende und beglückende Ziehen und Rumoren im Magen, das ich vom Schaukeln kannte, hörte das Rauschen in den Ohren aus meinen Träumen und öffnete die Augen in der Erwartung, dass ich in einem ruhigen

Bogen den Zwiebelturm der Kirche und das Haus des Großvaters umkreisen würde. Stattdessen sah ich dicht unter mir einen anderen Hügel in hoher Geschwindigkeit auf mich zurasen. Kein Flügel des Erzengels und kein Sonnenstrahl milderte die Gewalt meines Aufpralls.

Als ich meinen Kopf aus dem Erdreich hob, sah ich mit Genugtuung, dass Willi ein gutes Stück hinter mir aufgesetzt war. Aber im Unterschied zu mir war er auf dem Hintern gelandet. Mein Mund war voller Erde und Gras, irgendwo in meinem Gesicht blutete es, und während ich den Dreck ausspuckte, schrie ich Willi an: Damischer Lügner, dreckerter! Gib mir meinen Hirsch zurück!

Willi gratulierte mir. Ich hätte beim Fliegen gewaltige Fortschritte gemacht.

Plötzlich war er neben mir, zog mich hoch und legte mir den Arm um die Schultern. Er wartete, bis ich mich ausgeschimpft und beruhigt hatte. Tieftraurig, mit fast tonloser Stimme nannte er den Grund, warum meine Flugversuche zum Scheitern verurteilt waren. Niemals, sagte Willi, werde der Erzengel einen Evangelischen in die Kunst des Fliegens einweihen. Erst müsse ich katholisch werden, sonst werde ich niemals fliegen.

Noch am selben Tag bekehrte mich Willi auf dem Balkon seines Elternhauses zum katholischen Glauben. Mit einem Wehrmachtsdolch, den er beim großen Tausch mit den Gebirgsjägern erworben hatte, ritzte er meinen und seinen Handballen auf. Während ich ihm das katholische Vaterunser nachsprach, vermischten wir unser Blut, indem wir unsere Hände gegeneinanderdrückten. Von Willis Balkon aus sah ich unser Haus; einen Augenblick lang meinte ich, die Mutter in dem offenen Erkerfenster zu erkennen. Das Gefühl von einem Verrat, von etwas Verbotenem, ganz und gar Verruchtem, ließ meine Hand zurückzucken. Willi stieß einen Fluch aus, als ein paar Tropfen Blut auf den Boden tropften. Aber meine Bekehrung, sagte er, sei bereits geschehen und nicht mehr rückgängig zu machen.

Einen Augenblick lang dachte ich, ich müsse sterben, wenn ich nicht gleich zur Beichte ginge. Aber ich kannte keinen evangelischen Pfarrer im Dorf, ich würde mindestens bis nach Garmisch fahren müssen. Der Dorfpfarrer würde mir bestimmt keine Vorwürfe machen, wenn ich ihm gestand, dass ich auf Geheiß des Führers der himmlischen Heerscharen vom Unglauben abgefallen war.

Als der Holzlieferant mit seinem Wagen unten auf der Straße stand, bot Willi der Mutter seine Hilfe an. Gemeinsam mit dem Lieferanten wuchtete er die schweren Holzstücke zum Schuppen und zersägte sie. Die Mutter nutzte die Gelegenheit für einen Besuch bei Dr. Krause, und als sie wiederkam, war ein guter Teil der Ladung zersägt und zerhackt und in handlichen Stücken aufgeschichtet.

Arglos schrieb die Mutter an den Vater, was für ein netter Bursche dieser Nachbarsjunge sei. Hanna liebe Willi heiß und innig – mit allen Auf und Abs, je nachdem, wie wohlgeneigt oder schlecht gelaunt er gerade sei. Sie verstehe ihre Tochter gut, denn Willi sei ein großer schöner Junge, sie wundere sich nur, *wie früh und mit welcher Ausdrücklichkeit solche Regungen* bereits einsetzten.

Unter dem Dach des Schuppens stand ein Holzklotz, darin steckte unsere Axt. Willi zog sie heraus, hob sie über den Kopf und versenkte sie mit aller Kraft in den Klotz. Ich solle doch versuchen, die Axt herauszuziehen, sagte Willi. Vergeblich rüttelte ich an dem Schaft. Ich stieg auf den Holzklotz und stellte mich mit meinem ganzen Gewicht auf den Schaft – die Axt wollte sich nicht rühren. Willi sprach mir ein Gebet vor: Lieber Erzengel Michael, gib mir die Kraft, diese Axt aus dem Holzblock herauszuziehen, ich werde dich mit einem Stück Rindfleisch belohnen! Ich sprach ihm diese Worte nach, und plötzlich löste sich die Axt, als würde sie in einem Stück Butter stecken.

In den nächsten Tagen hackte ich unter Willis Aufsicht die übrig gebliebenen runden Holzblöcke klein. Ich hatte ihm gesagt, dass meine Mutter mir verboten hatte, die Axt in die Hand zu nehmen. Willi entband mich von dem Verbot. Einer wie ich, der zum katholischen Glauben übergetreten sei und nun unter dem besonderen Schutz des Erzengels stehe, müsse keinem Menschen mehr gehorchen.

Ich machte mich daran, die letzten Holzstücke zu zerteilen. Da die Schnittflächen nicht eben waren, wollten die Stücke oft nicht stehen bleiben, wenn ich sie auf den Holzklotz stellte. Ich musste sie mit der freien Hand festhalten und die Hand in dem Augenblick wegziehen, in dem ich die Axt niedersausen ließ. Wegen der Winterkälte trug ich Fausthandschuhe. Der Handschuh, mit dem ich das Holz festhielt, ließ mir einen gewissen Spielraum. Je schmaler die Scheite wurden, desto genauer musste ich auf die freie Stelle dicht neben dem Handschuh zielen. Irgendwann passierte es: Als ich die Axt in das letzte, noch zu zerteilende Scheit hieb, traf ich den Handschuh. Ungläubig blickte ich auf den sauberen Schnitt im Stoff, aus dem etwas Watte quoll. Da ich keinerlei Schmerz spürte, stellte ich mir ein neues Scheit zurecht und nahm mir vor, den Handschuh später heimlich zuzunähen, damit die Mutter nichts bemerkte. Erst beim neuen Ausholen sah ich, dass sich der Handschuh rot verfärbt hatte. Mit einem Ruck zog ich ihn von der Hand und blickte ratlos auf den roten Fleischlappen, der von der Wurzel meines Zeigefingers bis zum Mittelglied herunterhing. Ich schrie, obwohl ich nicht den geringsten Schmerz fühlte.

Willi sprang von der Schaukel ab und hielt mir den Mund zu. Was ich für ein Idiot sei, schimpfte er, nicht einmal Holz hacken könne ich. Ich solle sofort mit dem Flennen aufhören, ich sei ein Soldat des Erzengels – und Soldaten weinen nicht, sie ertragen jeden Schmerz.

Geduckt liefen wir am Rand des Grundstücks zur Straße. Um die Gartentür zu vermeiden, kletterten wir über den Zaun und rannten zum Haus von Dr. Krause. In dem geheizten Wartezimmer taute der Finger auf. Ich war überrascht, wie viel Blut aus einem einzigen Finger strömen kann. Der ganze Finger war nicht nur rot von Blut, auf einmal schmerzte er auch höllisch. Willi redete auf die Schwester ein und erreichte, dass wir vor anderen Patienten zu Dr. Krause vorgelassen wurden. Willi kannte Dr. Krause, er duzte ihn sogar und flüsterte ihm etwas ins Ohr. Dr. Krause untersuchte den Zeigefinger und fand, ich habe Glück gehabt. Offenbar habe mein Schutzengel die Axt im letzten Augenblick gestoppt; statt den ganzen Finger abzutrennen, sei sie einen Millimeter vor dem Mittelgelenk abgelenkt worden und habe nur das Stück Fleisch abgeschnitten, das Dr. Krause wie einen Lappen hin und her bewegte. Willi sah mich triumphierend an. Arbeiteten die beiden zusammen?

Der Arzt nähte meinen Finger wie einen Handschuh mit Nadel und Faden zusammen. Dass ich dabei kaum etwas spürte, erschien mir wie ein weiteres Wunder des Erzengels.

Nach der Operation setzte mich Willi vor der Gartentür ab. Er schärfte mir ein, der Mutter nichts von der Ursache des Unfalls zu erzählen. Ich solle ihr erklären, dass ich beim Schnitzen eines Pfeils mit dem Taschenmesser abgerutscht sei und Willi mich danach zum Arzt gebracht hätte.

Inzwischen hatte ich gelernt zu lügen, und meistens log ich mit Erfolg. Aber diesmal glaubte mir die Mutter nicht. Unter Drohungen und Liebesworten presste sie die Wahrheit aus mir heraus. Sie nahm mich in den Arm und beschwor mich, sie nie mehr zu belügen. Ich versprach es.

Aber Willi war inzwischen stärker als die Mutter.

Bisher hatte sie in ihren Briefen an Heinrich fast immer liebevoll und beruhigend über das Wohlergehen seiner Kinder und deren Fortschritte geschrieben. Hin und wieder berichtete sie von einem Fieberanfall und anderen Kinderkrankheiten. Aber ein rituell wiederkehrender Satz beschwor die Gesundheit, das blühende Aussehen der Kinder und die Freude, die sie ihr machten. Lange wollte sie nicht wahrhaben, dass Hanna und ich unter einen fremden Bann geraten waren. Erst in ihren letzten Briefen sprach sie davon, dass sie die Gewalt über uns verloren hatte, von dem schädlichen Einfluss des »Miststücks« Willi, von ihren verzweifelten Versuchen, uns zu sich zurückzuholen.

Einmal zog sie Hanna, die in ihren Augen die Verantwortliche für unseren Ungehorsam war, in den Holzschuppen. Sie wollte ohne Zeugen mit ihr reden, sie zu einem Geständnis zwingen, von ihr hören, was Willi mit uns trieb. Sie umarmte ihre Tochter und sagte ihr, dass sie sie nicht bestrafen werde, sie drang in sie, sie bedrohte sie. Aber Hanna gab keinen Laut von sich.

Viele Jahre später erzählte mir Hanna, sie sei bei dem Gespräch im Schuppen einen Augenblick lang bereit gewesen, der Mutter alles zu gestehen. Sie habe sich, als sie Tränen in den Augen der Mutter sah, fest vorgenommen, das Gelöbnis gegenüber Willi und dem Erzengel zu brechen. Aber ihre Lippen seien wie zugenäht gewesen. Es sei nicht die Angst vor den manchmal jähzornig ausgeteilten Züchtigungen der Mutter gewesen, die ihr den Mund verschloss. Vor Hannas Augen standen die Höllenstrafen, die auf sie warteten, wenn sie sprechen würde. Kinder, die ihren Schwur auf den Erzengel brechen würden, hatte Willi ihr gesagt, seien dem Teufel hilflos ausgeliefert. Und der Teufel lauerte überall – in der Schule, an jeder Straßenecke auf dem Heimweg und erst recht zu Hause und im Schuppen. Nur am Holzkreuz mit dem geschnitzten Heiland am unteren Dorfplatz sei Hanna sicher. Aber dort konnte sie ja nicht ewig stehen bleiben. Sobald sie sich aus dieser Schutzzone entfernte, würde sie der Teufel packen, mit schwarzem Pech übergießen und dann kopfüber in einen der Höllenschlünde schleudern, die an allen Ecken in Grainau auf die Sünder warteten, die vom Pakt mit dem Erzengel abgefallen waren. Die Flammen würden an ihr emporzüngeln, aber das Pech an ihrem Körper würde niemals ausbrennen.

Ratlos schrieb die Mutter an den Vater, das Gespräch mit ihrer Tochter habe nichts ergeben. Sie sei froh, dass sie noch die drei Jungen habe.

Fortan verbot sie uns, das Grundstück ohne ihre Erlaubnis zu verlassen, sie untersagte uns jeden Umgang mit Willi. Aber wenn sie mit Linda oder anderen Besuchern in ein Gespräch vertieft war, schlichen Hanna und ich aus dem Haus. Was soll ich nur tun, fragt die Mutter den fernen Vater in Hannover. Sie könne die Kinder doch nicht jeden Tag verdreschen, könne sie nicht jeden Tag zur Strafe hungern lassen!

An die folgende Szene, die die Mutter in einem Brief an Heinrich festgehalten hat, haben Hanna und ich keinerlei Erinnerung. Sie sieht ihre Kinder auf dem Nachhauseweg von der Schule, aber sie gehen an der Gartentür vorbei, sie kommen nicht nach Hause. Sie laufen mit ihren Schulranzen wie Gefolgsleute, wie kindliche Sklaven hinter Willi her. Die Mutter ruft ihre Kinder zu sich, befiehlt ihnen mit überschlagender Stimme, sofort nach Hause zu kommen. Ihre beiden Kinder gehen weiter, als hätten sie sie nicht gehört. Als die Mutter hinter ihnen her schimpft und ihnen droht, drehen sie ihr die Köpfe zu, sie lachen – und trotten weiter hinter Willi her.

Die viel beschworene Unschuld von Kindern ist ein Märchen für Erwachsene. Kinder unterwerfen sich ihren Eltern, solange ihre Autorität intakt ist und sie sich behütet fühlen. Wenn die Macht der Eltern zerbricht, sind sie imstande und bereit, die Seite zu wechseln und einer anderen Macht zu gehorchen. Und sie wissen, was sie tun, wenn sie lügen und ein Verbot übertreten. Es macht ihnen sogar Spaß, die alte Macht vor den Augen des neuen Führers bloßzustellen. Sie wollen ihm gefallen, dem neuen Führer, sie wollen ihm ihren

Gehorsam beweisen, indem sie ihre alten Bindungen vor seinen Augen aufkündigen.

Hanna und ich waren keine Opfer, als wir über unsere Mutter lachten. Damals haben wir sie verraten.

20

Trotz aller Anstrengungen der Mutter, sich von Andreas zu lösen, hat ihre Leidenschaft für ihn nie ihre Macht über sie verloren. Nach dem Abschied in München kommt es doch wieder zu einer Begegnung und zu einer – eigentlich unmöglichen – Wiederannäherung. Entschlossen versucht sie, ein paar neue Regeln durchzusetzen. Sie verlangt, dass Andreas ihr mehr von seiner Zeit widmet; sie will endlich einmal ein ganzes Wochenende mit ihm verbringen; sie möchte mit ihm arbeiten.

Aber nun wird eine Affäre, die im Wissen um die Schwächen und wunden Punkte des anderen wieder aufgenommen wird, ernster als sie je gewesen war. Die Mutter wird schwanger und ist sich nicht sicher, ob Andreas oder Heinrich der Vater ihres entstehenden fünften Kindes ist. Sie ist hin und her gerissen, wie sie mit dem neuen Leben, das in ihr wächst, umgehen soll. In einem Brief an die Oma kündigt sie, fast nebenbei, das Ereignis an.

Wieder eine Schwangerschaft (2.–3. Monat zur Zeit). Wir sind beide nicht begeistert davon, und ich werde wohl nach dem 3. Monat in die Klinik nach München gehen. Wir haben einen

228

Arzt, der dazu bereit ist, vor allem auch wegen meiner labilen Gesundheit. Ich habe letzte Woche ziemlich viel Chinin gefressen — ohne die gewünschte Wirkung und denke, die jetzige Krankheit war die Reaktion darauf. Heinrich will absolut nicht noch ein 5tes, ich selbst bin unentschlossen und unsicher, habe die ganz natürlichen Hemmungen. Andererseits, wenn ich an die Verhältnisse heut denke — kein Platz, keine Windel, nichts zu fressen usw. —, dann finde auch ich's Wahnsinn, und so wird wohl Heinrich der Sieger bleiben. Aber schickt mir doch zu meiner Beruhigung den Korbwagen mit!

Andreas, den sie vielleicht für den Vater ihres fünften Kindes hält, muss sie einen ganz anderen Brief geschrieben haben. Sehnsüchtig wartet sie auf ein Wort von ihm. Und wieder einmal vergehen Wochen und Monate ohne eine Nachricht.

Wie immer steht sie morgens um sieben auf und bereitet aus wenig oder nichts das Frühstück für die Kinder, die zur Schule gehen. Nur Paul ist den ganzen Tag bei ihr und stromert auf dem Grundstück herum. Paul ist nun ihr Liebling; über ihn hat Willi keine Macht. Sie hält sich fest an dem *unheimlich temperamentvollen kleinen Luder mit immer guter Laune u. voller Schelmereien.* Er habe *ein verflucht waches Köpfchen* und *gebe verblüffende Antworten*, schreibt sie an Heinrich. Manche Worte mit z-, ts machten ihm noch Schwierigkeiten. Wenn man ihn auffordere, solche sperrigen Worte auszusprechen, begebe sich der gewitzte kleine Paul keineswegs aufs Glatteis. *Das sage ich, wenn ich größer bin, jetzt bin ich noch zu klein!*

Sie stürzt sich in ihren Arbeitsalltag. Zimmer müssen aufgeräumt und gesäubert, Wäsche muss gewaschen werden, in der Kammer wartet ein Berg von kaputten Hosen, Jacken, Kleidern, Pullis. Während ich die Briefe aus ihren letzten Monaten lese, sehe ich die Mutter wieder in der Stellung, in der ich sie als Kind gesehen habe: gebeugt über die Nähmaschine, mit dem Fuß auf der Trittstange, die das Schwungrad antreibt, mit der einen Hand vor, mit der anderen hinter der zuckenden Nadel. Aber nun sehe ich nicht nur eine junge Frau, die den Stoff über dem Schiffchen strafft und nach vorne schiebt, ich weiß um den Tumult in ihrem Innern. *Es ist noch früh am Morgen – ich weiß genau, es kommt wieder nichts von dir. Und weiß auch, wie die Stunden danach aussehen: Tränen, Unfähigkeit zur Arbeit, Bösesein mit den Kindern. Weißt du eigentlich, daß ich dies alles manchmal zurückdrehen möchte, in ewiges Vergessen tauchen, weil es zu viel Schmerz macht? Für die jetzigen vier schweren Wochen mache ich dir einen Vorwurf. Ein paar Worte von dir und alles wäre anders gewesen. So liegt so viel Verachtung, Gleichgültigkeit, Sarkasmus in deinem Verhalten.*

War es ein Trost für sie, zumindest eine Ablenkung, wenn Hanna oder ich plötzlich hinter ihr standen; wenn sie Hanna oder mich bemerkte, uns zu den Schularbeiten oder, weil es Mitternacht war, zurück ins Kinderbett kommandierte?

Sie verbietet sich das Warten auf den Postboten, der jeden Morgen um die gleiche Zeit kommt. Sie wehrt sich gegen diesen Sklavenhalter ihrer Hoffnung und weiß doch, dass sie aufspringen und alles liegen lassen wird, wenn sie am Gartenzaun gegenüber sein Fahrrad lehnen sieht. Sie läuft den Weg hinunter, wartet am Gartentor auf den Boten, der sie bayrisch begrüßt und in seine Posttasche greift. Sie fürchtet, sie weiß, dass er nichts für sie dabeihat, jedenfalls nicht den Brief, den sie erwartet – und doch schaut sie ihm nach, als er zum nächsten Haus weitergeht, sie hofft, er werde plötzlich den Kopf wenden und mit einer Entschuldigung zurückkehren. Da habe er doch glatt einen Brief für sie aus Hamburg übersehen.

Auf dem Weg zurück ins Haus bilden sich in ihrem Kopf Halbsätze, die sie später auf gelbes Papier notieren wird. Sie versucht, ihrer Vorwürfe, ihrer Anklagen Herr zu werden, sie will ihn nicht unter Druck setzen.

Ich schreibe wenig, weil ich nicht sicher bin, ob meine Hoffnung zur Zeit mehr störend als helfend ist. Die Wege unserer Seelen sind verschlungen miteinander und die meine geht die Wege der deinen mit, still, schweigend, wissend, liebend.

Aber hat sie nicht einen Anspruch auf ein Wort von ihm? Vielleicht behindert ihn etwas, eine Krankheit, ein Asthmaanfall, eine Denunziation, eine Ahnung seiner Frau.

Du läßt nichts von dir hören. Ich habe das sichere Gefühl, daß dich irgendetwas bedroht.

Aber Andreas ist nicht krank, er inszeniert in München und in Hamburg. Das Entnazifizierungsverfahren gegen ihn ist abgewendet, weil er seine Mitgliedschaft in der NSDAP erfolgreich abgeleugnet hat. Bleibt als letzter Grund für sein Schweigen ein Konflikt mit seiner Frau. Für sie wäre die Geburt eines Kindes von einer Geliebten ihres Mannes eine tödliche Bedrohung, ein Seelenmord. An ihr möchte die Mutter nicht schuldig werden.

Wenn er sich doch nur äußern, ihr ihre Ungewissheit nehmen würde!

Schließlich fasst sie selber den Entschluss, den Andreas vielleicht von ihr erhofft hat. Sie begründet ihre Entscheidung, indem sie ihm von einem Traum erzählt, von einer langen Wanderung. Ihr Weg hat sie auf einem langen dunklen Pfad durch enge Felswände geführt und endet vor dem Engel der Gruft. Der Engel hat ein strenges, steinernes Gesicht, er hält ein Schwert in seinen erhobenen Händen. Sie sinkt vor ihm nieder, weint in die harten Falten seines Gewandes. Aber der Engel antwortet nicht, er kann nicht sprechen, er ist aus Stein. Plötzlich beugt er sich zu ihr hinab und berührt sie mit seinen Händen, es sind warme Hände, die Hände von Andreas. Auch seine Augen werden jetzt lebendig, es sind Andreas' Augen. Sie spricht mit ihm.

Könnte ich nur eine einzige Nacht bei dir sein, deinen Atem spüren, dein Herz schlagen hören, dann wüsste ich, was gut, was schlecht ist. In deiner Nähe wird mein Gefühl so ursprünglich, so echt, daß es klar umrissen und stark ist, ohne jeden Schrecken. Doch du bist weit, weit fort. Und dichte Schleier senken sich wieder über mich. Es bleibt nichts als das Wissen, daß die Nähe zu Gott und zur Liebe sehr, sehr schmale Pfade sind. Lebe wohl —

bleib gesund, erhalte dir deine Kraft, darum bitte ich oft, und sei gut zu mir.

Sie hat sich entschieden, sie wird das Kind nicht behalten.

Endlich kommt ein kurzer Brief. Andreas verweist auf seine dringenden Geschäfte, auf seine Verantwortung für 400 Mitarbeiter, auf den Stress von zwei bevorstehenden Premieren. Kein Wort in diesem Brief zur Schwangerschaft der Mutter.

Hat Andreas noch einen anderen Brief geschrieben, der nicht erhalten ist? Ich wünsche es der Mutter und auch ihm, ich suche in den Entwürfen der Mutter nach einem Zeichen, nach einer Reaktion auf einen solchen Brief oder Anruf. Es kann doch nicht sein, dass Andreas die Schwangerschaft der Mutter mit Schweigen übergangen hat! Oder hatte er Gründe, die Möglichkeit seiner Vaterschaft gänzlich auszuschließen?

Nach Monaten vergeblichen Wartens schreibt die Mutter einen Abschiedsbrief.

Ich habe ja keinen zeitraubenden Plauderbrief von dir gewünscht, sondern eine Antwort, Stellungnahme zu einer ganz persönlichen, für mich unendlich wichtigen Frage! Die Frage, ob ich dieses Kind bekommen soll oder nicht, ist für mich ebenso brennend und wichtig wie dir deine Aufgabe. Ein Ja oder Nein von dir hätte mir zu irgendeiner gültigen Entscheidung verholfen, da du nun einmal so direkt einbezogen bist in dieses mein verfluchtes Leben. Zwei Monate lang antwortest du überhaupt nicht und dann in einem Ton, dessen Eiseskälte jedes Gefühl in mir erstarren läßt. Vor wenigen Monaten noch warst du dankbar, Graf, daß ich da war, dir schrieb, dich liebte. Heute ist dir dies alles zu viel. Es ist nicht der erste große Schmerz um dich, nicht das erste Mal, daß du mich aus deinem Leben aussperrst. Ich bitte dich: tu es ganz, tu es endgültig — ruf nicht wieder irgendwann für Minuten zurück, um mich dann wieder fortzustoßen. Leb wohl, laß es dir weiterhin so gut gehen und unsere mühselige Freundschaft ein Ende finden — um all dieser Tränen willen. Schreib' mir nicht, frag' nicht mehr nach mir.

21

Warum fällt es Erwachsenen so schwer, die Wünsche und Ängste ihrer Kindheit ohne ein nachsichtiges Lächeln zu beschreiben? Woher rührt das Bedürfnis des sich Erinnernden, sich selber und seine Zuhörer des Abstands zu vergewissern, der ihn von der mythischen Phase seines Lebens trennt? Als müsse er beweisen, dass die nur noch in Bildfetzen und Halbsätzen aufbewahrten Leidenschaften der Kindheit keine Macht mehr über ihn haben?

Das letzte Kapitel von Willis Herrschaft über Hanna und mich steht unter dem Stichwort »Stutzen«.

Die Mutter musste ins Krankenhaus nach Garmisch, wir brachten sie zum Bahnhof und versprachen ihr, Tilla zu gehorchen und uns nicht mit Willi zu treffen. Willi stand an der Gartentür, als wir zurückkamen. Er erzählte meiner Schwester von einem dringenden Wunsch des Erzengels. Er brauche ein Paar Stutzen!

Hätten wir der Mutter von diesem Auftrag erzählt, sie hätte uns vielleicht allein durch ihr Gelächter davon erlöst. Sie hatte sich einmal über die handgestrickten Wadenwärmer lustig gemacht, die die Bauern an ihren Beinen trugen. Warum sie ausgerechnet an den Waden frieren würden, und das im Sommer, hatte sie gefragt.

Niemand auf der Welt trug ein solches Kleidungsstück außer den Einheimischen in diesem gottverlassenen Dorf!

Warum ausgerechnet der Anführer der himmlischen Heerscharen, der doch meistens flog, Stutzen brauchte, blieb Hanna und mir ein Rätsel. Aber wir zweifelten nicht an der Gültigkeit des Auftrags. Egal wie Hanna es anstelle, hatte Willi gesagt, innerhalb von drei Tagen müssten die Stutzen fertig sein.

Ich weiß nicht, woher Hanna die Wolle nahm. Nach der Schule verzog sie sich sofort ins Kinderzimmer und nahm mit rasenden Nadeln den Wollfaden auf. Am frühen Morgen stellte sie sich den Wecker und strickte weiter an dem Rand, den sie spätnachts aus der Hand gelegt hatte. Hastig steckte sie ihr Strickzeug unter das Kopfkissen und stellte sich schlafend, als Tilla hereinkam, um uns zu wecken. Nach der Schule setzte sie die Arbeit an den Stutzen fort. Kurz und appetitlos nahm sie am Abendessen teil und strickte mit glühenden Wangen weiter.

Am Tag vor der Rückkehr der Mutter hatte Hanna einen Einfall. Sie wollte die Mutter durch einen Hausputz überraschen. Tilla hatte die halbe Nacht mit Herrn Halbeisen und Frau Fröhlich gesungen und getrunken und kam nicht aus dem Bett. Unter Hannas resoluter Anleitung bezogen wir die Betten, wischten die Böden, schrubbten Bad und Küche.

Die Mutter konnte sich nicht fassen, als Hanna ihr

das Haus vorführte. Ahnungslos berichtet sie Heinrich, die süße Hanna habe alles tadellos gemacht, sitze am Fenster und stricke wie eine Alte. Und gesteht ihm in bester Laune einen Fressanfall. Sie sei so todmüde und hungrig gewesen, dass sie unbeherrscht die Fettbüchse aufgemacht und fünf Schnitten hintereinander verschlungen habe – aber *den Kindern auch welche schmierte.*

Meine Schwester hatte Ringe unter den Augen, als sie mir die fertigen Stutzen zeigte. Mit meinen Strichbeinen war ich nicht das geeignete Modell, um zu prüfen, ob die Stutzen passten. Bis auf ein paar fallen gelassene Maschen fand ich ihr Strickwerk makellos.

Nachdem Hanna die Stutzen Willi übergeben hatte, erwarteten wir am anderen Morgen die Ankunft des Erzengels Michael. Der Engel, hatte Willi uns versprochen, würde kommen, sobald die Sonne aufginge. Wie haben wir uns seine Ankunft vorgestellt? Als eine Lichterscheinung vor dem Fenster? Als eine menschenähnliche Gestalt, die eine Hand durch das Fenster strecken und unsere Namen nennen würde? Würde der Erzengel Hannas Stutzen schon an seinen Waden tragen? Und was würde passieren, wenn er Hannas und meine Hand ergriffen hätte? Würden wir auf seinen Flügeln dicht an den senkrechten Felswänden hinauf zu den Gipfeln der Waxensteine fliegen oder erst einmal flach über die Häuserdächer gleiten? Ich glaube nicht, dass wir eine genaue, erzählbare Vorstellung von dem Wunder hatten, auf das wir warteten, aber wir zweifelten nicht daran, dass es geschehen würde. Hanna hatte sich Sorgen gemacht, ob wir beide durch das enge Sprossenfenster passen würden. Willi hatte sie beruhigt. Wenn der Erzengel kommt, hatte er gesagt, weicht alles – Fensterrahmen, Wände und auch Mauern.

Hanna hatte das Fenster vorsichtshalber vor dem Schlafengehen für den Engel geöffnet. Die Luft, die über Nacht in das Zimmer drang, war eiskalt. Dennoch schwitzten wir, als ein fahler Widerschein des Morgenlichts ins Zimmer drang. Abwechselnd streckten Hanna und ich den Kopf aus dem Fenster. Wir warteten, bis das Tageslicht heller wurde und, von der Sonne durchglüht, zu leuchten begann, wir warteten immer noch, als der Lichtschein langsam fortwanderte und unser Fenster im Schatten ließ.

An diesem Morgen begann Hanna ihren Glauben an Willi und an den Erzengel zu verlieren. Sie stellte Willi zur Rede und gab sich mit seinen Ausreden nicht mehr zufrieden. Als er sie, statt sich zu rechtfertigen, frech aufforderte, hundert Gramm Butter für den Engel zu besorgen, war der Bann für sie gebrochen. Butter, das war nun einmal das kostbarste, das am schwierigsten zu beschaffende Lebensmittel, das der Mutter am meisten fehlte.

Hanna verlangte die Stutzen zurück. Sie drohte Willi: Wenn er ihr die Stutzen nicht bis zum Abend bringen werde, würde sie ihren und seinen Eltern alles über seine Lügen und Betrügereien erzählen. Und wehe, sie würde ihre Stutzen an Willis Waden sehen!

Hanna befahl mir, nie mehr mit Willi zu sprechen

und ihr Bescheid zu sagen, falls er versuchen sollte, mich allein zu treffen.

Ich verschwieg ihr, dass Willi mich bereits nach der Schule abgepasst und gewarnt hatte: Meine Schwester sei vom Erzengel abgefallen und werde dafür in der Hölle büßen. Er könne sie nun nicht mehr schützen. Sie sei immer noch eine Evangelische – und nicht umsonst habe sie diese feuerroten Haare.

22

Die Versorgungslage verschlechterte sich rapide. Als ein Gemeinwesen unter 20 000 Einwohnern hatte Grainau keinen Anspruch auf Sonderzuteilungen. *Es ist zum Kotzen,* schreibt die Mutter, *es gibt kein Fett, weder Margarine noch Butter, Zucker haben wir auch nicht, also absolut nichts aufs Brot.* Abgesehen vom Mehl und von Kartoffeln, lässt sie Heinrich wissen, lebe die Familie seit Monaten ausschließlich von seinen Paketen.

Ständig gehen zwischen Heinrich und seiner Familie Pakete hin und her. Die Mutter bittet ihn um Kernseife, Stecknadeln und waschfeste Gummibänder, die sie in die Pyjamas und in die Unterwäsche der Kinder einnähen kann. Heinrich fehlen Handtücher, Notenpapier und das Neue Testament – das er als Material für ein neues Werk namens »Psalmengebet« verwenden will. Manchmal überrascht Heinrich seine Frau mit Kaffee und anderen kaum zu beschaffenden Dingen. Einmal hat er ihr ein französisches Parfum besorgt, ein anderes Mal eine von ihr erwünschte Creme gegen Altersfalten. Sie bedankt sich mit Liebeserklärungen, die seiner Fürsorge und seiner Unerschütterlichkeit gelten, sie wünscht sich seine Nähe und endlich eine gemeinsame Wohnung mit ihren alten Möbeln. Sie möchte ihn besuchen, ihn beglücken und muss dann doch absagen. *Komme nun doch nicht, habe meine Tage, gemein!*

Bis mittags isst sie manchmal gar nichts, die Kinder muss sie oft mit trockenem Brot abspeisen. Abends brät sie Kartoffeln mit dem letzten Öl, aber der Vorrat geht zur Neige. Für die einzige Abwechslung des Speisezettels sorgen die Wohltaten von Johanna Hirth. Sie beschenkt die Kinder mit »Frühstückspackungen« aus den Care-Paketen, die sie von amerikanischen Freunden des Hauses geschickt bekommt. Darin sind Kekse, Schokolade und auch Zucker.

Wir hatten jetzt 3 Riesenbüchsen amerikanischer Tomaten, von denen wir schon seit 14 Tagen leben. Was uns die Hirths helfen und schenken, das ist überhaupt nicht aufzuzählen.

Die ganze Familie plagt sich mit Furunkeln. Die letzte Blutsenkung der Mutter ist so schlecht ausgefallen, dass der Arzt eine Entzündung in ihrem Körper vermutet, seine Diagnose lautet: *fotolabile Sepsis.* Manchmal ist sie zu schwach, morgens aufzustehen. Im nächsten Monat will sie in ein Sanatorium nach München gehen, um sich auszukurieren.

Gleichzeitig hat sie immer mehr Aufgaben und Schwierigkeiten zu bewältigen. Hanna und ich müssen bei den Schulaufgaben schärfer beaufsichtigt werden. Ihr Verhältnis zu Tilla hat sich deutlich abgekühlt. Wenn die Mutter nicht im Hause ist, singt sie aus voller Brust »Die Fahne hoch« und »Deutschland, Deutschland über alles«, sodass es auch die Nachbarn hören. Zu oft sitzt Tilla oben bei Herrn Halbeisen, der über unbegrenzte Mengen von Schmuggelware zu verfügen scheint, und betrinkt sich.

Das sind Zustände hier, unbeschreiblich. Halbeisen, der 2 Kisten Schnaps hat, macht jetzt schon – in kurzen Abständen – den 3. Saufabend. Einmal kotzte er mir das ganze Klo voll. Gestern ein solches Toben, getanzt und geschrien haben sie, daß ich die Nacht kein Auge zutat, die Kinder ebenfalls nicht. ½ 1 Uhr ging ich rauf und bat um etwas Ruhe. Darauf kam er und noch so ein besoffener Kerl in mein Zimmer, ich solle doch auch mittun! Ich lehnte ab, bat um Ruhe, der Krach wurde nur noch doller. Gegen 4 Uhr gingen die »Gäste«! Ich nahm ein Schlafmittel, wachte dann von einem wüsten Geschrei auf, er schmiß Emmy raus, brüllte »raus mit allen Klamotten«, schmiß mit Schuhen, Stühlen und allem, was er fand. Ich klopfte und sagte, Emmy sollte runterkommen, da schrie er mich an und ging auf Emmy los, sie schrie um Hilfe, offenbar hatte er sie an der Gurgel, ich rannte zu den Geigers, nachts um ½ 5 Uhr, und bat, ihr Freund, der »Hitlerjunge Quex«, möchte kommen. Niemand kam, Halbeisen brüllte weiter, Emmy brüllt, bis dann gegen 6 Uhr Ruhe wurde. Ich mußte um 8 Uhr aufstehen und arbeiten, dieses Pack liegt in den Federn und schläft. Vor allem bin ich ja hilflos, ich hab mir die »Saufabende« verboten, doch was tut's, die machen weiter.

Trotz dieser Lage versucht sie immer wieder, ihrem Mann Bilder von einer intakten glücklichen Familie vor die Augen zu stellen. Sie erzählt ihm von der Freude, die es ihr mache, ihre Kinder herauszuputzen wie die blanken Ostereier, und wie die Kinder ihr diese Mühe dann durch ihr bezauberndes Aussehen dankten. Besonders einer würde jetzt nicht von ihrer Seite weichen, weil er offenbar ein besonders starkes Verlangen nach Zärtlichkeit habe. Und ihr ihre Aufmerksamkeiten dann durch seine gute Laune lohne; den ganzen Tag juchze, pfeife und singe er, alles sei Musik und habe dabei doch schon *den Zauber des Gestalteten, des Umgesetzten. Er ist schon meine sehr große Liebe*, sagt sie über den Sohn, der Jahrzehnte später ihre Briefe liest.

Es ist ein Idyll, das sie Heinrich ausmalt, eine heile, durch nichts beschädigte Familie.

Inzwischen hat ihre Freundin Linda zu ihr und in das Haus in Grainau zurückgefunden. Lindas Versuche, den ewig unentschlossenen Andreas an die Hand zu nehmen und mit ihm ein neues Leben zu beginnen, haben sich ebenso zerschlagen wie die Träume der Mutter. Linda zeigt ihr den Abschiedsbrief, den Andreas ihr geschickt hat. Der Brief erinnert die Mutter schmerzhaft an die Trennung, die sie selbst ein halbes Jahr zuvor zu verwinden hatte. Aber ganz kann sie ihr Befremden über Lindas Gefasstheit nicht verbergen. Sie beneidet sie um die Fähigkeit, ihr Gefühl je nach den Umständen an- und auszuschalten. Und rechnet es sich als Verdienst an, dass sie ihre Freundin dazu gebracht hat, Andreas endlich klipp und klar mit ihren Erwartungen zu konfrontieren. Immerhin hat sie ihn damit zu einer ehrlichen Antwort gezwungen. Das Resultat war der Abschied – aber besser jetzt, als noch mehr Jahre mit falschen Hoffnungen zu vergeuden.

In der Trauer um den gemeinsamen Geliebten und der Abrechnung mit ihm finden die beiden bis eben noch zerstrittenen »Witwen« wieder zueinander. Sie verständigen sich über ihre Enttäuschungen und Illusionen und kommen überein, dass in Wahrheit Andreas der große Verlierer ist. Haben sie nicht beide die Schmerzen, die er ihnen bereitet hat, immer wieder mit ihrer Liebe zugedeckt und ihm so – zu seinem Schaden – die Auseinandersetzung mit seiner Unfähigkeit zu lieben erspart? Ihm seine Schuldgefühle abgenommen? Die Mutter weiht Linda in ihre Briefe an Andreas ein, zitiert ihre Befürchtungen, Andreas werde Linda ebenso fallen lassen wie sie selbst. Hatte sie Andreas nicht vorausgesagt:

Eines Tages brechen Brücken, die in den luftleeren Raum gehen, zusammen. Hoffentlich begreifst du, daß ich nicht mehr für mich spreche!

Gemeinsam machen sie sich Sorgen über Andreas' künstlerische Nicht-Entwicklung und über seine Abhängigkeit von äußeren Erfolgen; über seinen Mangel an echten Freunden, der ihm jede Selbsterkenntnis und Selbstkritik schwer mache; über seine halbherzige Einsicht in seine Grenzen, die jedoch nur dazu führe, dass er sich verschließe, statt sich für Neues zu öffnen. Sollten sie nicht beide zu dem Theaterpapst fahren und ihm ihre Erkenntnisse mitteilen, da sie ihn doch besser kennen als seine Sklaven an der Oper?

Inzwischen hat die Mutter einen neuen Geliebten. Gerhard, ein Kollege Heinrichs von der Oper in Hannover, hat sich für ein verlängertes Wochenende in Grainau einquartiert und ist ihr auf einem langen Spaziergang auf dem Höhenrain nähergekommen. Eine heftige, konfliktreiche Affäre nimmt ihren Lauf. Die Mutter öffnet Gerhard ihr Herz und gesteht ihm, dass er ein ganz neues Verlangen in ihr geweckt hat. Bisher hatte ihr das Schicksal stets die Rolle zugewiesen, die Bestimmende, die Klügere zu sein. In dem Wissen um *ihre größere Fähigkeit, zu begreifen*, hatte sie die daraus folgende Last der Verantwortung immer auf sich genommen. Aber der andere Teil ihres Wesens, das Kind in ihr, das bestimmt werden und sich hingeben will, war dabei zu kurz gekommen. Ist es verwunderlich, dass sie – *wie ein reifes Blatt dem Wind* – einem Menschen zufällt, dem sie sich unterstellen kann, weil er ihr durch seine ganze Art die Last ihrer Verantwortung abnimmt? Ist ihr unwillkürliches Verlangen, sich ihm zu unterwerfen, ja vor ihm zu knien, so abseitig, muss man es gar, wie Gerhard es tut, als *dämonisch* bezeichnen, *wenn durch eine solche beglückende Begegnung ein totales Gefühl aufspringt und alle Dämme durchbricht?*

Gerhard ist die Ansprache seiner ungewöhnlichen Geliebten, die ihn zwischen Heuschobern und himmelhoch ragenden Felswänden derart bestürmt, unheimlich. Vielleicht ist er mit dieser Mutter von vier Kindern in neue Gefilde der Lust vorgedrungen, aber ihre Ansprüche und ihr hoher Ton bringen ihn aus der Fassung. Er stößt sie weg, will sich von ihr losreißen, er beschimpft sie und schwört, dass er sie niemals lieben werde.

Seine Geliebte will es nicht begreifen.

Daß dein Herz nicht weiß, was deine Hände tun. Wenn von irgendetwas Unfaßbarem, einer grausigen Tat, einem zu frühen Tod, dem ein Mensch sich hingab, ein Riß durchs All geht — wie ein Sprung im Göttlichen selbst —, dann muß er den gleichen Klang haben wie deine Worte an meinem Ohr. Worte, die alles zurücknehmen, alles ungeschehen machen wollen, das doch geschah.

Sie hadert mit Gerhard, weil er Wochen nach seiner Abreise immer noch nichts hat von sich hören lassen. Dieser Feigling! Hätte er ihr geschrieben, klagt sie Heinrich, so hätte er sich irgendwie bekennen müssen, aber dieser Herausforderung sei er ausgewichen. Es sei nicht die erste Freundschaft, die an *diesem Ausweichen, an dieser Nicht-Achtung* kaputtgehe. Ganz unbefangen erkundigt sie sich bei ihrem Mann, wie Gerhard nach seiner Rückkehr über sie geredet habe, ob er inzwischen voller Ressentiments gegen sie stecke. Und fragt, ob er sich in Hannover denn mit *dieser anderen Frau* getroffen habe.

Heinrich zerstreut ihre Befürchtungen hinsichtlich dieser Erna und freut sich auf den bevorstehenden Besuch seiner Frau in Hannover.

Die Mutter sagt die geplante Reise ab. Ach, sie habe Angst vor allen Auseinandersetzungen, auch vor denen mit sich selber. Wovor sie denn nicht Angst habe in diesem Leben? Wenn sie in Hannover doch nur traurig

sein müsse wegen Gerhard, sei es wohl besser, sie bleibe in Grainau. Denn trauern könne sie in ihrer Sofaecke auch.

*Leb wohl, mein Lieber, Guter. Schreib bald, deine Briefe ge-
hören zu den ganz wenigen Freuden!*

Wie hat der Vater diese Zumutungen ertragen? Hat er
in seiner Frau ein krankes Kind gesehen, das er nur
durch Besänftigung und Beruhigung am Leben erhalten konnte? War er so verliebt in seine Frau, dass er
meinte, er könne sich ihre Liebe nur bewahren, wenn
er ihr jeden Abweg verzieh?

23

Wenig später verschlägt es noch einen anderen Kollegen von Heinrich in das Holzhaus in Grainau. Horst,
ein enger Freund von Andreas und von Heinrich, ist
sanfter und wohl auch intelligenter als Gerhard und
nimmt sich vor allem der wunden Seele seiner Gast-
geberin an. Aber leider ist auch er nicht von der Unart
frei, die sie all ihren Liebhabern vorhalten muss. Genau
wie Andreas oder Gerhard bringt er es Wochen nach
seiner Abreise nicht über sich, sich mit einer Zeile zu
bedanken. Horst schreibe wenig, viel zu wenig – nur
einmal die Woche!, beschwert sich die Mutter bei
Heinrich, das solle er Horst ruhig sagen. Aber wahrscheinlich turne der inzwischen mit anderen Weibern
in Hannover herum und habe keine Zeit mehr für
seine Freundin in Grainau.

Dass sich die Liebhaber der Mutter vielleicht für Frei-
heiten, die sie selbst für gottgegeben hielt, vor Heinrich in den Boden schämten, hat in ihrer Vorstellung
von der Liebe zwischen verwandten Seelen keinen Platz.

Ansonsten hat sie Heinrich über Horst nur das Beste zu
berichten. Sie schwärmt davon, wie nah und vertraut
ihr – im Unterschied zu Andreas – Horsts Reaktionen

seien, wie er aus seinen Erfahrungen und Wegen das Gleiche herauslese wie sie selber. Sie sei unendlich dankbar über diesen Freund, der ihr nicht etwa Tränen entlocke, sondern ihr Herz hell und weit mache. Und vergisst nicht, ihrem Mann zu danken, *daß du mir dies läßt. An meinen Freunden sehe ich wieder, daß ich richtig verheiratet bin.*

Sie verspricht ihm, diesen Reichtum für ihn und die Kinder nutzbar zu machen, sie spüre, dass sie bereits auf diesem Wege sei. Denn solche Begegnungen würden ja immer die mit einbeziehen, die sie liebe, und ihrer Bereitschaft für sie neue Impulse geben. Ach, und noch etwas: Ob Heinrich dem guten Horst nicht einmal seine Monatsfahrkarte leihen könne, damit er öfter kommen könne!

Im Gespräch mit Gisela Deus versuche ich, Erklärungen für die rätselhafte Toleranz des Vaters zu finden. Über ihre Liebesabenteuer hat ihn seine Frau so umgehend ins Bild gesetzt, dass es fast den Anschein hat, als folge sie einer eingespielten Gewohnheit, ja einer Art Vereinbarung mit ihm. Offenbar hat er nie etwas dagegen unternommen, dass der eine oder andere seiner Freunde ein Wochenende bei seiner Frau verbrachte – mit den absehbaren Folgen. Tatsächlich hat Horst ihr erst nach Heinrichs Ermahnungen endlich einen langen Brief geschrieben. Sie sei so dankbar für diese Begegnung, schreibt sie ihrem Heinrich, *dir nimmt sie nichts, mein Lieber, wir sind so fest miteinander verbunden und gehören zusammen.*

Kann es sein, dass Heinrich die Eskapaden seiner Frau nicht etwa nur geduldet, sondern sie sogar gefördert hat? Fand er nichts dabei oder gehorchte er einer Zwangslage, die von ihm verlangte, seine Frau nicht nur mit Geld und Lebensmitteln, sondern auch mit Liebhabern zu versorgen? Gisela Deus vermutet, dass der Vater früh erkannt hatte, dass seine Frau unter Depressionen litt. Dass er fürchtete, seine Frau könnte als Mutter ganz ausfallen, wenn sie sich »diesen Reichtum« mit ihren Liebhabern nicht mehr gönnte. Dass sie den »Kick« mit ihren Liebhabern brauchte, um sich für ein paar Stunden zu befreien. Und dass er seine Frau mit und trotz ihrer Krankheit liebte.

Ach, ich hasse dieses alles Sehnen, Phantasieren und Dichten verschluckende Wort »Depressionen«. Und weiß doch, dass es eine Krankheit dieses Namens gibt.

Affären mit Andreas haben nie ein Ende. Für ein Wochenende sind überraschend Linda und Andreas in Grainau aufgetaucht – nun wieder als Liebespaar.

Es waren schöne anregende Tage, schreibt die Mutter an die Oma, *und wir alle waren glücklich, festzustellen, daß es noch ein paar Dinge gibt, die nicht kaputtgehen trotz allen Elends.*

Natürlich sagt sie der Oma, mit der sie sich am besten versteht, wenn ein langer Postweg zwischen ihnen liegt, nicht die Wahrheit. Der nachgeholte, um ein Jahr verschobene Besuch von Linda und Andreas hat alte, vermeintlich überwundene Gefühle in ihr aufgerissen. Aber sie will sich ihren Wünschen nicht mehr unterwerfen. Nach der Abreise der beiden mobilisiert sie in einem langen Abschiedsbrief an Andreas noch einmal ihre ganze Ausdrucksfähigkeit und ihr Talent für schöne Sätze.

Was hülfe es, wenn man in eines Herzschlags Länge den Raum der Einsamkeit des Anderen durchstieße, seinen Atem um den eigenen vermehrte, seine Mängel zu den eigenen machte? Hülfe dies nicht alles nur zu dem Wissen, daß wir uns nicht halten können, daß wir voneinander lassen müssen? Denn was könnte ich sonst für dich tun, als dein Leben um den schmalen Saum des meinen wieder zu verringern, der sich so ungefragt angefügt hatte? Muß ich dich nicht lassen, da ich dich liebe? Nur: daß dies so schwer ist! Deine Zärtlichkeit ist mir ins Blut gegangen, tief hinein bis in jene Schichten, vor denen ich meist die Augen schließe. Und nun steht – wie eine überlebensgroße Statue – mächtig und erdrückend die Sehnsucht da.

Aber in ihrer Nachtrauer über das Ende ihrer großen Liebe meldet sich ein neuer Ton zu Wort. Sie will Andreas nicht mehr in die Unbedingtheit ihrer Liebe zwingen, sie will sie sich und ihm erklären – den Riss in der Tiefe aufhellen, den sie mit ihrer Auslieferung an Andreas zu heilen suchte.

Es begann schon in der Kindheit, und keine mühselig geschlafene Stunde macht es mich vergessen: daß es das nie gab! Dieses Gehaltensein der Kindheit, den glücklich bewachten Kinderschlaf, Bedingungslosigkeit der Hingabe. Und oft bin ich voller Hoffnungslosigkeit, daß es keinen gibt, der diese Wunde schließen, diese stumme Hilfe leisten könnte – ohne Betrug, denn der geforderte Ersatz ist immer Betrug. Und dann steht plötzlich je-

mand da wie du, und ich spür's an deinen Händen, deinen
Augen, an allem, was du verschweigst: Hier ist der, der das
könnte. Und so wird die Forderung laut, überlaut, ganz gegen
meinen Willen, sie übertönt mein warnendes Bewußtsein, sie
übertönt alles. Und das zerbricht mich noch einmal: dieses
Spüren all der offenen Stellen und das Wissen um ihre Unerfüll-
barkeit.

Andreas verneigt sich vor diesen Sätzen. Ihre Zeilen,
schreibt er der Mutter, hätten ihn sehr froh gemacht.
Weil sie an die Wurzel der Dinge gehe und die Zusammenhänge sehe, wie sie wirklich sind.

*Das ist oft schmerzvoll, aber auf die Dauer das einzig Be-
glückende in dieser Welt — glaube ich. Wie lange dauert es doch,
bis man auch nur ein kleines Stück in der Selbsterkenntnis und
seiner eigenen schicksalhaften Forderungen weiterkommt. Ich
stehe seit einigen Jahren und im letzten Jahr besonders in einer
sehr harten Bewährungsprobe — künstlerisch wie menschlich —
wenn man das überhaupt trennen kann. So ist mein Schaffen
immer mehr das Ergebnis von Einsamkeit und Kampf. Das allerdings wird immer entschiedener, kompromißloser. Was du von
den kosmischen Spannungen sagst, empfinde ich wie eigene
Worte, und darum gebe ich dir ganz recht in der Bewertung von
solchen Bindungen, die jenseits aller greifbaren Erdhaftigkeit zu
Hause sind.*

Er hütet sich, seiner ehemaligen Geliebten neue Hoffnungen zu machen. Er lädt sie und ihren Mann diskret
ein, sich seinen »Saul« in Hamburg anzusehen. Falls
sie beide einmal in der Nähe seien.

Der Empfängerin dieses Briefes kann es nicht entgangen sein: Das ihr ist in Andreas' Brief an die Stelle des du getreten.

Im Winter 1947/48 verschlechtert sich der Gesundheitszustand der Mutter. In dem ständigen Auf und Ab zwischen Schwung und Schwäche setzt sich immer mehr ein Gleichgewicht der Niedergeschlagenheit, der Apathie durch. Wenn sie mit dem Aufräumen und Saubermachen, mit dem Kochen, Nähen, Stopfen aufhört — und sie ist nie fertig! —, sitzt sie lange reglos in der Sofaecke in der Veranda. Sie beobachtet das schwindende Licht am frühen Nachmittag, steht nicht mehr auf, um das Spektakel der vom Sonnenuntergang in Brand gesetzten Waxensteine zu bestaunen, sie bewegt sich nicht. Die lange Dämmerung wird ihr Zuhause. Ihr ist wohl, wenn die Konturen verschwimmen und sich der Schatten der Undeutlichkeit über alle Dinge legt. Sie, die so viel und unter schwierigsten Bedingungen gereist ist, will nun nicht mehr reisen, will nicht einmal mehr aus dem Haus gehen.

Heinrich erwartet sie in Hannover, so war es verabredet, sie wollte die Kinder bei Tilla lassen und sich bei ihrem Mann erholen. Aber sobald sie die Sofaecke verlässt, fühlt sie sich schwach, unfähig, Entschlüsse zu fassen. Sie steht vom Sofa auf, wenn die Kinder aus der Schule kommen, sieht ihnen dabei zu, wie sie sich gierig auf die Rübensuppe oder auf die Bratkartoffeln stürzen, die sie vorbereitet hat. Aber sie kommt nicht an den

Tisch, bringt es nicht über sich, zu essen. Ihr Ort, so hat sie es beschlossen, ist die Sofaecke. Denn eines kann sie dort in ihrer Hockstellung immer noch: träumen, ihrer Sehnsucht nachgehen, zu Papier bringen, was sie bewegt.

Im Haus fühlt sie sich isoliert. Ihre Haushaltshilfe Tilla hat sie inzwischen im Verdacht, dass sie stiehlt. Heimlich hat sie den Koffer inspiziert, den Tilla sich für einen Besuch in Sachsen vorbereitet hat. Sie entdeckt darin mehrere Pfund Mehl, Grieß, Nudeln, Zucker, zehn Eier und eine Büchse Trockenmilch – alles Vorräte, die ihrer Meinung nach aus der Speisekammer stammen! Sie findet einen Brief, in dem sich Tillas Mutter für das Schokoladenpulver bedankt, das ihre Tochter ihr geschickt hat. Tilla muss es aus einem der Care-Pakete gestohlen haben, mit denen die Hirths die Familie versorgen. Soll sie Tilla zur Rede stellen? Zwecklos, entscheidet sie. Tilla wird ihr weismachen, dass sie alles schwarz gekauft habe, und ihre Wut anschließend an den Kindern auslassen. Auf engstem Raum mit einem Menschen zusammenzuleben, der sie belügt und betrügt, schreibt sie Heinrich, sei unzumutbar. Andererseits sei sie auf Tillas Hilfe angewiesen. Was tun?

In den folgenden Monaten schreibt sie in immer kürzeren Abständen lange Briefe, und meistens sind es Briefe an ihren Mann. Solange sie sich nicht bewegt, hat sie immer noch die Kraft, weitreichende Pläne zu schmieden, Pläne für einen Umzug fort aus Grainau. Sie will zu ihrem Mann nach Hannover ziehen, der dort als Untermieter nur ein Zimmer zur Verfügung hat. Sie schlägt vor, fürs Erste das Nebenzimmer dazuzumieten. Sie erwägt, ob man nicht auch Hanna im Internat in Schondorf unterbringen kann, wo sie ihrem großen Bruder Gesellschaft leisten würde. Der Vater solle dort einmal anfragen. Mich könnte man für ein paar Wochen bei der Tante in Bayreuth unterbringen. Nicht die Menge der Arbeit mache ihr zu schaffen, sondern schlicht die *Menge der Menschen*, für die sie verantwortlich sei. Zwischendurch setzt sie ihrem Mann den Kopf zurecht, der mit einer Anstellung in Thüringen liebäugelt, weil er in Hannover keine Perspektive für sich sieht. *Keinesfalls in die russische Zone, dann viel, viel lieber Grainau!* Sie will ihn unbedingt und möglichst gleich besuchen, um all diese Dinge zu besprechen, sie will mit ihm in Hannover leben. Aber könnte er sie vielleicht in Grainau abholen? Sie habe Angst vor der Fahrt, gesteht sie ihm.

Heinrich ist beunruhigt. Nie zuvor hat ihn seine Frau gebeten, sie für die Fahrt zu ihm in Grainau abzuholen. Nie hat sie sich so verzweifelt darüber beklagt, dass die Beziehung zwischen ihnen nur noch im Austausch von Worten bestehe.

Inzwischen macht sich auch Andreas Sorgen um seine ehemalige Geliebte. Ob sie denn in Hannover genügend Ruhe und Pflege haben werde. Diese Stadt sei doch von einer entsetzlichen Lahmheit, und außerdem total zerbombt. Er sei so weit, dass er Trümmer in

jeder Form nicht mehr ertrage; aus diesem Gefühl ent-
stehe seine Arbeit – aus dem Kampf gegen die Zerstörung. Leider könne er nicht nach Hannover kommen,
er habe Proben mit Gottfried von Einems »Dantons
Tod«.

Die Mutter kann die Reise nach Hannover wieder nicht
antreten, sie muss wegen einer Blutsenkung nach
München. Sie wolle Andreas, der gerade in München
inszeniert, nicht sehen, schreibt sie Heinrich – auch
auf die Gefahr hin, dass sie ihm damit berufliche
Chancen in Hamburg verderbe. Gebe der Himmel, dass
sein berühmter Optimismus wieder einmal obsiege.
Allerdings könne er sie damit nicht mehr anstecken.
Neunzig Prozent ihrer Tage seien schwer und grau.

In den letzten Briefen an ihren Mann meldet sich, verhalten erst, dann immer deutlicher, ein Verlangen, dem
sie nur in ihren ersten Ehejahren Ausdruck gegeben
hat. *Es bedurfte nur noch deiner lieben Karte, um die Sehnsucht
ganz groß zu machen.*

Es ist, als ob sie erst in ihrer Sofaecke, die immer
mehr zu ihrem Krankenlager wird, entdeckt, was sie
die ganzen Jahre lang an Heinrich gehabt hat, an seiner
Unbeirrbarkeit und Treue. Sie liest in den Leerstellen
zwischen seinen mit steiler Schrift geschriebenen Worten und erspürt, was er ihr in seiner knappen Art nicht
gesagt hat, nicht sagen konnte.

*Irgendwie liegt Traurigkeit zwischen deinen Zeilen, stimmt's?
Sieh, jetzt möchte ich das, was ich mir so oft und so sehr von dir*

wünsche: Dich an mein Herz nehmen und dich streicheln und trösten können. Das Wissen darum, daß du Ruhe nötig hast – Aufgefangensein –, berührt mich wie ein Anruf, dem ich nicht widerstehen kann, niemals widerstehen wollte. Manchmal bin ich erschrocken, daß die Frau in mir jetzt erst wach wird.

Heinrich kann die Auslassung in diesem Satz nicht entgangen sein: dass die Frau in ihr jetzt erst gegenüber ihm, gegenüber Heinrich, wach geworden sei.

Wenn du nicht so oft schreiben und mir damit helfen würdest, dann würde ich von Tag zu Tag warten und denken, du müßtest kommen, obwohl ich weiß, daß es nicht geht. Aber manche Dinge können einem ins Ohr geschrien werden, und man begreift sie doch nicht – man begreift doch nicht, warum jemand, der ständig in einem Raum neben einem geht, an dessen Atem sich der eigene belebt, nicht plötzlich dastehen kann, ja, ganz leibhaftig! Schimpf nur mit mir – »Du willst alles so deutlich!« – ja, dich will ich so nahe, so wirklich, so sinnenhaft spüren wie mich selbst, und keiner wird mich glauben machen, daß es dafür irgendeinen Ersatz gäbe.

Der Adressat ihrer Sehnsucht ist nicht mehr derselbe. So hat sie bisher nur an Andreas geschrieben. Aber ist ihr das Gefühl einer verzehrenden, vielleicht unerfüllbaren Sehnsucht nicht immer wichtiger gewesen als deren Adressat?

Immer öfter bricht sie in Empörung über ihr Los als Frau und Mutter aus – das arbeitende, dreckbeseitigende Haustier. Eine Familie anzuziehen, ist fast allein ein Hauptberuf!

Sie rechnet ihrem Mann die Arbeitszeiten vor: Für jedes Kind hat sie eine Montur genäht, bestehend aus drei Teilen. Pro Teil braucht sie 7−8 Stunden, also rund hundert Stunden, damit jedes Kind einen Anzug hat, und noch ist kein Strumpf geflickt und keine Unterwäsche. Für sich selber muss sie aus allen möglichen Resten Strümpfe n ä h e n , weil sie nur noch Löcher an den Beinen hat. Ihre Hände sind inzwischen so rissig und blutig, dass ihr jeder Stich wehtut. Und das Schlimmste: Sie hat keinen Kaffee mehr. Am liebsten ist ihr Nescafé. Sie schwört auf das legendäre, darin enthaltene Pervitin (ein dem Adrenalin verwandtes Methamphetamin, mit dem die Nazis ihre Truppen auf dem Westfeldzug aufputschten), aber nun ist auch der letzte Rest aufgebraucht, der Kaffee von Linda, der von der Familie Hirth und auch der von Heinrich − *schickst du mir ein halbes Pfund?* Und dazu am besten auch noch einen Tauchsieder, der in Grainau ganze 100 Mark mehr als in Hannover kostet! Ohne Kaffee geht gar nichts, *ohne Kaffee werde ich mit meinen kaputten Pfoten ungenießbar!*

Kaffee und Sehnsucht, das hält sie am Leben. Nur wenn sie Kaffee hat, gelingt es ihr, den Zustand des *Tierseins* abzustreifen. Ach, wenn ihre Freunde aus der Stadt sie sähen − das Aschenputtel aus Grainau! Sie würden sich alle von ihr wenden. Und eigentlich könne sie das niemandem verdenken!

Immer seltener putzt sie sich heraus, um an den Abendgesellschaften in der Villa Hirth teilzunehmen.

Sie fühlt sich fehl am Platz unter den gepflegten Damen mit ihren frisch manikürten tadellosen Fingern und den Herren, die sich mit ihren Ideen und Theorien über die Zukunft produzieren. Die einen schwärmen vom Bolschewismus und der russischen Besatzungsmacht, die anderen prophezeien einen Krieg der USA mit der Sowjetunion, wieder andere reden vom Auswandern nach Australien oder Kanada. Und obwohl sie vieles von dem wolkigen Diskurs dieser Nachkriegs-Boheme nicht versteht, möchte sie dazwischenfahren und ihnen sagen, dass sie alle die Bodenhaftung verloren haben und ihre Pläne Dampf und Krampf sind. Sie hat keinen Sinn mehr für die Flirts und beziehungsreichen Blicke, für das andeutungsreiche Sprechen und Getue; sie empört sich über die aufgeplusterten Individualisten, die ihre Amouren philosophisch begründen und sie als »geistige Gemeinschaft« tarnen. Plötzlich entdecke sie, schreibt sie ihrem Heinrich, wie *bürgerlich* sie sei, ja sie sei ihrer Bürgerlichkeit regelrecht dankbar. Weil sie sie gegen die Dekadenz dieser feinen Leute und deren *kokottenhafte Biestigkeiten* schütze.

Trotz ihrer Müdigkeit entwickelt sie in jedem zweiten Brief neue Pläne, wie sie ihr Los ändern oder wenigstens erleichtern kann. Sie will das Haus in Grainau gegen eine Wohnung in Hannover oder in Tübingen tauschen – und jeden dieser Pläne verbindet sie mit dringenden Aufträgen an ihren Mann, an wen er schreiben, mit wem er sprechen, auf welches Amt er gehen, wem er die Hölle heißmachen soll.

24

Mitte April 1948 begibt sie sich doch noch einmal auf eine Reise. Eine Premiere von Andreas, den sie eigentlich nicht treffen will, hat sie nach München gelockt, vor allem aber die Aussicht, ihre Freundin Linda dort zu sehen. In der Nacht hat sie nur zwei Stunden geschlafen, ein eiternder Zahn zwingt sie gleich nach ihrer Ankunft in München zu einem Nottermin beim Zahnarzt. Aber das Glück, endlich wieder in einer großen Stadt zu sein und eine Premiere zu erwarten, weckt ihre Lebensgeister. Den Mittag verbringt sie mit Linda in einem Café am Stachus. Die beiden Freundinnen geraten ins Schwärmen über diese sonderbare Stadt, halb Dorf, halb Metropole, von deren Zentrum aus man auf beschneite Berghänge blickt. Sie machen sich lustig über die fesch gekleideten Passanten, die ihre über den Krieg geretteten Hüte und Pelzmäntel spazieren führen. In dieser Disziplin – im Lästern und Klatschen über Dritte – verstehen sich die beiden Freundinnen. Nach dem Essen begeben sie sich in Lindas Wohnung, machen sich für die Premiere schön, die bereits halb sechs beginnt. Das Licht erlischt, der Dirigent hebt den Taktstock. Endlich ist die Mutter wieder in der Welt der Künstler angekommen, die sie seit der Flucht aus Königsberg so lang entbehrt hat. Sie vergisst Grainau, ihre Mühen mit dem Haus und mit den Kindern, sie begeistert sich für die Sänger und für Andreas' Inszenierung. Allerdings entgeht ihr nicht, dass sie jedes Detail der Münchener Aufführung von Carl Orffs »Die Kluge« aus einer früheren Inszenierung kennt. *Auf der Bühne mit kleinen Abweichungen dieselbe Aufführung wie in Königsberg; zum Teil bessere Leute, die Gauner sind Kabinettstückchen von Andreas. Doch das ist nun erschöpft.*

Andreas war kein Risiko eingegangen, er hatte eine bereits bewährte Produktion nachinszeniert. Sie hütet sich, der wieder verliebten Linda ihre Beobachtung mitzuteilen und sie in ein neues Gespräch über Andreas' künstlerische Nicht-Entwicklung zu verstricken. Wenn es um Lindas Verhältnis zu Andreas geht, weiß die Mutter nie, woran sie ist.

Nach der Premiere begrüßt sie der gefeierte Regisseur mit dem theaterüblichen Kuss auf die Wange und hört sich bescheiden ihre Komplimente an. Gleich darauf entschuldigt er sich. Er muss zu einem offiziellen Dinner, auf dem er nicht fehlen darf.

Nachts um halb zwölf erscheint Andreas in Lindas Wohnung, leicht beschwipst und todmüde. Es kommt zu einer letzten Begegnung in einer seltsamen Konstellation. Andreas und Linda bringen es nicht über sich, sich ins Schlafzimmer zurückzuziehen. Sie legen sich auf das Sofa im Wohnzimmer, die Mutter bettet sich zu ihren Füßen auf eine Matratze.

Nur andeutend beschreibt die Mutter in ihrem Brief an Heinrich diese Situation. Sie erzählt ihm nicht, wie sie die Nacht verbrachte. Wie sie wach lag und – vielleicht im unruhigen Licht einer Straßenlaterne – Schatten durch das Zimmer wandern sah. Wie sie Andreas' vertrauten Atem hörte, gleichzeitig den von Linda, die in Andreas' Armen lag. Wie sie gegen die Bilder kämpfte, die ihr durch den Kopf geisterten. Wann hatte sie zuletzt an Lindas Stelle so ruhig mit Andreas gelegen – gab es das überhaupt je, eine ganze Nacht mit ihm? Müsste nicht sie mit Andreas auf dem Sofa liegen und Linda zu ihren Füßen?

Bevor sie sich alle drei niederlegten, hatte Andreas sie halb im Scherz gefragt, ob nun »gleich wieder Briefe kommen« würden. Sie hatte stolz den Kopf geschüttelt.

Das Frühstück sei harmonisch verlaufen, in *bester Freundschaft*, schreibt sie Heinrich. Andreas ist charmant und macht ihr Komplimente, gleichzeitig spürt sie ein gewisses Misstrauen. Er sieht sich vor, scheint immer auf einen Vorwurf gefasst zu sein, der die Stimmung sofort kippen lassen würde. Linda wiederum kann es nicht lassen, ihrer Freundin vorzuführen, wer den Wettlauf gewonnen hat. Sie geniert sich nicht, Andreas vor den Augen ihrer Freundin zu umarmen und ihm Zärtlichkeiten ins Ohr zu flüstern. Dem scheinen diese Demonstrationen eher peinlich zu sein, immer wieder löst er sich von Linda mit einem sanften Schubs. Seine ehemalige Geliebte setzt ihre ganze Kraft ein, um sich ihren Schmerz nicht anmerken zu lassen. Sie hat sich vorgenommen, auf keinen Fall zu weinen, jetzt nicht und auch später nicht!

Manchmal hat sie Angst, man könne ihr die Silben dieser Losung von den Lippen ablesen: Du wirst nicht weinen!

Außerdem hat sie einen guten Grund, ihren Mund zu halten – und zwar buchstäblich, mit der Hand. Die Betäubungspillen haben ihre Wirkung verloren, sie muss noch einmal zum Zahnarzt, hastig verabschiedet sie sich. Eine neue Behandlung unter Narkose befreit sie von ihren Schmerzen, und wie im Rausch, *völlig besoffen*, schreibt sie, kauft sie in Schwabing Geschenke ein. Wenn sie schon selber mit leeren Händen und gebrochenem Herzen von diesem Besuch zurückkehrt, möchte sie wenigstens die Augen ihrer Kinder zum Leuchten bringen. Für den Jüngsten ersteht sie eine Holzeisenbahn mit sechs Waggons, für Rainer ein paar geschnitzte Kasperköpfe, für Hanna einen ausziehbaren Nähkasten, für mich eine Rechenmaschine, für sich selber – als Arznei gegen den *verdorbenen seelischen Magen* – einen französischen Lippenstift. *Hundert Mark sind weg, doch die spare ich in Grainau!* verspricht sie Heinrich.

Und doch kann sie ihrer Gefühle nicht Herr werden. Kaum hat sie die Kinder gerufen, die mit offenen Mündern die rot verschnürten, bunten Verpackungen aus der Stadt bestaunen, schließt sie sich in ihrem Zimmer ein und heult den ganzen Nachmittag.

In einem Brief an Andreas versucht sie, sich und ihm ihre Leidenschaft noch einmal zu erklären.

Ich habe doch auf einen Brief von dir gewartet. Aber wahrscheinlich hast du recht: Wirf Asche auf die Glut! Vielleicht erkennst du jetzt, daß ich eine ganz Andere bin als die, die du in mir siehst. Bei mir ist es doch die Leidenschaftlichkeit, von der aus mein Leben gestaltet und zerstört wird. Leidenschaft, dieses Wort darfst du mir nicht falsch auslegen, nicht verkehren. Es sind Gluten, die uns über uns hinauswachsen lassen, die uns an unsere Grenzen bringen. Darum gebe ich mich immer wieder so hin, weil ich fühle, daß man erst dort lebt, wo man sich unerreichbar ist. Diese Frage quält mich: Ist die Einmaligkeit des Erlebens bedingt durch eine einmalige Bindung zwischen Menschen? Es ist mir klar, daß eine Berechtigung eines solchen Hingegebenseins nur gegeben ist, wenn aus ihnen eines Tages Schöpferisches kommt, aber dazu fehlen mir die Begabungen – ich bin zu sehr Frau. So schaffe ich nur Wirrsal. Mußtest du mir darum begegnen, daß ich mich endlich sehe? Ganz kalt und ohne Verzeihen?

Sie zieht sich wieder in ihre Sofaecke zurück. Will nichts mehr wissen von der seit Langem geplanten, immer wieder verschobenen Reise zu ihrem Mann nach Hannover. Will sich nicht zeigen zwischen all den Leuten, die ein *schönes Leben haben* – nicht mit ihren kaputten Fingern, nicht mit ihrer Müdigkeit. Schon bei dem Gedanken, was sie endlich einmal für sich selber nähen müsste, um sich vorzeigen zu können, vergeht ihr die Lust. Und wie soll es eigentlich zwischen ihnen beiden gehen, fragt sie Heinrich, wenn sie dort in seinem Zimmer zusammenhocken – unter den Augen und Ohren der verliebten Wirtin, die Heinrichs Frau vermutlich sowieso nicht leiden kann? Was soll bitte zwischen ihnen reifen, wovon haben sie sich denn zu erzählen als von ihren Belastungen? Und da ist noch das Unglück mit ihrem letzten und liebsten Liebhaber Horst. Er – den sie jetzt nur noch bei seinem Doktortitel und Nachnamen nennt – hat ihr nach einem einfühlsamen Brief und einer langen Pause nur ein paar nichtswürdige, nichtssagende »Freund der Familie«-Sätze geschickt, eine feige, unausgesprochene Absage. Allzu lange sind auf ihre Nachfragen keine Antworten gekommen – und ach, wie vieles hat sie Horst gefragt! Er kneift, er lässt sie stehen, er spürt nicht mehr, wie nötig ihr seine Zuwendung ist. Sie kann es nun einmal nicht ändern, sie trägt ihr Herz in der Hand. Und wenn sie einen Menschen liebt, kann sie ihm nur mit allem Vertrauen entgegengehen – oder muss es ganz zurücknehmen. Sie kann eben nicht, was sie alle so gut können: ihre Gefühle stückeln, sich bescheiden, maßvoll sein. Warum hat er sie nur so nah an sein Herz genommen, wenn er sie jetzt wieder loslässt? Das musste er doch wissen, der Herr Doktor: Ob er eine solche Bindung eingehen will oder nicht. Sie konnte ja nicht wissen, wie gut ihr seine – auf den ersten Blick vorbehaltlose – Bereitschaft tun würde. Ach hätte er es doch gelassen! Nein, sie wird nicht nach Hannover kommen, sie hält es nicht aus, zu sehen, wie der Herr Doktor jeden in die Arme nimmt, der ihm entgegenkommt, und nicht weiß, nicht wissen will, *daß ein anderer krank werden kann an diesen Dingen!*

Verzeih, endet sie ihre Klage, sie wolle Heinrich nicht wehtun – aber er sei nun einmal der einzige Mensch, der da sei und da bleibe. Und darum sage sie ihm alles – ihrem besten Freund! *Draußen ist Frühling, der blaue Himmel, der Wind und die großen weißen Berge – dies alles tut nur weh.* Ach könnte Heinrich jetzt doch bei ihr sein! Ach könnte sie doch in seinen Armen weinen!

In den nächsten Tagen schöpft sie wieder Hoffnung. Ihr Mann, der Geduldige, immer Hilfsbereite, hat sie angerufen und ihr mit der Wärme und Nähe seiner Stimme wieder Leben eingehaucht. Er hat inzwischen auch mit ihrem letzten Liebhaber Horst gesprochen: Die Spannung zwischen Horst und ihr, richtet der treue Heinrich aus, habe keineswegs nachgelassen, Horst sei im Augenblick lediglich mit Arbeit überlastet.

Sie dankt ihrem Mann für diese Botschaft, mag sie allerdings nicht glauben. Sie brauche nur Horsts erste Briefe mit dem letzten zu vergleichen, dann wisse sie Bescheid. Dass seine Abwendung sich in ihrer augenblicklichen Verwundbarkeit viel stärker auswirke, als er wohl ahne, könne sie ihm nicht vorwerfen. Jedenfalls sei keine Hilfe da, wenn sie am nötigsten wäre, und sie sehe sich auch nicht mehr danach um.

Sie entschuldigt sich für ihre Erschöpfung, die ihr die Erinnerung an Heinrich, an ihre Kinder, an ihre frühere Identität manchmal völlig auslösche. Es sei ihr

schrecklich, zu sehen, wie ihr Versagen die ganze Familie belaste. Wenn ein solcher Zustand der Erschöpfung
von ihr Besitz ergriffen habe, erklärt sie Heinrich, falle
sie ins Uferlose, in Apathie. Essen geht nicht mehr,
Schlafen geht nicht mehr, sie kann die Kinder nur noch
mit ein paar Mark zum Gasthaus Höhenrain schicken,
damit sie sich den Magen mit gekochten Möhren und
Kartoffeln füllen.

Regenwolken hängen vor dem Fenster, die Umrisse
der großen Birke vor dem Haus lassen sich nur noch
erahnen, der Gartenzaun ein paar Meter weiter unten
ist im Nebel verschwunden. Das dunkle, mühsame
Haus ist ein Gefängnis und verkündet ihr jeden Tag
aufs Neue ihre Strafe – das schmähliche Los aller Frau-
en, die mit ihren Kindern den Krieg überlebt haben:
Nähen, Stopfen, Kochen, Saubermachen. Selbst ihr
Zweitjüngster, der immer um sie ist und juchzt und
singt, mit dem sie noch am besten zurechtkommt, weil
er *sensibel* ist und auf *ihre Mittel anspricht*, hat schlechte
Laune. Er vertrage das schlechte Wetter nicht, behaup-
tet er. Das Übermaß der grauen Tage sei so groß, dass
alles andere verschwimme und sich auflöse in diesem
Nebel.

Aber nun hat sie sich entschlossen: Sie will doch noch
nach Hannover kommen. *Denkst du bitte an das blaue Lei-
nenkostüm, das unbedingt nachgefärbt werden muß? Und bitte
auch gleich den seidenen Schal rot auffärben!* Sie will die neu-
en Schuhe – eine Gabe aus Amerika, die Johanna Hirth
eigentlich Hanna geschenkt hat – in Hannover tragen,

denn die passen ihr und sind viel zu groß und auch zu schön für so ein Gör. Aber vorher muss sie noch etwas für die vier Geburtstage der Kinder im April zurechtmurksen. Mit den Kindern, schreibt sie, hat sie viel Ärger, sie seien undiszipliniert und liederlich. Ihr fehlten die Kräfte, sie jeden Tag dreimal zu ohrfeigen – was aber nötig wäre! Freude an den Kindern habe sie immer erst, wenn sie sie mal einen Tag lang los sei. Bin auch oft recht ekelhaft zu ihnen, rege mich schnell auf oder rede gar nicht, könnte mich selber ohrfeigen! Es ist ein Scheiß-Jahrhundert und für die Frauen Sklavenarbeit – nichts Anderes!

Die Kinder, die viel geliebten und doch viel zu vielen, sie gehorchen ihr nicht mehr. Zu oft schreit sie sie an, ohrfeigt und prügelt sie, nimmt sie dann wieder in die Arme und flüstert ihnen Liebesworte zu.

25

Ich war völlig überrascht, als Gisela Deus mir kurz vor dem Ende ihrer Entzifferungsarbeit einen Brief der Mutter zeigte, der meine Erinnerung an meine letzte Begegnung mit der Mutter erst einmal über den Haufen warf. Darin schildert sie in aller Ausführlichkeit ein Drama, von dem ich geschworen hätte, dass es mir – und mir allein! – zugestoßen sei. Aber die Protagonisten dieses Dramas sind meine beiden älteren Geschwister. Ich komme darin gar nicht vor.

Erinnerungen arbeiten offenbar mit verblüffender Einseitigkeit für ihren Herrn – für den, der sich erinnert. Das größere Unheil ist immer das, das einem selber widerfahren ist. Was man nur gehört, aber nicht erlebt hat, wird von der selbstsüchtigen Erinnerung nach und nach gelöscht.

Abends. Was soll das nur werden? Seit 2 Std. warte ich auf die Kinder Rainer und Hanna. Es ist ½ 10 Uhr, stockdunkel, und sie sind noch nicht da. Sie gingen mit Willi fort, angeblich in den Zigeunerwald, ca. 6 Uhr. Eben frage ich Herrn ..., der mir sagt, Willi ist nach Garmisch ins Eisstadion – käme ½ 11 Uhr zurück. Da werden nun wohl unsere beiden mit sein. Was soll ich nur machen? Rege mich derart auf, daß ich am ganzen Leib zittere. Sie sind obstinat und machen, was sie wollen. Du siehst es ja. Der Willi ist ein Miststück und wirkt völlig demoralisierend auf die Kinder. Ich bin diesen Dingen nicht mehr gewachsen, in gar keiner Hinsicht. Temperatur und Schmerzen an der rechten Niere. Am liebsten würde ich den Haushalt hier auflösen, nur Paul behalten ...

Es ist ¾ 10 – die Kinder sind noch nicht da. Was soll ich nur machen. Bin viel zu fertig, um sie noch zu schlagen. Werde sie erst mal hungrig ins Bett schicken und Willi das Haus verbieten.

Nachts ½ 12 Uhr. Reizende Situation: Ich warte auf die Kinder, die noch nicht da sind. Tilla lacht und kreischt drüben bei Fröhlichs mit Schnaps und Kaffee. Ich habe das Gefühl, ich werde wahnsinnig. Könnte manchmal den Kindern und mir etwas antun ...

Jetzt, 12 Uhr, sind sie gekommen. Ich habe sie beide furchtbar mit dem Drahtausklopfer verdroschen, ging dann mit 2 Schlaftabletten ins Bett und bin heute entsprechend fertig. Laß sie heut' oben im Zimmer und hungern. Ich finde, man muß so etwas ganz exemplarisch strafen, sonst passiert's nächste Woche wieder. Denn Angst haben sie offenbar nicht vor mir. Wenn ich nur mal alle Kinder ein halbes Jahr los wäre, um wieder richtig Kräfte zu sammeln!

Wie hatte Willi es vermocht, Hanna und den großen Bruder in das Eisstadion zu locken? Hanna hatte mich gewarnt: Seit dem vergeblichen Warten auf den Engel – nach ihrer nächtelangen Arbeit an den Stutzen – traue sie Willi nicht mehr. Und der damals vierzehnjährige Bruder? Warum war er, ohne der Mutter ein Wort zu sagen, auf den Vorschlag zu der Exkursion mit

Willi eingegangen? Und schließlich Willis Vater, den die Mutter in ihrer Not angerufen hatte – machte er sich keine Sorgen über die nächtlichen Abenteuer seines Sohnes?

Gisela Deus hatte den unleserlichen Nachnamen von Willis Vater, der in den Briefen zum ersten Mal auftaucht, in ihrer Umschrift mit einer Leerstelle bezeichnet; der Vergleich mit dem Original ergab, dass es sich um einen zweisilbigen Namen handelte.

In einem ihrer letzten Briefe beantwortet die Mutter eine Frage, die Heinrich wohl lange in sich getragen, aber vorher nie gestellt hat. Er habe das Gefühl, dass die Liebe in ihr absterbe – wegen aller Belastungen. Was es mit ihren ständigen Krankheiten auf sich habe, ob es wirklich organische Krankheiten seien oder etwas anderes. – Ja, ihre Kraft lasse nach, erwidert die Mutter, sie verbrauche sich an der Mühseligkeit der Tage. Das spüre sie besonders schmerzlich an ihrem Verhalten gegenüber ihren Kindern.

Es gibt Tage solcher Apathie, daß ich gar nichts empfinde. Manchmal weiß ich nicht, ob nicht eine dunkle Schwermut als Krankheitsbild in mir liegt und mich einmal ganz überschatten wird. Und manchmal denke ich natürlich auch: Das hätte mein Mann wissen müssen, daß vier Kinder zu viel für mich sind. Diese Erschöpfungen sind viel schlimmer als Krankheiten. Krankheit ist Kampf. Da wehrt sich etwas in einem! Aber dieser Zustand ist völliges Leersein – Aufgezehrtsein aller positiven Lebenskräfte, und die zerstörenden stürzen, da kein Widerstand

271

mehr da ist, über einen her wie Ungeziefer, und alles ist gefährdet, vor allem die Fähigkeit zum Lieben erstrahlt dann nirgends mehr – und das ist für eine Natur wie die meine der Tod, der nichts mehr bewegen und verwandeln kann und deshalb viel grausamer ist als der physische Tod. Aus Furcht vor ihm – vor dieser Zersetzung der seelischen Substanz – entsteht dann wohl immer wieder die Flucht in die Krankheit, d. h. in die Rettung, weil sich in ihr der seelische Raum wieder anfüllt.

Sie wisse sehr wohl, dass ihr Los kein Einzelschicksal sei, sondern Teil eines Gesamtschicksals – das Schicksal vieler Frauen, die ihre Kinder allein durch den Krieg hatten bringen müssen. Aber das letzte Jahr sei für sie einfach zu schwer gewesen, teils durch ihr vieles Kranksein, teils durch die zerbrochenen persönlichen Begegnungen.

Ja, lieber Heinrich, so scheint mir, trotz Anthroposophie und allem anderen – daß wir nicht sieghaft sind gegen die zerstörenden Kräfte der Zeit. Ich komme nach Hannover – zu dir komme ich. Du hast mein ganzes, großes Vertrauen – als einziger Mensch.

Und eine Woche später:

Ich dachte, du rufst heute mal an. Es sind entsetzliche Tage – weiß nicht, wie ich das überstehen soll. Esse schon seit Tagen kaum, denn ich muß mir die Kräfte nehmen, um damit auch die zerstörenden abzuschwächen. Nun bin ich matt, liege herum – allein, allein, es ist nicht mehr auszuhalten. Ich bin wohl krank, ich meine psychisch krank. Sobald diese Erschöpfungen eintreten, gewinnt das Kranke in mir die Oberhand, ich entgleite mir vollkommen. Daß niemand begreift, daß man sich in solchen Zeiten nicht mit mir »auseinandersetzen« kann, daß man uns nicht Ratschläge geben und uns Vorwürfe machen kann! Das macht alles nur viel, viel schlimmer. Daneben stehen und mich streicheln – das ist das einzige, was hilft.

Daneben stehen und mich streicheln, das ist das Einzige, was hilft. – Ich hatte in den Jahren der Entzifferungsarbeit viele Sätze der Mutter gelesen, die mich berührten, mich überraschten oder auch empörten, die mich übergangslos zwischen Stolz und Trauer hin und her gerissen haben. Mit diesem Satz war es anders. Er zerschmolz den Abstand zwischen der Zeit, da er geschrieben wurde, und der Zeit, da ich ihn las. Er sprach zu mir, als hätte ihn die Mutter, neben mir auf dem Sofa in meinem Studio kauernd, in diesem Augenblick gesagt.

Wir Kinder, jedenfalls die drei älteren, standen damals nicht neben ihr, um sie zu streicheln. Ich kann mich nicht einmal daran erinnern, dass ich die Mutter jemals so kraftlos und apathisch, wie sie es beschreibt, auf dem Sofa in der Veranda wahrgenommen habe. Und doch muss ich sie in diesem Zustand, aus dem sie bis zu ihrer letzten Reise nicht mehr herausfand, Tag für Tag gesehen haben. Hat sie mich zu sich gerufen? Habe ich, haben wir ihren Ruf gehört und sind wir ihm gefolgt? Am ehesten wohl Paul, der Jüngste, der nicht unter Willis Bann stand und in den letzten Monaten und Wochen der Mutter ihr Liebling wird. Hanna und mich will sie, wie sie es schon Jahre vorher mit dem Ältesten getan hat, in ein Internat schicken, fort aus dem Haus, fort aus ihren Augen.

Ich möchte nicht nach Hannover kommen, schreibt sie in ihrem letzten Brief.

Würde dich nur in der Arbeit stören. Es ist zu dunkel um mich, wüßte nicht, was mir dort helfen könnte. Ich kann dort auch nicht ins Theater gehen, Menschen sehen und sprechen — was willst du also mit mir? Laß mich hier, bis sich das einmal entscheidet, und ich es schaffe oder nicht.

26

Mein wiedergefundener Schulfreund Matthias hatte mich zu einem Klassentreffen unserer Klasse eingeladen. Ich glaubte, mich verhört zu haben, als er mir erklärte, dass solche »Klassentreffen« einmal im Monat stattfanden. Doch, einmal im Monat, immer am gleichen Tag in der zweiten Woche! Die meisten Klassenkameraden, soweit sie nicht gestorben waren, würden immer noch in Grainau und Umgebung leben und hätten das Ritual dieser Zusammenkünfte seit Jahrzehnten beibehalten.

Ungefähr fünfzehn meiner ehemaligen Mitschüler saßen an reservierten Tischen, als ich das Gasthaus dicht unterhalb der Dorfkirche betrat. Die Mehrzahl von ihnen waren Frauen. Die Männer weißhaarig oder glatzköpfig, nur wenige von ihnen in bayrischen Lodenjacken, die Frauen diskret herausgeputzt, einige geschminkt. Wie von selber hatten sich die Frauen an den einen Tisch gesetzt, die Männer an den anderen. Als ich den Gastraum betrat, entstand einen kurzen Augenblick lang jene Stille, die unfehlbar eintritt, wenn Menschen sich begegnen, die sich Jahrzehnte nicht gesehen haben und im Gesicht des andern nach einem vertrauten Zeichen suchen. Ich hatte mir keine Illusionen gemacht, dass ich beim Blick in die siebzigjährigen Gesichter auch nur einen meiner ehemaligen Klassenkameraden wiedererkennen würde. Und ich war fest entschlossen, ein solches Wiedererkennen auch nicht zu heucheln. Da rief mir ein stämmiger kleiner Herr, der an der getäfelten Holzwand saß, entgegen: Dös iss er, wie oas'm G'sicht g'rissen! Als ich mich auf den angebotenen Stuhl setzte, stellte er sich vor. Er habe ein Jahr lang mit mir auf derselben Schulbank gesessen. Wir hätten Texte auf vorgedruckten Blättern, die die Lehrerin herumreichte, vorlesen müssen. Sobald ein Schüler sich verlas, habe er das Blatt an die nächste Bank weiterreichen müssen. Wir beide seien die besten Leser in der Klasse gewesen und hätten unseren Text nie weitergeben müssen.

Ich wollte wissen, was er nach der Schule gemacht hatte. Er sei Drucker geworden, antwortete er, er habe viele Jahre in einer kleinen Firma in Garmisch gearbeitet, bis die Firma aufgeben musste.

Es stellte sich heraus, dass die meisten, die ich an diesem Abend kennenlernte, einfache Berufe gelernt hatten: Handwerker, Schreiner, Maurer, Friseuse, Sekretärin. Nur wenige hatten das Abitur gemacht, kaum einer hatte studiert. Die Schaudin-Liesl, ja die Schaudin-Liesl – die sei nach Paris gegangen und habe dort als Ärztin gearbeitet, sei aber leider durch eine Krankheit an den Rollstuhl gefesselt. Niemand wusste Genaueres oder kannte ihre Adresse.

Mir fiel auf, dass alle, bis auf eine weißhaarige Dame aus Garmisch, Bayrisch sprachen. Sicher war sie einmal blond gewesen, und vielleicht, weil sie so ausdrücklich Hochdeutsch redete, fühlte ich mich zu ihr hingezogen. Sicher hatte es sie, so wie mich und die Schaudin-Liesl, aus dem hohen Norden oder dem fernen Osten in das Zugspitzdorf verschlagen. Galt das Gesetz nach fünfundsechzig Jahren immer noch: Wer meine Mundart spricht, zu dem gehöre ich? Ich wollte wissen, wie viele von den hier Anwesenden Flüchtlingskinder waren. Ungefähr die Hälfte meiner ehemaligen Klassenkameraden erhoben prustend und lachend ihre Hände. Ob sie damals nicht alle, so wie ich, von den Einheimischen, also der anderen Hälfte an den Tischen, jämmerlich verprügelt worden waren?

Einen Augenblick lang entstand eine zweite Stille. Die greisen Flüchtlingskinder bestätigten erst zögernd, dann immer energischer meine Frage, während die inzwischen ebenfalls ergrauten Prügler die Köpfe schüttelten. So etwas sei, wenn überhaupt, nur ausnahmsweise vorgekommen, sagte einer – aber mein Banknachbar, der Drucker, wurde plötzlich ernst und protestierte heftig.

Aber er protestierte in perfektem Bayrisch. Nach einem langen Leben in Bayern sprachen auch die Flüchtlingskinder die Mundart der Einheimischen, und auch ich hätte dieses mir vertraute, aber jahrelang verhasste Idiom zweifellos mit Begeisterung gesprochen, wenn meine Familie nicht zu früh nach den Prügeleien aus Grainau weggezogen wäre. Inzwischen, ich kann es nicht recht erklären, liebe ich Bayrisch.

Matthias hatte mir den Namen einer Einheimischen genannt, die zu der Zeit, als ich dort zur Schule ging, eine junge Frau gewesen war. Sie wohnte in Rufnähe zum Haus ihrer längst ergrauten Kinder in einem kleinen Nebenhaus, das ihr Sohn für sie gebaut hatte. Ich konnte es kaum glauben, dass Maria Schuster mit ihren neunzig Jahren ohne irgendein Gebrechen lebte. Sie bewegte sich wie eine Fünfzigjährige, hörte und sprach ohne jede Mühe und konnte ohne nachzudenken eine Skizze mit allen in der Nachkriegszeit bereits vorhandenen Häusern in der Alpspitzstraße und Umgebung in mein Notizbuch zeichnen – mitsamt den Namen ihrer damaligen Bewohner. Auch an meine Mutter konnte sie sich erinnern, sprach aber über sie mit einer gewissen Zurückhaltung. Die Bauern und die Leute aus der Stadt hätten sich in getrennten Kreisen bewegt und einander kaum getroffen.

Oder wollte sie mich mit den Gerüchten über meine Mutter, die vermutlich nicht nur Willi verbreitet hatte, schonen?

Ich fragte sie nach Willi. Ja, der Willi habe schräg gegenüber von uns gewohnt, im Haus des Architekten, aber dieser Architekt sei nicht Willis leiblicher Vater gewesen. Willis Mutter, Tochter einer ausgebombten Verleger-Familie aus Würzburg, sei mit dem Tropenarzt Dr. Krause verheiratet gewesen, habe sich aber scheiden lassen, weil der Doktor nach jedem Weiberrock im Dorf gegriffen habe. Der Tropenarzt sei in Wirklichkeit gar kein Doktor gewesen, sondern ein

Scharlatan. Als er merkte, dass die Städter im Dorf ganz wild auf homöopathische Medikamente waren, habe er die kleinen weißen Kügelchen mit seiner Assistentin und späteren Geliebten in Massen hergestellt, aus Puderzucker!, und für viel Geld verkauft. Willis Mutter habe sich von Krause getrennt und sei mit ihrem Sohn zu dem Architekten in die Alpspitzstraße gezogen, schräg gegenüber vom Haus des Reichstagsabgeordneten.

Frau Schuster war sich wegen dieser Wirren nicht ganz sicher über Willis Nachnamen – ob er nach seiner Mutter, nach seinem Vater oder nach dem Architekten geheißen habe. Ich solle in die Kramergasse gehen, dort wohne jedenfalls ein Willi Krause. Er betreibe eine Schreinerei.

Ich machte mich auf den Weg zu Willi.

Die Aussicht, nach gut sechzig Jahren dem Menschen wieder zu begegnen, der mein Leben zu der Zeit, als ich darüber nicht bestimmen konnte, stärker beeinflusst hatte, als er wissen konnte, ließ eine seltsame Aufregung entstehen. Was würde ich Willi zur Begrüßung sagen: Guten Tag, entschuldigen Sie den Überfall! Wir beide haben vor mehr als sechzig Jahren im Zigeunerwald gespielt! Damals habe ich schräg gegenüber von Ihnen in der Alpspitzstraße gewohnt. – Oder: Hey Willi, kennst du mich noch? Ich bin der Junge, dem du das Fliegen beibringen wolltest. Erinnerst du dich, wie wir nach dem Eishockeyspiel in Garmisch durch den Wald nach Grainau zurückgelaufen sind?

Nachts um zwölf? Zufällig weiß ich noch ziemlich genau das Datum: Es war drei Wochen vor dem Tod meiner Mutter. – Oder: Wie war das eigentlich mit dem Erzengel Michael? Kannst du inzwischen fliegen? Hast du an deine Lügen selbst geglaubt?

Zum ersten Mal fragte ich mich, wie Willi eigentlich ausgesehen hatte. Ich wusste, er hatte schwarze Haare, blaue Augen, war eher zierlich als kräftig, seine Macht über uns war nicht körperlicher Art gewesen. Ein gut aussehender Junge mit einer regen Phantasie, in den sich meine Schwester – nach dem Zeugnis der Mutter – verliebt hatte. Hatte er eigentlich Bayrisch gesprochen oder Hochdeutsch wie wir? Wenn Maria Schuster recht hatte, war Willi selber ein Flüchtlingskind gewesen, Sohn eines Kriegsheimkehrers, eines Schwindlers und Angebers, der nach dem Krieg eine gut gehende Praxis aufgebaut hatte. Ein Scheidungskind in der Pubertät, konnte man schließen, das sich nach der Trennung seiner Eltern von seiner Mutter und dem Stiefvater nichts mehr sagen ließ.

Wie war er auf die Geschichte mit dem Erzengel Michael gekommen? Wahrscheinlich war er – zumindest damals, als Halbwüchsiger – ein gläubiger, vielleicht ein fanatischer Katholik gewesen. Aber glaubte er selber an seine privilegierte Beziehung zum Erzengel und an das Märchen vom Fliegen, mit dem er meine Schwester und mich über Jahre zum Stehlen verführt hatte? Oder hatte er seine Geschichten kaltblütig erfunden, um sich anderer Leute Geld und Lebensmittel anzueignen? War es ihm nicht auch – und vielleicht vor allem – um die Macht gegangen, um die Macht eines schlauen, halb erwachsenen Kriegskinds, das es fertigbrachte, unserer Mutter die Kinder abspenstig zu machen und sie zu kommandieren?

Je näher ich der Schreinerei von Willi kam, desto verrückter erschien mir das Vorhaben, ihn nach so langer Zeit zur Rede zu stellen. Eine absurde Wut hatte mich erfasst, die meine Glieder steif machte. War es nicht lächerlich? Ich schritt durch die Kramergasse, als müsste ich in wenigen Minuten einem international gesuchten Verbrecher vom Format des KZ-Mörders Josef Mengele gegenübertreten, den ich entlarven und ihn anschließend der Polizei übergeben würde. Was genau hatte ich denn Willi vorzuwerfen? Falls er überhaupt derjenige war, den ich suchte – er war doch selber noch ein Kind gewesen, ein verrückter charismatischer Junge, der in den Jahren des Hungers seine Überlebenschance wahrgenommen und zwei phantasiebegabte Nachbarskinder mit seinen Geschichten unter seinen Einfluss gebracht hatte. Natürlich konnte er nicht wissen, was er mit seinen Lügen in unserer Beziehung zu unserer Mutter und unserem Leben angerichtet hatte.

Und konnte ich mir diesen auf seine Weise hochbegabten Jungen wirklich als einen achtzigjährigen Schreiner und Inneneinrichter in Grainau vorstellen? Als einen Mann, der nach seinem großen Auftritt als irdischer Vertreter des Erzengels Michael zeit seines

Lebens im Dorf geblieben war, um in den ehemaligen Bauernhäusern der Einheimischen, die damals nur Plumpsklos kannten, Marmorbäder und das eine oder andere Bücherregal einzubauen?

Eine Frau mit weißen Haaren – war es Willis Frau? – machte mir auf und schickte mich in die Schreinerei hinter dem Haus. Als ich eintrat, blickte ich auf einen gebeugten Kopf mit stark gelichteten Haaren. Willi war mit dem Abhobeln einer alten Tür beschäftigt und sah erst auf, als er seine Arbeit beendet hatte. Die Augen hinter der starken Brille konnten einmal blau gewesen sein – inzwischen war ihre Farbe zu dem Einheitsgrau verblichen, das die Augen alter Leute kennzeichnet. Er blickte mich von unten an – mit einem abwartenden Blick. Ich suchte in seinem Gesicht nach irgendeinem unveränderlichen Merkmal, an das ich mich nicht erinnerte, von dem ich aber hoffte, dass es mir im Augenblick der Begegnung mit Willi wieder einfallen würde – nach einer Warze, einer Narbe. Aber hatte es ein solches Merkmal je gegeben?

Ich erklärte ihm, warum ich hergekommen sei; ich hätte meine Kindheit nur ein paar Hundert Meter entfernt in der Alpspitzstraße verbracht – in dem dunklen Holzhaus auf dem Hügel – und damals einen Freund gehabt, der schräg gegenüber im Haus des Architekten wohnte.

Da hellte sich Willis Miene plötzlich auf. Der Willi, den ich suchte, sei ein ganz anderer Willi. Allerdings wohne der nicht mehr in Grainau. Ich solle Peter

Schuster, den ehemaligen Bürgermeister, den Sohn von Maria Schuster, fragen. Wenn einer im Dorf, dann könne der Peter mir Näheres über den von mir gesuchten Willi sagen. Der falsche Willi wusste dann auch gleich, wo ich den Peter um diese Zeit finden könne: auf dem Sportplatz, da trainiere er die Fußballjugend von Grainau.

Ich setzte mich ins Auto und nahm die von Willi bezeichnete Straße zum Fußballplatz. Der Platz war leer, aber weit hinten, an den Umkleidekabinen, entdeckte ich einen älteren Mann mit einem Bierbauch. Mit einem Helfer reparierte er gerade ein Türschloss. Ja, sagte Peter Schuster, als ich ihn ansprach, er sei mit einem Willi Krause zur Schule gegangen. Beim 40. Jahrestag des Schulabgangs aus der Grainauer Volksschule habe er versucht, die ganze Klasse noch einmal vollzählig zu versammeln. Er habe damals sogar den Polizeipräsidenten des Landes, mit dem er seit Schülerzeiten befreundet gewesen sei, gebeten, die Adressen sämtlicher unbekannt verzogener Klassenkameraden ausfindig zu machen. Ein einziger sei nicht auffindbar gewesen: Willi Krause – oder hieß er Kraus? Was eindeutig bedeutete, dass Willi damals nicht mehr in Bayern und in Deutschland gemeldet war; denn sein Freund, der Polizeipräsident, habe Zugriff auf sämtliche Adressen der Bundesrepublik gehabt. Jahre später habe ihm jemand erzählt, Willi sei nach Südafrika ausgewandert.

Irgendetwas trieb mich, die alten Wege und Strecken abzulaufen, die ich als Kind gegangen war. Mit dem Leihwagen fuhr ich zum Eibsee, zu dem wir in den Sommerferien, wenn der Vater uns besuchte, zu Fuß gegangen waren. Damals hatten wir für die Strecke, die ich jetzt in wenigen Minuten zurücklegte, eine ganze Stunde gebraucht, und für mich war es jedes Mal ein Rausch, ein Glücksgefühl gewesen, wenn ich zwischen dem dichten Geäst der Tannen die ersten Streifen des Wassers aufscheinen sah.

Der Eibsee sah immer noch so aus, wie ich ihn in Erinnerung hatte. Ich verspürte eine irgendwie alberne Dankbarkeit, dass der See seine Farbe und seine Form behalten hatte. Wie ein flüssiger Smaragd hatte sich der Eibsee in die grauen Felswände geschnitten, die bis zum schneebedeckten Kopf der Zugspitze emporstiegen. Inzwischen hatte sich das Hotel, das schon damals den Zugang zum See verengt hatte, zu einem Ungetüm ausgewachsen. Sonst waren die Ufer unbebaut geblieben.

Der dichte Wald am Ufer gegenüber spiegelte sich im Wasser und sah aus der Entfernung aus, als würde er aus dem Wasser wachsen. An den Rändern des Sees war die Wasserfläche hellgrün; zur Mitte hin wurde sie rasch dunkel, zeigte aber in ihrem Zentrum wieder helle Flecken, die sich wie ausgelaufene Milch auf einem dunklen Boden abzeichneten. Ein paar kleine, von Gestrüpp und Fichten bestandene Inseln erhoben sich dort aus dem Wasser. An diesen Inseln hatten wir mit dem Ruderboot manchmal angelegt; der Vater hatte im Boot auf uns gewartet, während wir das wilde Territorium erforschten.

Plötzlich brach die Sonne durch die Wolkentürme; für Augenblicke entstand an verschiedenen Stellen des Sees das silbrige Vibrieren, das mich als Kind entzückt hatte. Ich vermisste etwas: die verfaulten, vom Wasser entrindeten Baumstämme und Äste, die damals wie träge Krokodile überall im See herumgeschwommen waren.

Ich setzte mich in das Ufer-Restaurant, das zu dem Hotel-Ungetüm gehörte. Das Licht wechselte beständig, während ich meine Karaffe Wein austrank. Die Ostwand der Zugspitze veränderte in kurzen Abständen ihre Färbung. Eben noch in weißlich schimmerndes Grau getaucht, verwandelten sich die Felswände binnen Minuten in eine dunkle, undurchdringliche Masse, die von quer laufenden schwärzlichen Gesteinsschichten durchzogen wurde – wie von urzeitlichen, nicht entzifferbaren Schriftbändern. Ein starker Wind kam auf; die Gäste zahlten, der Kellner kurbelte in Hast die Sonnenschirme herunter und empfahl mir, mich ins Innere des Restaurants zurückzuziehen.

Ich nahm den Weg um den Eibsee; passierte die Stelle, an der im Sommer die Ruderboote vermietet wurden – war es dieselbe Stelle wie damals? –, ging an der ersten Öffnung, die Zugang zum See gewährte, ans Wasser und hielt die Hand hinein. Der Eibsee war immer eiskalt gewesen, und eiskalt war er jetzt. Aber wenn man einmal drin war und lang genug untertauchte, hatte der Vater gesagt, würde man die Kälte nicht mehr spüren und könne eine halbe Stunde lang im Eibsee schwimmen. Der Kieselstrand war für die nackten Füße immer ungemütlich gewesen, und kieselhart und abweisend war er jetzt. Plötzlich fiel mir ein, dass ich als Kind einmal versucht hatte, den ganzen Eibsee barfuß zu umrunden – Willi hatte das Laufen in Sandalen »eine Verweichlichung« genannt, unwürdig eines Mannes. Schon nach einer Viertelstunde hatte mich der Vater auf den Rücken nehmen müssen, weil meine Füße bluteten.

Der Rundweg um den Eibsee war alle hundert Meter mit Namen, Warnschildern und ökologischen Hinweisen beschildert. *Nicht von den markierten Wegen abweichen! Es gibt seltene und geschützte Pflanzen, die Schaden nehmen könnten! – Nicht die Enten füttern!* – Jedes Rinnsal, das durch die steilen Felstrümmer einen Weg zum See gefunden hatte, trug inzwischen einen Namen und eine Nummer. Die überall aufgestellten Mülleimer waren mit rot durchgestrichenen Symbolen beklebt, die alles ausschlossen, was ein Spaziergänger am Eibsee wohl ohnehin nicht würde loswerden wollen: *Keine Batterien bitte, kein Öl und keinen Elektromüll.* Aber auch alles, was er gern entsorgt hätte: *Keine Flaschen bitte, auch nicht Bio-Müll!*

Zweifellos hatten die Verfasser dieser Schilder das Wohl zukünftiger Generationen und der Natur im Auge. Sie wollten, so schrieben sie, *ein erträgliches mensch-liches Ambiente sichern.* Sie waren von der Idee geleitet, dass die ganze, gewaltige Natur um sie herum unterge-hen würde, wenn sie nicht vom Menschen, sprich von den Naturschützern, beschützt würde. Die jahrtausen-dealte Erfahrung, dass diese Natur unendlich stärker war als sie, dass *der Mensch* durch seinen Missbrauch allenfalls das Überleben der eigenen Spezies, nicht aber das Überleben der Natur gefährden konnte, war diesen Kuratoren fremd.

Ich zündete mir eine Zigarette an und genoss die em-pörten Blicke einer Touristengruppe, die es eilig hatte, zu ihrem Bus auf dem Hotel-Parkplatz zurückzukeh-ren. Obwohl die Wanderer, wie ich an ihrem Akzent erriet, von weit her kamen, sahen sie mit ihren nagel-neuen Rucksäcken, Gamshüten, Wanderstiefeln und Wanderstöcken wie Einheimische aus. In mir, der ih-nen in einem schwarzen Leinen-Anzug, ohne Hut und Stock entgegenkam, mussten sie einen ahnungslosen Fremden sehen.

Ein leiser Nieselregen hatte eingesetzt. Ich beschleu-nigte meinen Schritt, aber nicht, weil ich zum Hotel zurückwollte. Ich lief in die Gegenrichtung und war erst am Anfang meines Rundgangs.

Durch das schnelle Gehen veränderte das steil anstei-gende Ufer an meiner Seite seine Gestalt. Die Konturen verloren ihre Genauigkeit und näherten sich dem Bild an, das in meinem Inneren aufbewahrt war. Die übermoosten, manchmal fast weißen Felsstücke am Wegrand, die überwachsenen Baumstümpfe, die wie grüne Monster in Hockstellung am Wegrand lauerten, schienen nur auf ein Zeichen zu warten, um sich zu bewegen. Höher hinauf türmten sich die großen Felsentrümmer, die wahrscheinlich seit Jahrtausenden dort standen, aber auf mich immer noch so wirkten, als könnten sie jeden Augenblick herunterstürzen. Unter ihnen hatten wir als Kinder Füchse, Munition und Tote gesucht. Und plötzlich klickten weit auseinanderliegende Szenen, Schmerzen und Erregungen ineinander. Wie oft war ich ziellos und fast blind durch diese und andere Wälder gerannt, gehetzt durch einen Schmerz, der sich nur durch besinnungsloses Rennen beruhigen ließ? Als ob ich nur durch Atemlosigkeit zu einem freien Atmen kommen könnte. Woher rührte dieser Riss, der plötzlich, ohne Vorwarnung, meine Anstrengungen, meine Vorhaben, meine Lieben in Nichts auflöste und nur Schwärze übrig ließ? Das Gefühl, dass mir jemand von hinten eine Schlinge um den Hals warf und sie zuzog? Sodass immer wieder ganze Erdteile auf der Landkarte meines inneren Planeten wie in einem Explosionsblitz ausgelöscht wurden und ich mich der Welt wie ein Neugeborener wieder nähern musste? Woher der Zwang, die Frauen, die ich liebte, fortzustoßen, bis sie mich wirklich abwiesen, und ihnen dann in endlosen, nicht abstellbaren Versöhnungsträumen nachzutrauern? Trennungen hatten sich immer richtiger angefühlt als die Versuche, sie rückgängig zu machen. Wenn es zu Ende ist, hatte mir ein Freund gesagt, weißt du, dass es zu Ende ist. Bei mir war es nie zu Ende.

Ich griff nach meinem Handy. Komm und frage nicht, würde ich ins Mikrofon sagen. Lass uns zusammen meine alten Wege gehen und dir erzählen, was mir dabei durch die Seele geht. Und wenn du mir zuhören und dich auf meine Erzählung einlassen kannst, wird der alte Zwang besiegt sein – und wir werden uns endgültig versöhnen.

Das Handy zeigte an: Kein Netz.

27

Trotz des Verbots der Mutter und von Hanna traf ich mich immer noch mit Willi. Wir nahmen den Vorortzug nach Garmisch. Er zeigte mir zwei Eintrittskarten für das Eishockeyspiel am Abend – wahrscheinlich hatte er sie mit dem gestohlenen Geld bezahlt, das ich ihm gegeben hatte. Ich war aufgeregt, es war das erste Eishockeyspiel meines Lebens. Aber schon auf der Fahrt stiegen Angstwellen in mir hoch, ich fürchtete, zu spät nach Grainau zurückzukommen. Willi versprach mir, mich zum Abendessen zu Hause abzuliefern. Ich glaubte ihm nicht, aber ich blieb bei ihm.

Mit angehaltenem Atem verfolgte ich die Krieger auf dem Eis, wie sie mit ihren Helmen und Lanzen auf der gefrorenen Fläche hin und her flitzten. Ich hörte das Scharren ihrer Kufen, wenn sie aus vollem Lauf bremsten und von einer glitzernden Wolke aus Eiskristallen eingehüllt wurden, sah sie gegen die Holzbarriere krachen und ineinander verkrallt zu Boden stürzen. Immer nur für Sekunden entdeckte ich das gedankenschnelle schwarze Ding, dem sie nachjagten.

Mein Liebling war der Torwart, den ich von meinem Platz aus am besten sehen konnte. Ich sah ihm zu, auch wenn er gar nicht in Bewegung war. Wie er sich plötzlich, die gepanzerten Knie aneinandergepresst, in sein kleines Tor duckte, wenn die Lanzenmänner der gegnerischen Mannschaft auf ihn losstürmten – das riesige Stadion, das ganze Weltall war in diesem Augenblick kleiner als der Kasten hinter ihm. Wenn er mit der Lederhand den Puck aus der Luft gegriffen hatte, richtete er sich auf, blieb lange, wie in ein Nachdenken versunken, stehen und zog ein paar Kreise um sein Tor. Es war dieser Augenblick der Ruhe nach dem Fang, der mich ergriff. Wie er den Puck mit der Faust umschlossen hielt und ihn gar nicht mehr hergeben wollte.

Ich ließ den Torwart nicht mehr aus den Augen, auch wenn der Kampf um den Puck gerade in der anderen Spielhälfte tobte – der Torwart war der Hüter meiner Wünsche. Ich klatschte mit, wenn er den Puck aus dem Menschenknäuel vor seinem Kasten herausfischte, und klatschte auch, wenn er ihn mit gesenktem Kopf aus seinem Tor holte. Zum Schluss des Spiels wusste ich nicht, wer gewonnen hatte.

Es war längst dunkel, als wir das Eisstadion verließen, der Zug nach Grainau fuhr nicht mehr. Wir mussten auf dem Waldweg über Hammersbach zu Fuß nach Hause laufen. Ich war wütend auf Willi und beschimpfte ihn. Hannas Warnung fiel mir wieder ein: Willi sei ein Betrüger, er kenne den Erzengel gar nicht und habe uns die ganze Zeit nur ausgenommen. Ich rannte los, begann einen Dauerlauf, musste aber schon nach einer Viertelstunde stehen bleiben. Bald sah ich Willi nicht mehr, der mich überholt hatte, und suchte vergeblich nach dem Rücken, der in der Nacht verschwunden war. Ich rief nach Willi, aber hörte nur ein mächtiges Rauschen in den Wipfeln über mir. Ich wusste, kein Engel würde kommen und mit mir hoch über der dunklen Wand der Tannen nach Grainau fliegen.

Das Dorf lag im Dunkeln, als ich zurückkam. Nur in dem Holzhaus auf dem Hügel brannte ein verlorenes Licht. Auf Zehenspitzen stieg ich den steilen Weg hinauf, zog die Schuhe aus und öffnete leise, Zentimeter für Zentimeter, die Verandatür. Auf Socken schlich ich durch das Wohnzimmer. Ich erschrak, als ich an der Treppe zum Kinderzimmer die Mutter sah. Sie saß im Dunkeln auf der untersten Stufe, den Kopf an das Treppengeländer gelehnt. Sie schien zu schlafen. Ich war schon fast an ihr vorbei, als sie mich am Bein packte.

Ich glaube nicht, dass ihre Stimme laut wurde. Wahrscheinlich flüsterte sie, weil sie meine Geschwister nicht wecken wollte. Sicher hat sie mich gefragt, wo ich gewesen sei, wo ich mitten in der Nacht herkomme, was mir bloß einfiele, ihr nicht zu sagen, wo ich hinginge, ob ich mir nicht vorstellen könne, dass sich eine Mutter Sorgen mache, wenn ihr achtjähriger Sohn um Mitternacht noch nicht zu Hause sei.

Ich hatte mir mit Willi eine Lüge ausgedacht. Ich sei auf dem Geburtstag seines Freundes gewesen und hätte nicht gemerkt, dass es dunkel wurde. Ich weiß nicht mehr, was ich sonst noch hervorsprudelte, jedenfalls merkte meine Mutter, dass ich log.

Sie sagte nichts, als der Zorn in ihr übermächtig wurde und sie nach dem Teppichklopfer griff, den sie sich bereitgelegt hatte. Es war der aus Draht, nicht der aus Stroh geflochtene. Ich spürte, dass sie völlig außer sich war, als sie aus Leibeskräften immer wieder auf mich einschlug, und gleichzeitig, dass sie sich zum Prügeln zwingen musste. Wie konnte sie so besinnungslos und bis zur Erschöpfung auf mich eindreschen! Ich war doch ihr Liebling gewesen!

Ich glaube nicht, dass ich den Kopf wendete und ihr ins Gesicht blickte, als sie fertig war und mich ins Bett schickte. Dennoch habe ich es ein Leben lang gesehen – das von der Mühe des Schlagens verzerrte, das verzweifelte Gesicht meiner Mutter.

Ich schlief noch, als sie am anderen Morgen wegfuhr. Es hieß, sie sei bereits todkrank gewesen, als sie das Haus verließ und den Zug nach Hannover nahm. Der Vater brachte sie sofort in eine Klinik. Sie starb wenige Wochen später – an Leberzirrhose, hieß es, an einer Immunschwäche, sagten andere. Ich glaube eher, dass sie an Erschöpfung gestorben ist – an Erschöpfung und an einem gebrochenen Herzen.

Ein paar Tage nach ihrem Tod saßen alle, der Vater, die Großeltern, meine Geschwister, im Wohnzimmer und hatten Taschentücher in den Händen. Der Vater der Mutter war nicht gekommen. Hanna und ich weinten nicht. Deutlich erinnere ich mich, wie falsch und überflüssig mir das Weinen um die Mutter vorkam. Ich ging von einem Stuhl zum anderen und tröstete die Trauernden. Es war doch gar nichts Schlimmes passiert! Die Mutter war im Himmel und der Erzengel Michael beschützte sie. Ich verriet niemandem, dass ich bald zu ihr fliegen würde, um sie mit mir zu versöhnen.

Viele Jahre später habe ich Horst, den letzten Liebhaber der Mutter, aufgesucht. Noch in seinem hohen Alter war er ein stattlicher, ein liebenswürdiger Mann. Sein Lispeln wurde stärker, als er von seiner Liebe zu meiner Mutter zu sprechen begann. Ich bemerkte ein schmerzhaftes Lächeln im Gesicht seiner Frau. Offenbar hatte es zwischen ihm und ihr nie jene Verabredung zu völliger Offenheit gegeben, die die Mutter ihrem Mann und ihren Liebhabern zugemutet hatte. Horst bat mich in sein Arbeitszimmer.

Er hatte meine Mutter damals, in den letzten Wochen, jeden zweiten Tag besucht. Heinrich und er hatten verabredet, sich mit ihren Besuchen abzuwechseln. Als die Krankenschwester Horst mitteilte, dass die Mutter nur noch wenige Tage zu leben hatte, habe er versucht, sich von ihr zu verabschieden. Er habe ihr gesagt, dass er Heinrich das Recht zum Besuchen überlassen wolle. Entkräftet wie sie war, habe sich die Mutter in ihrem Bett aufgerichtet und ihm eine Szene gemacht. Was ihm einfiele, sie in ihren letzten Tagen allein zu lassen! Sie nannte ihn einen Feigling, ja, »Feigheit in der Liebe« habe sie ihm vorgeworfen.

Von da an war Horst nur noch im Garten des Krankenhauses spazieren gegangen und hatte stumme Grüße zu dem Fenster hochgeschickt, hinter dem seine Geliebte im Sterben lag.

Die Mutter hatte sich bei Heinrich über Horsts »Versagen« beklagt. Und Heinrich war bereit gewesen, seiner Frau auch diesen, seinen letzten Liebesdienst zu erweisen. Er überredete Horst, die Mutter gemeinsam mit ihm zu besuchen. Die beiden Freunde standen an ihrem Bett, als sie für immer die Augen schloss. Er sei eine Zeit lang wie gelähmt gewesen, erzählte Horst, unfähig zu einer Regung, er habe das Gefühl gehabt, er habe gar kein Recht darauf, zu weinen. Da habe Heinrich ihn umarmt. Du hast sie doch auch gekannt in ihrer ganzen Schönheit, habe Heinrich ihm gesagt, du weißt so gut wie ich, was wir verloren haben!
Lange hatten die beiden Freunde vor der jungen Toten gestanden und sich erzählt, was sie ihnen bedeutet hatte, als sie lebte.

Andreas hat wohl erst durch die Todesanzeige, in der sich Heinrich von »seiner geliebten Frau und einzigen Lebensgefährtin« verabschiedet vom Ableben der Mutter erfahren.

Es könnte in den Tagen oder Wochen nach ihrem Tod gewesen sein, dass die drei Männer, die die Mutter zuletzt geliebt hatte, übereinkamen, ihre Briefe Heinrich zu übergeben – als Zeugnisse einer Frau, deren Sehnsucht zu schreiben sich in der Zeit, die ihr gegeben war, nur in ihren Briefen erfüllt hat. Da Heinrich ja immer fast alles wusste, konnte er sich nicht getäuscht fühlen und nachträglich kränkende Entdeckungen machen. Bei Horst und Andreas war vielleicht noch ein anderes Motiv im Spiel. Beide hatten ihren Ehefrauen ihre Liaison mit der Mutter verheimlicht und hatten wahrscheinlich ein Interesse daran, ihre Briefe auf diskrete Weise loszuwerden, um nicht nachträglich – durch einen Fund in einem vermeintlich sicheren Versteck – peinigende Szenen oder gar Scheidungsanträge ihrer Gattinnen zu riskieren.

In Andreas' riesigem Nachlass, der in einem Theatermuseum aufbewahrt wird, kommt der Name seiner langjährigen Geliebten nicht mit einer Silbe vor.

ENDE

Danken möchte ich allen, mit denen ich über die Personen und die Umstände, die in diesem Buch geschildert werden, habe sprechen können:

Meinen vier Geschwistern und meiner zweiten Mutter, mit denen ich mich über die Jahrzehnte immer wieder ausgetauscht habe;

Gisela Deus, ohne deren Entzifferungsarbeit und einfühlende Kommentare dieses Buch nicht zustande gekommen wäre;

meiner Cousine Helene Ruckdeschl, die ich durch meine Recherche wieder entdeckte;

dem Historiker Alois Schwarzmüller, dessen Auskünfte und Studie über das »Kriegsende in Garmisch« mir wichtige Aufschlüsse über diese Zeit verschafften;

den Heimathistorikern Hubert Riesch und Willi Thom vom Geschichtsverein »Bär und Lilie«, aus deren Sammlung von Erfahrungsberichten Grainauer Bürger ich viele Details gewonnen habe;

den **Grainauern** Maria Schuster und ihrem Sohn, dem Altbürgermeister Peter Schuster;

Regina Müller, der Wirtin des Hotels Hirth, die mir die Geschichte des Hotels erzählte;

Dorle Gräf, die mich in die Villa der Familie Hirth einlud und mir ein Bild von ihrer Jugend in Grainau vermittelte;

Brigitte Hupfer und Matthias Hildebrandt, die meine Erinnerungen an das Grainau unserer Kindheit auffrischten und mir die Begegnung mit meinen Mitschülern aus der Volksschule ermöglichten;

Hannes Vogelmann und Ulrike Ohlmer, die jetzt Besitzer des Hauses in der Alpspitzstraße sind und mich dort willkommen hießen;

William John Reese und Jay LeBeau, die mir Zugang zum ehemaligen Headquarter der US-Army in Garmisch-Partenkirchen, heute G. C. Marshall-Center, European Center for Security Studies, gewährten und mir Einblicke in die Geschichte der Besatzungszeit verschafften;

Joe vom früheren PX-Laden, dem dienstältesten Angestellten der US-Army in Bayern, der mir viele Geschichten aus der Nachkriegszeit erzählte.

Peter Schneider. Lenz. Taschenbuch.

Mitten in der Studentenbewegung: Lenz, Student in einer
Großstadt, irrt durch sein Leben. Seine Beziehung ist zerbrochen, sein politisches Engagement erscheint ihm per-
spektivlos. Er will der drückenden Stagnation entkommen
– und löst eine Fahrkarte nach Italien.

»Schneiders ›Lenz‹ ist ein Meisterwerk – huckepack sehen
wir mit seinen Augen die Risse im Beton der Nachkriegszeit.« *Julia Franck*

Leseproben und mehr unter www.kiwi-verlag.de